Na Cienistej Plaży

BARBARA FREETHY

Na Cienistej Plaży

przełożyła
Dorota Jankowska-Lamcha

Warszawa 2012

Tytuł oryginału: *On Shadow Beach*

Projekt okładki: Czartart, Izabela Surdykowska-Jurek,
Magdalena Muszyńska
Fotografia na okładce Istockphoto

ISBN 978-83-7551-262-5

Wydawnictwo BIS
ul. Lędzka 44a
01-446 Warszawa
tel. 22 877-27-05, 22 877-40-33; fax 22 837-10-84

e-mail: bisbis@wydawnictwobis.com.pl
www.wydawnictwobis.com.pl

Druk i oprawa: ARSPOL, Bydgoszcz

Rozdział 1

Zupełnie jak wtedy drzwi wejściowe były otwarte na oścież, wszystkie światła w domu zapalone, a na ekranie telewizora wyświetlał się jakiś teleturniej. Lauren Jamison postawiła walizkę i poczuła się niezręcznie.

Od jej pobytu w domu minęło trzynaście lat, ale pokój dzienny wyglądał tak samo. Przed kominkiem stał ten sam fotel z brązowej skóry, w którym każdego wieczoru ojciec siadał, by przeczytać gazety. Była tam kanapa, na której zwijała się w kłębek jej siostra Abby, kiedy pisała swój pamiętnik, i stół przy oknie, gdzie matka z jej małym braciszkiem, Davidem, grywali w gry planszowe. Sprzęty pozostały, a ludzie odeszli. Wszyscy, poza jedną osobą.

– Tato? – zawołała.

Cisza w odpowiedzi napięła jej nerwy do granic. Chciała, by ojciec się pokazał i przypomniał jej, że przynajmniej to nie jest jak przedtem. Kiedy bowiem trzynaście lat temu wróciła do domu późnym wieczorem i zastała drzwi wejściowe otwarte, a światła zapalone, matka zanosiła się histerycznym szlochem. Potem już nic nie było takie samo.

Gwizdek czajnika ściągnął ją do kuchni, ale pomieszczenie było puste. Wyłączyła kuchenkę i przeszła na korytarz, by sprawdzić wszystkie sypialnie. Pokój ojca był zarzucony mnóstwem ubrań. Jedynie spłowiałe kwieciste zasłony zdradzały niegdyś potężny wpływ matki na wystrój wnętrz. Sypialnia Davida została przerobiona na biuro, które pokrywał kurz i papierzyska. Pokój na końcu korytarza należał do niej i do Abby.

Drzwi były zamknięte i Lauren zwolniła kroku. Ojciec mógł przemeblować pokój, popakować rzeczy Abby w pudła i przekazać biednym albo też pokój mógł wyglądać dokładnie tak samo, jak tamtej nocy, kiedy Abby pożegnała się z życiem. Serce zaczęło jej bić mocniej.

Zapukała.

– Tato? Jesteś tam?

Kiedy nie usłyszała odpowiedzi, otworzyła drzwi, szybko omiotła wnętrze wzrokiem, po czym z powrotem zatrzasnęła drzwi. Dyszała ciężko. Część pokoju należąca do Abby wyglądała, jakby zatrzymał się czas. Jakby oczekiwano na jej powrót. Lauren wydała z siebie drżące westchnienie i wycofała się.

Gdzie, u licha, był ojciec? Zadzwoniła do niego rano, by uprzedzić o przyjeździe. Wydawał się w całkiem dobrej formie. Jednak według sąsiadów, którzy w ciągu ostatnich trzech miesięcy wysłali do jej matki mnóstwo listów, choroba Alzheimera znacznie się posunęła. Był najwyższy czas, aby ktoś z rodziny wrócił i się nim zajął. Matka odmówiła. Rozwiodła się z Nedem Jamisonem jedenaście lat wcześniej i nie miała najmniejszego zamiaru teraz do niego wracać. David pojechał na wschód, do szkoły. I tak Lauren znalazła się z powrotem w Zatoce Aniołów, aby zaopiekować się człowiekiem, który był dla niej prawie obcy. Niemniej wciąż był jej ojcem i musiała go odnaleźć. Nie wiedziała tylko, gdzie szukać. Od czasu, kiedy jako siedemnastolatka opuściła dom, spędziła z nim zaledwie kilka weekendów, w dodatku wszystkie w San Francisco. Gdzie ojciec mógł być w piątkowy wieczór? Nie znała jego obecnych przyjaciół, nie wiedziała, jak i gdzie spędzał czas.

A może jednak?

Od zawsze miał określone przyzwyczajenia. Kiedy była dzieckiem, przez większość czasu przebywał w trzech miejscach – w domu, w sklepie wędkarskim, który przestał prowadzić dopiero dwa lata temu, i na wędkarskiej łodzi „Leonora" nazwanej tak po jej prapraprababce, która należała do grona założycieli Zatoki Aniołów.

Lauren skierowała się do drzwi frontowych, a stamtąd na przystań, która znajdowała się zaledwie parę ulic dalej. Zapięła sweter i przyśpieszyła kroku. Była siódma wieczór i ciemniejące wrześniowe niebo niosło już chłód. Wkrótce na każdym podjeździe pojawić się miały dynie i dekoracje na Halloween, teraz jednak okolica była spokojna.

Chociaż kilka domów przebudowano, uliczki nadal wyglądały znajomo. Urodziła się w Zatoce Aniołów i tutaj właśnie stawiała swoje pierwsze kroki, uczyła się jeździć na rowerze i na rolkach wśród różanych krzewów Johnsonów. Tu w świetle księżyca przeżyła pierwszy pocałunek. Tutaj się zakochała... i tutaj także się odkochała.

Zamrugała, by przegonić łzy, i skoncentrowała się na marszu. Teraz w San Francisco wiodła wspaniałe życie, miała ciekawą pracę i dobrych przyjaciół. Nie żałowała porzucenia rodzinnego miasteczka. Wolałaby nie wracać.

Kiedy dotarła do promenady, zabrakło jej tchu. Przyśpieszyła kroku, mijając sklep z narzutami Pod Sercem Anioła, gdzie razem z matką i siostrą brały udział w odwiecznej tradycji wspólnego szycia patchworkowych narzut. Szycie było sposobem, w który córki, siostry i przyjaciółki łączyły przeszłość z przyszłością. Kiedyś to uwielbiała, lecz od wyjazdu stąd nie wzięła do ręki igły. Nie pragnęła już więcej tych więzi. Ani też nie pragnęła teraz zobaczyć nikogo znajomego. Miała nadzieję, że jej pobyt będzie krótki, a kontakt z lokalną społecznością możliwie jak najmniejszy.

Przeszła przez ulicę i spuszczając nisko głowę, minęła Krabową Chatę Carla. Stoliki stały wprost na chodniku i pyszny zapach zupy z małżów, ryby i frytek sprawił, że zaburczało jej w żołądku. Jechała z San Francisco cztery godziny samochodem, nie zatrzymując się na posiłek. Teraz tym bardziej nie mogła się zatrzymać.

Kiedy dotarła do przystani, na sklepie ze sprzętem rybackim i wędkarskim, należącym dawniej do ojca, spostrzegła nowy szyld. Teraz był to sklep Brady'ego, nie Jamisona. Sklep był zamknięty. Poszła na pomost, gdzie cumowały łodzie. Na szczęście brama była przyblokowana deską w pozycji otwartej, nie potrzebowała więc klucza. Od kiedy pamiętała, ojciec miał stary trawler, który cumując, zajmował wszystkie miejsca od drugiego do ostatniego w trzecim rzędzie. Miała nadzieję, że nadal tam jest.

Na przystani było cicho. Ruch panował tutaj wczesnym rankiem i późnym popołudniem, kiedy zawodowi rybacy i miłośnicy wędkowania wypływali i powracali po dniu pracy lub wypoczynku. Ciśnienie jej podskoczyło, kiedy nagle zabłysły światła łodzi ojca, a potem rozległ się warkot silnika. Dostrzegła w kabinie jego sylwetkę. Cóż on najlepszego robi! Nie może sam wypłynąć w morze.

– Tato! – wrzasnęła i ruszyła biegiem. Zamachała rękami i krzyknęła ponownie. Nie usłyszał jej jednak albo ją zignorował. Kiedy dobiegła na miejsce, łódź ojca kierowała się już na środek zatoki. Musiała go powstrzymać. Musiała zadzwonić do straży przybrzeżnej albo znaleźć kogoś, z kim mogłaby popłynąć za nim. – Hej! Czy jest tutaj ktoś? – zawołała.

Jakiś mężczyzna wychynął z pobliskiej łodzi, więc Lauren podbiegła wzdłuż doku.

– Co się stało? – zapytał.

Znajomy głos zatrzymał ją w miejscu. Kiedy mężczyzna wskoczył na pomost i stanął w oświetlonym miejscu, serce zaczęło jej bić mocniej.

Shane. Shane Murray.

Ruszył w jej stronę pewnym, zdecydowanym krokiem, taki, jakiego go zapamiętała. Nie była na to gotowa. Nie była gotowa na niego.

Wiedziała, w którym ułamku sekundy ją rozpoznał. Jego krok zgubił rytm, ramiona zesztywniały, a szczęki zacisnęły się w chmurnej twarzy. Nie wypowiedział jej imienia. Wlepił w nią wzrok i czekał. Shane nigdy nie był zbyt rozmowny, zawsze uważał, że czyny przemawiają głośniej niż wyjaśnienia. Czasem jednak prawda wymagała tego, by ją wypowiedzieć, a nie by dedukować lub się jej domyślać.

– Shane… – Wolałaby, żeby jej głos nie był tak schrypnięty i przesiąknięty wspomnieniami. Chrząknęła. – Ja… potrzebuję pomocy. Ojciec właśnie wypłynął stąd łodzią. Nie wiem, czy wiesz, ale ma alzheimera. – Wskazała ręką „Leonorę", której światła już bladły w oddali. – Muszę go ściągnąć na brzeg. Pomożesz mi? Zdaje się, że nikogo więcej tutaj nie ma. – Kiedy nie odpowiadał, dodała: – Myślę, że może lepiej wezwać straż przybrzeżną.

Przez chwilę zdawało się jej, że odmówi. Nie byli już przyjaciółmi. Byli wrogami.

Wreszcie Shane kiwnął oschle głową.

– Ruszamy. – Skierował się do swojej łodzi.

Pójście z nim było ostatnią rzeczą, której pragnęła, jednak nie mogła stać z boku, kiedy ojciec wypływał w morze, nie mając prawdopodobnie pojęcia, kim jest i dokąd się udaje.

Łódź Shane'a była nowiutką dziewięciometrową sportową łodzią wędkarską ze wszystkimi nowoczesnymi udogodnieniami. Miała uchwyty na wędki w górnej części nadburcia, wbudowane w kadłub szuflady na sprzęt wędkarski i chłodziarki z lodem. Shane wszedł na pokład, odcumował i odepchnął się od odbojnika, po czym skierował się do sterówki. Uruchomił silnik i wypłynął.

Stała metr od niego i czuła się bardzo niezręcznie. Jak długo potrwa, nim wreszcie się do niej odezwie? A kiedy już się odezwie, to co powie? Pomiędzy nimi tkwiło wiele bolesnych zdarzeń. Jakaś część jej duszy chciała, by przerwał ciszę, jednak druga część bała się, do czego to może prowadzić.

Zakochała się w nim zaraz po siedemnastych urodzinach. Kalendarzowo był tylko o rok starszy, pod względem doświadczenia zaś przynajmniej o pięć. Ona była nieśmiałą grzeczną dziewczynką, która nigdy w życiu nie uczyniła niczego pod wpływem impulsu, a on znanym rozrabiaką, o zmiennych humorach, zbuntowanym i lekkomyślnym. Przyciągał ją do siebie jak ogień ćmę.

Shane zdecydowanie nie był już nastolatkiem. W spłowiałych błękitnych dżinsach, szarym T-shircie i czarnej kurtce wyglądał jak stuprocentowy mężczyzna. Wysoka sylwetka była barczysta, nogi długie. Czarne włosy kręcone i rozwiane przez wiatr sięgały do kołnierza kurtki, a skóra miała odcień opalenizny kogoś, kto większość czasu spędza pod gołym niebem.

Zarys szczęki zawsze układał się w wyraz mówiący „wstęp wzbroniony", co ani trochę się nie zmieniło. Shane nigdy łatwo nie dopuszczał ludzi do siebie. Musiała walczyć, żeby przedostać się przez bariery, jednak nawet przy takiej bliskości, która między nimi zaistniała, nigdy nie odgadła tajemnicy pochmurnego spojrzenia ciemnych oczu ani też zagadki gwałtownych, ostrych błysków cierpienia. Shane zawsze dużą część siebie trzymał w zamknięciu.

Powędrowała wzrokiem do jego rąk, zauważając determinację w palcach zaciskających się na sterze. Miał silne i zręczne dłonie i nic nie mogła na to poradzić, że przypominała sobie sposób, w jaki czuła je na swoich piersiach – szorstkie, dzikie i pożądliwe, takie same jak dotyk jego ust na jej ustach podczas pocałunku. Zupełnie jakby nie mógł się doczekać, żeby ją posiąść, i jakby miał nie dostać tyle, ile chciał.

Serce zakołatało mocniej w jej piersi i zmusiła się do odwrócenia wzroku. Nie zamierzała wracać w to miejsce. Za pierwszym razem ledwo przeżyła. Wytrącił ją z równowagi w zamieć uczuć, a potem złamał serce.

– Sporo czasu zajął ci powrót do domu – odezwał się wreszcie Shane. Spojrzał na nią z nieodgadnionym wyrazem twarzy.

– Przyjechałam tylko zabrać tatę. Zamierzam wziąć go ze sobą do San Francisco.

– Wie o tym?

– Dowie się, kiedy go dogonimy.

W oczach Shane'a pojawiło się zwątpienie.

– Twój ojciec przeżył w Zatoce Aniołów całe życie. Nie wyobrażam sobie, żeby mógł się przeprowadzić gdzie indziej.

– Choroba się nasila. To najlepsze wyjście.

– Dla ciebie czy dla niego?

– Dla nas obojga. – Jej ojcu mogło się nie podobać, że opuszcza Zatokę Aniołów, ale była to najpraktyczniejsza decyzja. Jeśli go sprowadzi bliżej siebie, będzie się mogła nim zaopiekować, a nawet może uzyskać w tym pomoc matki. Jego rodzina była w San Francisco, a zatem i on powinien się tam znaleźć.

Ojcu przez ostatnich trzynaście lat na rodzinie nie zależało, ale Lauren próbowała nie zwracać na to uwagi. Jeżeli sąsiedzi mieli rację i ojciec nagle straci kontakt ze światem, czy naprawdę będzie dla niego ważne, gdzie mieszka?

Shane otworzył kajutę i wyciągnął z niej jakąś kurtkę.

– Może ci się przydać. Na zatoce się ochłodzi.

Przyjęła ją, kiwając głową z wdzięczności, czując ulgę zarówno z powodu zmiany tematu, jak i ciepłego ubrania.

Wyjechała z San Francisco prosto po pracy, tak jak stała – w granatowej spódnicy, jedwabnej bluzce, cienkim sweterku i pantoflach na wysokim obcasie. Ubranie doskonale nadawało się do jej pracy, ale nie zapewniało żadnej ochrony przed żywiołami. Duża kurtka Shane'a otuliła ją ciepłem niczym gorący uścisk i przypomniała jej, jak czuła się niegdyś w jego ramionach.

Szybko wygnała wspomnienie z głowy.

– Ależ to piękna łódź – powiedziała w narastającej niewygodnej ciszy. – Jest twoja? Czy może to łódka czarterowa Murrayów? – Ojciec Shane'a prowadził wypożyczalnię łodzi, odkąd Lauren sięgała pamięcią.

– Jest moja. Wyszukałem ją dla siebie w zeszłym roku, po powrocie – rzekł krótko.

– Po powrocie skąd?

– Zewsząd – odparł i lekko machnął ręką. – Byłem wszędzie, gdzie jest woda, ryby i łodzie.

– Brzmi to tak, jakbyś żył w taki sposób, jak zawsze pragnąłeś.

Obrzucił ją spojrzeniem, którego nawet nie próbowała odszyfrować.

– Naprawdę tak zabrzmiało, Lauren?

Jej imię ześlizgnęło się mu z języka jak jedwabna pieszczota. Zawsze uwielbiała sposób, w jaki je wypowiadał, tak jakby była najważniejszą istotą na świecie. Tym razem zabrzmiało to jednak inaczej. W tym słowie czaiła się złość i Bóg jeden raczył wiedzieć, co jeszcze.

Westchnęła.

– Nie wiem, co mam ci powiedzieć, Shane. Przypuszczam, że nigdy nie wiedziałam.

Spojrzenie Shane'a spochmurniało.

– Wiedziałaś, co powiedzieć, Lauren. Tyle że nie powiedziałaś.

Trzynaście lat temu pragnął, by powiedziała, że w niego wierzy, że mu ufa i że w głębi serca wie, iż nie on zabił jej siostrę.

Tymczasem wszystko, na co się zdobyła, to „żegnaj".

– Nie chcę rozmawiać o przeszłości. – Ledwie te słowa padły z jej ust, coś zmusiło ją, żeby odezwać się znowu. – Okłamałeś mnie, Shane. Ufałam ci bardziej niż komukolwiek, a ty mnie okłamałeś.

Skinął lekko głową, ale jego oczy pozostały ciemne i nieodgadnione.

– Tak, skłamałem.

– I nadal nic zamierzasz mi powiedzieć, dlaczego, prawda?

– Myślałem, że nie chcesz rozmawiać o przeszłości.

Zastanowiła się nad tym. Było tak wiele rzeczy, których wyjaśnienie chciała od Shane'a usłyszeć, tylko czy to w ogóle miało sens?

– Masz rację. To niczego nie zmieni. – Abby i tak to życia nie powróci. – Przeszył ją chłód i popatrzyła na linię brzegu. Było zbyt ciemno, by ujrzeć dom Ramsaya, w którym znaleziono zamordowaną siostrę, ale czuła jego obecność, mimo że nie mogła go dostrzec.

– Ktoś podpalił dom jakieś dziewięć miesięcy temu – rzekł Shane, podążając za jej wzrokiem. – Jedno skrzydło zostało całkowicie zniszczone.

– Szkoda, że nie spalił się do gołej ziemi. – Nigdy nie pojęła, jak ojciec mógł zostać w Zatoce Aniołów, jak mógł budzić się każdego dnia i patrzeć na dom, w którym jej siostra spędziła ostatnie, pełne przemocy, chwile swego życia. Było jednak o wiele więcej rzeczy dotyczących ojca, których nie mogła zrozumieć.

Lauren złapała za oparcie kapitańskiego siedzenia, kiedy Shane dodał gazu. Na otwartym morzu o łódź rozbijały się fale. Wzmógł się też wiatr, unosząc włosy Lauren z karku. Przeszły po niej ciarki ze strachu. Dawała sobie radę na wodzie w słoneczne i pogodne dni, kiedy z łodzi widać było wybrzeże, ale nigdy nie lubiła wypływać nocą ani też godzinami przebywać daleko od lądu, gdzie czuła się bezbronna i zdana na łaskę nieprzewidywalnego żywiołu.

– Gdzie jest ojciec? – Panika sprawiła, że podniosła głos. – Nie widzę żadnych świateł. Jak my go tutaj znajdziemy? Może powinniśmy zawrócić. – Nie cierpiała okazywać tchórzostwa, zwłaszcza przy kimś, kto gotów był zmierzyć się z każdym zagrożeniem.

– Twój ojciec nie zniknął. Jest tylko po drugiej stronie cypla. – Shane pokazał palcem GPS na konsoli. – Popatrz, ten punkcik to on. Złapiemy go za parę minut.

– Okej, to dobrze. – Wciągnęła głęboki haust powietrza i objęła się w pasie ramionami.

– Boisz się mnie? – Shane posłał jej podejrzliwe spojrzenie.

– Nie wygłupiaj się.

– Wyglądasz na zdenerwowaną.

– Chcę tylko mieć to już za sobą.

Minęło parę minut, po czym Shane rzekł:

– Twój ojciec kocha to miasteczko. Naprawdę sądzisz, że możesz tu tak wpaść po tych wszystkich latach i po prostu go zabrać?

– Muszę coś zrobić. Kiedy dziś przyjechałam, zastałam włączoną kuchenkę. A kto w ogóle wie, dokąd on teraz się wybrał? – Pokręciła głową w zażenowaniu. – Tak się nie powinno dziać. Ma dopiero sześćdziesiąt siedem lat i jest za młody, żeby tracić rozum.

– Miewa gorsze i lepsze dni – skomentował Shane.

– Raz błądzi, innym razem bywa zupełnie taki sam jak dawniej.

– Rozmawiasz z moim ojcem? – zapytała zaskoczona.

– Przychodzi na łódkę prawie codziennie. Jakiś czas temu Mort zabrał mu klucze. Nie mam pojęcia skąd wziął zapasowe.

– Czyżby ojciec nie... – przerwała, gdy spostrzegła, że zmierza na niebezpieczne terytorium.

– Czy nie obwinia mnie o śmierć Abby? – dokończył za nią Shane oschłym tonem. – Są dni, kiedy obwinia, i takie dni, kiedy nie obwinia. Zdecydowanie natomiast obwinia mnie za to, że wyjechałaś i nigdy tu nie wróciłaś.

– Kiedy nie miałeś z tym nic wspólnego.

– Czyżby? – Odchylił głowę i spojrzał na nią z zastanowieniem. – Czemu jesteś taka spięta, Lauren? Nie mów, że to tylko morze. Nie podoba ci się, że jesteś ze mną sam na sam.

– Dałam sobie z tobą spokój już dawno temu. To było szczenięce zauroczenie nastolatki, nic więcej.

Nie myśl, że nadal mnie pociągasz. W ogóle o tobie nie myślę, znalazłam się od ciebie daleko, bardzo daleko. Wyprowadziłam się.

– Skończyłaś? – zapytał, kiedy wreszcie zabrakło jej pary.

– Tak.

Zwolnił przepustnicę tak gwałtownie, że Lauren poleciała mu prosto w ramiona. Ledwo rozsunęła wargi w proteście, kiedy jego usta znalazły się na jej ustach, gorące, natarczywe i żądające prawdy.

Chciała to przerwać, odepchnąć go... ale, Boże jedyny, tak wspaniale smakował. Poczuła, że znów ma siedemnaście lat, jest rozgrzana, spragniona, lekkomyślna, na krawędzi czegoś niewiarygodnego i ekscytującego, i...

Musiała to powstrzymać. W końcu znalazła siłę, żeby go odepchnąć. Wpatrywała się weń wstrząśnięta, serce jej waliło, a oddech miała nierówny.

Obrzucił ją długim spojrzeniem.

– O tak, ja ciebie też już mam za sobą. – Położył ręce z powrotem na sterze.

W porządku, no może jej ciało nadal coś tam do niego czuło. Co nie znaczyło, że głowa i serce miały pójść za ciałem. Uczucie do Shane'a przyniosło jej tylko ból i cierpienie.

– Cieszę się, że to wyjaśniliśmy – rzekła stanowczo.

– Ja także.

Zapadła między nimi pełna napięcia cisza, a powietrze zgęstniało, ochłodziło się i zrobiło wilgotne. Jej włosy zaczęły się skręcać, a na twarzy zalśniła warstewka wilgoci. Kiedy okrążyli cypel, otoczyła ich srebrna mgła. Ojciec często opowiadał o aniołach, które tańczą nad zatoką, patrzą na nich i wszystkich strzegą. Wierzyła w te opowieści z niewinnością dziecka, lecz po śmierci Abby straciła wiarę. Jaki anioł mógł pozwolić, by zamordowano jej piętnastoletnią siostrę?

Poczuła falę paniki, kiedy mgła otuliła ich lodowatym uściskiem, i stoczyła szybką walkę z potężnym pragnieniem, by rzucić się z powrotem w ramiona Shane'a.

Dlaczego walczysz? Przecież to mężczyzna, którego zawsze pragnęłaś.

Ten głos nie płynął z jej głowy. Pochodził z wiatru. Na pewno to nie ona wypowiedziała te słowa, ponieważ nie były prawdziwe. Nie pragnęła Shane'a, i nie zapragnie go już nigdy więcej.

Melodyjny śmiech zdawał się odbijać od fal, jakby ocean uznał, że jest zabawna. Potrząsnęła głową, by odpędzić głupie myśli. Nie wierzyła w anioły ani też w nic innego. Wiara w cokolwiek zawsze prowadziła do rozczarowania.

Wydała z siebie westchnienie ulgi, kiedy mgła się podniosła i przed nimi na falach oceanu zatańczył snop światła. Była to łódź ojca.

Łódź Shane'a przyśpieszyła. Dogonili „Leonorę" po paru chwilach. Ale co teraz?

– Jak go zatrzymamy? – zapytała.

– Zbliżymy się burta do burty. Jeśli nie zatrzyma się sam, jedno z nas będzie musiało przeskoczyć na jego łódkę i przejąć ster.

– Przepraszam? Czy powiedziałeś, że ktoś z nas ma przeskoczyć z pokładu na pokład, kiedy łodzie są w ruchu?

– To nie takie trudne.

– No, na pewno nie ja będę skakać – oświadczyła.

– To poprowadzisz łódź.

Taki scenariusz też jej się nie podobał.

– Od dawna już nie prowadziłam łodzi.

– Dasz sobie radę. Weź ster. Oswój się z nim. Zobaczę, czy złapię twojego tatę przez radio.

Chwyciła ster mocno i trzymała z zaciśniętymi rękami, podczas gdy Shane próbował wywołać ojca przez radio.

Na próżno.

Kiedy zbliżyli się do „Leonory", dało się dostrzec sylwetkę mężczyzny stojącego wewnątrz kabiny. Drzwi były jednak zamknięte, a on zdawał się nieświadomy ich obecności. Shane przełączył częstotliwość i w powietrze buchnął dźwięk głośnej muzyki. Ojciec zawsze uwielbiał operę, co było dziwną pasją, jak na prostego rybaka. On jednak dostrzegał pokrewieństwo pomiędzy morzem a taką muzyką.

– Nie sądzę, żeby nas usłyszał – rzekł Shane. – Zbliż łódź tak bardzo, jak się da.

– Jesteś pewien, że nie chcesz jej sam poprowadzić?

– Trzymaj tylko ster równo, Lauren. Przeskoczę na łódź twojego ojca i zawrócę z nią. Ty popłyniesz za nami.

– Masz zamiar zostawić mnie tutaj samą, pośrodku oceanu? – Od dawna już nie pozwalała sobie na to, by znaleźć się w sytuacji poza kontrolą, a ta dzisiejsza była bardzo odległa od jej strefy bezpieczeństwa. – Nie sądzę, żeby mi się to udało.

Popatrzył jej prosto w oczy.

– Dasz radę.

Te słowa i wzrok przypomniały jej o rozmowie sprzed wieków chyba, kiedy wręczył jej kask i poinstruował, jak prowadzi się motocykl. Zawsze rzucał ją poza zasięg możliwości, zmuszał, by bardziej w siebie uwierzyła.

– To chcesz sprowadzić ojca, czy nie? – rzucił wyzwanie.

Podniosła wysoko podbródek i wzięła głęboki oddech.

– Ty skaczesz, ja prowadzę.

– Dobrze. Nie martw się, nie pozwolę ci się znaleźć poza polem widzenia. Długo trwało, nim zaoszczędziłem kasę na kupno tej łodzi, i nie mam zamiaru jej stracić.

– Wzruszająca troska. – Gdy ona zaczęła się rozmarzać, przywołując sceny ze wspólnej przeszłości, on myślał tylko o łodzi.

– Trzymaj się blisko, Lauren. Nie mam ochoty na kąpiel, a pewien jestcm, że wrzucenie mnie do wody sprawiłoby ci frajdę.

Zagryzła wargi, kiedy Shane podszedł do burty. Nie bała się o niego, wiedziała, że da sobie radę. Nieustraszonością i brawurą kompensował wszelkie braki. Nie był człowiekiem, który trzyma się z boku i czeka na kogoś zdolnego do czynu. Teraz akurat była mu za to wdzięczna.

Shane przeszedł przez poręcz, zatrzymał się na chwilę, po czym skoczył, lądując na platformie na ryby w łodzi ojca. Lekko się zachwiał, po czym się wyprostował i otworzył drzwi kabiny.

Starszy mężczyzna nareszcie odwrócił głowę. Zamienił z Shane'em kilka słów, po czym pozwolił odebrać sobie ster. Po krótkiej chwili usłyszała przez radio głos Shane'a:

– Wracamy do domu, Lauren.

Te słowa wywołały przypływ gorzko-słodkich uczuć. Zatoka Aniołów nie była już jej domem i nigdy się nim nie stanie.

Powrót do przystani zajął im może ze dwadzieścia minut. Shane utrzymywał stały kontakt przez radio, Lauren zaś płynęła tak blisko, jak umiała. Odetchnęła z ulgą, kiedy wprowadziła łódź na miejsce. Shane wszedł na pokład, żeby zawiązać liny, a ona podeszła do ojca, który czekał na nią na pomoście.

Spodnie khaki i czarna wiatrówka wisiały luźno na jego wychudzonej sylwetce. Sporo stracił na wadze przez lata, kiedy się nie widzieli, i znacznie się postarzał. Czarne włosy były teraz całkiem siwe, łącznie z zarostem na policzkach. Stał z opuszczonymi ramionami, ale zdawał się być nieświadomy swojego wypadu na morze. Nie wiedziała, czy to dobrze, czy źle.

Kiedy ją zobaczył, otworzył najpierw szeroko oczy, po czym na jego twarzy odmalowało się coś na kształt łzawego wzruszenia. Potrząsnął głową, jakby nie mógł uwierzyć, że tu jest. Poczuła nawet przypływ żalu za te wszystkie lata, którym pozwoliła przeminąć. Ten człowiek był przecież jej ojcem. Otulał ją w nocy kołdrą, przeganiał spod łóżka potwory, opiekował się nią – cóż, przynajmniej przez jakiś czas.

Może nie mieli wielu wspólnych zainteresowań, ale łączyły ich więzy krwi i miłości. Jak mogła pozwolić, by się tak oddalił? Jak mogła zapomnieć, kim naprawdę dla siebie są?

– Cześć, tato – powiedziała miękko.

– Abby. – Wyciągnął ramiona. – Moja słodka, najdroższa dziewczynka. Nareszcie do mnie wróciłaś. Bardzo za tobą tęskniłem.

Serce Lauren zatrzymało się, by nie pęknąć z żalu.

– Jestem Lauren, tato. Nie jestem Abby. Jestem Lauren – powtarzała, widząc rozczarowanie i lęk wypełniające jego spojrzenie.

– Czy coś zrobiłaś Abby? – zapytał zmieszany i opuścił ramiona. – Co zrobiłaś ze swoją siostrą?

Nieoczekiwanie łatwo przyszło jej przypomnieć sobie, dlaczego wyjechała i dlaczego tak długo trzymała się z daleka.

Rozdział 2

Nasza córka będzie potrzebowała ojca, Colinie. – Kara Lynch delikatnie pogładziła dłoń męża. Miał zimną skórę i zastanawiała się, czy czuł chłód jesieni w powietrzu i czy w ogóle mógł czuć cokolwiek. Minęły już trzy miesiące, od kiedy po postrzale w głowę zapadł w śpiączkę. Przez te trzy miesiące rozmawiała z nim, trzymała go za rękę, całowała, puszczała mu muzykę, przyprowadzała przyjaciół i znajomych, i kładła jego dłoń na swoim ciężarnym brzuchu w nadziei, że coś go zbudzi i sprowadzi na powrót do niej. Jednak Colin pozostawał milczący i nie ruszał się, a jego twarz stanowiła maskę spokoju.

Jej towarzyski, uparty Irlandczyk z rozjaśnioną przez słońce blond czupryną, błyszczącymi, zielonymi oczami i wielkim, szlachetnym sercem stał się duchem dawnego siebie. Colin był zawsze duży i krępy, zbudowany jak gracz futbolowy. Był urodzonym obrońcą i uwielbiał swoją pracę policjanta, która pozwalała mu pilnować bezpiczeństwa w miasteczku i w ten sposób służyć bliskim sobie ludziom, na których mu zależało. Miłość ta sprowadziła na niego nieszczęście. Jakiś szaleniec postrzelił go w wozie patrolowym. Przez trzy miesiące schudł dziesięć kilo, włosy ściemniały mu od braku słońca. Jego oczu, otwartych i czujnych, nie zobaczyła już, od kiedy pomachał jej na pożegnanie, wychodząc tamtego wieczoru na patrol.

Czuła, że każdego dnia niepostrzeżenie wymyka się jej i jest coraz dalej. Z rozpaczą usiłowała go ściągnąć z powrotem. Lekarze uprzedzili ją, że jego stan może się nie zmienić, nie była to jednak możliwość, którą by mogła przyjąć do wiadomości. Wkrótce miała urodzić dziecko, a nie chciała tego czynić bez niego. Było to dziecko, o które starali się przez kilka lat. To było ich dziecko – cud.

Kara wzięła głęboki oddech, zaniepokojona, że może wykorzystała już jeden cud. Musiała jednak zdobyć się na optymizm. Colin by tego od niej oczekiwał. On wierzył w anioły, w legendy, które otaczały miasteczko w Zatoce Aniołów od stu pięćdziesięciu lat, od jego powstania, kiedy statek „Gabriella" poszedł na dno w czasie sztormu na pełnym morzu.

Dwadzieścia czworo rozbitków z zatopionej jednostki nazwało tak zatokę na cześć tych, których kochali, a którzy stracili życie. Na cześć aniołów, które miały na zawsze już czuwać nad nimi i ich potomkami. Kara pochodziła od jednego z rozbitków i dziecko, które poczęli razem z Colinem, miało w sobie krew przodków rodziny Murrayów. Jeśli ktokolwiek zasługiwał na cud, to na pewno jej córeczka, dziecko, które potrzebować będzie ojca.

– Musisz się obudzić, kochanie – powiedziała z naciskiem. – Wiem, że jesteś zmęczony, ale już dość odpoczywałeś. To dobrze, bo na pewno zasługiwałeś na odpoczynek. – Odgarnęła mu z czoła pasmo włosów. Colin zawsze nosił włosy krótko ostrzyżone i pewnie nie spodobałoby mu się, że pozwoliła, aby tak urosły. Jednak rosnące włosy były jedną z niewielu rzeczy, które przypominały jej, że on nadal żyje, a były dni, kiedy rozpaczliwie potrzebowała takiego przypomnienia.

– Tęsknię za tobą, Colinie. Tęsknię za twoimi ramionami, za sposobem, w jaki się śmiejesz, i nawet za tym okropnym chrupaniem, kiedy jesz rano płatki zbożowe. Tęsknię za widokiem tego, jak pijesz mleko prosto z kartonu, za ubraniami w nogach łóżka, za tym, jak mnie przytulasz we śnie, tak jakbyś bał się mnie wypuścić z rąk. Tęsknię za nami. – Musiała walczyć ze sobą, by się nie rozpłakać. – Nie umiem nic zrobić sama. Byłeś moim najlepszym przyjacielem od przedszkola. Mówiłeś, że zawsze będziemy razem. Musisz do mnie wrócić. Proszę.

Nawet nie drgnęła mu powieka. Czy ją słyszał? Lekarze i pielęgniarki twierdzili, że należy z nim rozmawiać, ale czy ktoś wiedział na pewno, czy Colin słuchał? Może po prostu mówiła tylko do siebie. Próbowała odepchnąć wątpliwości, ale była zmęczona i wtedy właśnie zagościła w niej obawa, wtedy zaczęła wątpić, że on kiedyś się obudzi. Czy spędzić miała resztę życia, rozmawiając z człowiekiem, którego dusza dawno już stąd odeszła?

Wyciągnęła ręce nad głowę i westchnęła. Pewnie powinna już pójść do domu. Była prawie dziewiąta i czas odwiedzin dawno się skończył, choć nikt nie miał jej zamiaru stąd wypraszać. Personel z centrum opieki Nad Zatoką miał dla wszystkich wiele dobroci i współczucia. Większość pacjentów w tej placówce była w wieku podeszłym, poza jedną kobietą w końcu korytarza, która po wypadku drogowym leżała w śpiączce już od pięciu lat.

Kara nie lubiła o niej myśleć.

Od uchylonych drzwi dobiegło pukanie. Zdziwiła się na widok starszego brata, Shane'a, który wszedł do środka. Chociaż wszyscy z rodziny ją wspierali, ich wizyty w centrum w ciągu ostatnich tygodni stały się sporadyczne, za co nie mogła nikogo winić. Pomimo jej wysiłków, by uczynić pokój Colina miejscem jasnym i pogodnym, to nadal była po prostu sterylna szpitalna salka, a w powietrzu unosił się niepokojący zapach środków dezynfekujących i choroby.

Chciała wstać, ale Shane dał jej znak, by siedziała.

– Jakieś postępy? – zapytał.

Skierował wzrok na Colina i przyglądał mu się przez długą chwilę. Shane był jednym z niewielu ludzi, który naprawdę na niego patrzył. Większość była zbyt zalękniona albo czuła się zbyt skrępowana. Nawet jego rodzicom patrzenie na syna sprawiało trudność. Była pewna, że to dlatego nie pojawili się tu od paru tygodni.

– W porządku – rzekła. – Bez zmian.

Spojrzał na nią.

– Spędziłaś tu mnóstwo czasu.

– Nie wiem, gdzie indziej miałabym być. Jeśli zamierzasz mi mówić, żebym tu nie przychodziła...

– Ani mi się śni.

– Dobrze, bo już słyszałam to od mamy i taty, i wszystkich innych, którzy uważają, że powinnam żyć dalej. Jak to zrobić? Nie mogę z niego zrezygnować, prawda? – Przerwała i pokręciła głową. – Nie wierzę, że coś takiego powiedziałam na głos. Jestem bardziej zmęczona, niż myślałam.

– Nikt źle o tobie nie pomyśli, jeśli postanowisz nie spędzać tutaj aż tak wiele czasu.

– Ja źle o sobie pomyślę. Byłabym okropną żoną.

Jego oczy pociemniały ze współczucia.

– Ależ skąd. Byłaś dotąd niesamowita, Karo. Tyle, że nawet Colin nie chciałby, żebyś siedziała tutaj dzień w dzień.

– On by to dla mnie zrobił. – Popatrzyła na męża z całkowitą pewnością, że to prawda. Colin był jej zawsze bardzo oddany. Jego miłość nie znała absolutnie żadnych granic.

– On tak – zgodził się Shane. – Nie sądzę jednak, że ty byś tego chciała.

Shane mógł mieć słuszność, ale na to, by się trzymać dalej od tego miejsca, było jeszcze za wcześnie.

– No, to dlaczego przyszedłeś? Nie znaczy to, że się nie cieszę na twój widok, ale czy jest jakiś szczególny powód?

Wetknął ręce w kieszenie dżinsów.

– Tak tylko, sprawdzić, co się dzieje.

Coś w jego oczach zadawało kłam tym słowom. Chociaż różnica wieku między nimi wynosiła tylko dwa lata, Kara rzadko wiedziała, co myślał, a już nigdy – co czuł. Był z jej czworga rodzeństwa najmniej skłonny do udzielania informacji, bardzo małomówny, a wielu mieszkańców miasteczka uważało go za czarną owcę w rodzinie – gniewny, ulegający nastrojom buntownik, szybko wpadający w złość i skłonny do pakowania się w tarapaty. Niektórzy uważali go nawet za mordercę. To jednak był jej brat i kochała go, nawet jeśli nie zawsze potrafiła zrozumieć.

– Na pewno? – zachęcała.

– Nie przyszedłem tutaj rozmawiać o sobie.

– Nawet mi to nie przyszło na myśl. Skoro jednak moje życie jest w tej chwili w dołku, pomyślałam, że ty może odwrócisz moją uwagę ku przyjemniejszym rzeczom.

Usiadł w fotelu naprzeciwko.

– Ned Jamison postanowił parę godzin temu wypłynąć łodzią na morze. Musiałem ruszyć za nim w pogoń i sprowadzić go na brzeg.

– Jakie smutne jest to, co się z nim dzieje. Trzeba będzie wkrótce coś postanowić. Uważam, że nie powinien już dłużej mieszkać sam.

– Dziś wieczór nie jest sam. – Shane chrząknął i wlepił wzrok w podłogę. – Lauren wróciła.

Jego słowa nią wstrząsnęły.

– Naprawdę? Nigdy nie myślałam, że przyjedzie. Rozmawiałeś z nią? – Nie musiała słyszeć odpowiedzi, żeby wiedzieć, że tak. Dlatego był taki podminowany. Dopiero co spotkał swoją byłą dziewczynę.

Shane i Lauren zakochali się w sobie po uszy w szkole średniej. Wiele razy podglądała ich, jak całowali się przed domem. Zawsze robili to bardzo namiętnie. Shane chodził na randki z wieloma dziewczynami, ale z Lauren było całkiem inaczej. Traktował ją jak kogoś szczególnego. Ich miłość dobiegła do straszliwego, katastrofalnego końca wraz ze śmiercią Abby. Kara nie wiedziała o wszystkim, co między nimi zaszło, ale oboje wyjechali z Zatoki Aniołów na bardzo długo.

– Lauren popłynęła ze mną w pościgu za ojcem – rzekł Shane.

– Jak ona teraz wygląda? – Wzruszył ramionami. – Jest piękną brunetką z ciemnobłękitnymi oczami i niewiarygodnym uśmiechem? – prowokowała.

Pochylił głowę.

– Można tak powiedzieć.

– Założę się, że ty mógłbyś powiedzieć więcej – rzekła z lekkim uśmiechem. – Przecież się w niej kochałeś.

Zmarszczył brwi i zacisnął szczękę, która przybrała kanciasty, znajomy kształt.

– To było dawno temu i źle się skończyło.

– A masz pewność, że się skończyło?

– Absolutną. – Zamilkł na chwilę. – Zmieniła się przecież. Jest starsza, silniejsza. Miała na sobie biurowy strój. Wyglądała jak jakaś chrzaniona prawniczka.

– Nie mogę sobie wyobrazić Lauren jako prawniczki. Wiesz, jak zarabia na życie?

– Nie zapytałem.

Kara westchnęła.

– Wyciąganie od ciebie wiadomości kończy się głęboką frustracją. Jak długo zostanie w mieście?

– Tyle, ile będzie trzeba na przekonanie ojca, żeby pojechał z nią do San Francisco.

Kara podniosła brwi.

– To może trwać wiecznie. Pan Jamison kocha to miejsce.

– Powiedziałem jej to samo. Lauren w ogóle już nie zna swojego ojca.

– Ma teraz okazję nawiązać z nim kontakt. Mam nadzieję, że jej nie zmarnuje. Odkąd Colin tutaj leży, cały czas myślałam o tych wszystkich rzeczach, które chciałabym mu powiedzieć, gdybym miała okazję. Jeżeli... kiedy się zbudzi, zagadam go na śmierć.

– To nic nowego – powiedział Shane z półuśmiechem na ustach, po czym wstał.

Zrobiła minę.

– Cha, cha, cha.

– Zanim wyjdę, przynieść ci coś?

– Nie, niczego mi nie trzeba. Co zatem zamierzasz zrobić z Lauren?

– Nic. Wątpię, czy ją jeszcze zobaczę. Jestem ostatnią osobą, z którą chciałaby spędzać czas.

– To małe miasteczko.

– Wierz mi, nie będę musiał jej unikać. To ona będzie unikać mnie.

Kiedy Shane wyszedł, Kara odwróciła się do Colina z uśmiechem:

– No, słonko kochane, teraz już naprawdę musisz się obudzić. Shane i Lauren nareszcie znaleźli się w tym samym miejscu i czasie, a to może oznaczać tylko kłopoty.

* * *

Dłoń Lauren drżała, gdy stawiała filiżankę herbaty przed ojcem na kuchennym stole. Po pierwszym zawstydzającym przywitaniu wreszcie ją rozpoznał i razem wrócili do domu. Zajęła ręce robieniem mu herbaty, myśląc przy tym, co powiedzieć.

Minęło już pięć lat, odkąd się widzieli. Zatrzymał się tylko na jeden wieczór w San Francisco podczas tygodniowej wycieczki wędkarskiej z kolegami. Zjedli razem kolację, porozmawiali trochę i uścisnęli się na pożegnanie. To był prawdopodobnie najdłuższy spędzony razem czas w ciągu całej ostatniej dekady.

Ojciec podniósł filiżankę do ust, po czym pociągnął długi łyk.

– Smaczna i gorąca. Od kilku dni chłód chodzi mi po kościach. Lato się skończyło. Jesień nigdy mi nie przeszkadzała. To znaczy, że zima niedaleko.

Jeszcze jedna rzecz, w której się różnili, pomyślała Lauren. Zimowa pogoda szkodziła interesom ojca, więc Lauren dorastała, nie przyznając się, że w skrytości ducha uwielbiała naprawdę porządny sztorm z wyjącym wiatrem, deszczem tłukącym o szyby i chłodem w powietrzu dość dokuczliwym, aby zaczęto wypiekać słodkie, gorące desery, którymi można ogrzać się od środka.

Przyjrzała się przez chwilę ojcu, skupiając uwagę na szczegółach oznak starzenia się: piegi na skórze rąk, nowe zmarszczki wokół oczu i ust, zmęczenie sylwetki. Kiedy dorastała, stanowił siłę, wokół której skupiali się oni wszyscy i z której czerpali. Miał teraz zdecydowanie mniej ciała i wyglądał jak fotografia, niegdyś w pełni koloru, a teraz blaknąca w rogach. Czy samotne życie przez te wszystkie lata było dla niego obciążeniem? Właściwie nie powinna się o to martwić, bo był to jego wybór.

– Tato, pamiętasz, co dziś wieczór zrobiłeś? – zapytała.

– Wybrałem się na przejażdżkę z Shane'em – odparł Ned. – On kocha morze tak mocno jak ja. Ma to we krwi.

– Tak naprawdę, to sam wsiadłeś na łódź. Shane i ja popłynęliśmy za tobą, potem Shane musiał skakać na twoją łódź i sprowadzić cię na brzeg. Pamiętasz?

– Jak się czuje twoja matka? – zapytał, zmieniając temat. – Dalej jest żoną tamtego księgowego? Założę się, że ma z nim ubaw po pachy.

– Mama czuje się świetnie. Jej mąż także. Teraz mieszkają wśród winnic.

– A co robi David?

– Zaczął ostatni rok w Northwestern. Myślę, że po dyplomie będzie się starał jeszcze dostać na prawo. – Przerwała. – Tato, musimy porozmawiać o twojej chorobie. Po to przyjechałam.

– Czuję się doskonale. – Machnął lekceważąco ręką. – Po prostu dziś rano zapomniałem wziąć tabletki. Nie musisz się w ogóle o mnie martwić.

Gdyby nie była świadkiem wcześniejszego zachowania ojca, prawdopodobnie by mu teraz uwierzyła. W tej konkretnej chwili zachowywał się logicznie i rozsądnie. Nie mogła jednak zapomnieć tego, co widziała.

– Nie czujesz się dobrze, tato. Zostawiłeś włączoną kuchenkę. Mogłeś podpalić dom. Nie powinieneś więcej sam wsiadać do łodzi. Kiedy mnie zobaczyłeś, nie wiedziałeś nawet, kim jestem. Myślałeś, że to Abby.

– Było ciemno. – Zmarszczył brwi. – Opowiadasz tak, że wygląda to dużo gorzej, niż było naprawdę. Wróciłem na herbatę. Ocean znam tak dobrze jak własną kieszeń. Nie znalazłem się w żadnym niebezpieczeństwie, wybrałem się trochę popływać.

– Nie jestem nawet przekonana, czy rozpoznałbyś, że grozi ci jakieś niebezpieczeństwo.

– Nie chcę już o tym rozmawiać. Powiedz, co nowego u ciebie. Dalej wypiekasz ciasteczka?

– Nie. Pracuję jako planistka korporacyjnych imprez w hotelu. Koordynuję spotkania biznesowe.

– Nie pieczesz? – Podniósł brwi ze zdziwienia. – Myślałem, że chcesz mieć własną ciastkarnię.

– Cóż, wiele się zmieniło. Wiem, że nie chcesz rozmawiać o swojej chorobie, ale ktoś z twoich sąsiadów kontaktował się z mamą, bo doszedł do wniosku, że nie powinieneś dłużej mieszkać sam.

– Potrafię o siebie zadbać.

– Rozejrzałam się i znalazłam dobre miejsce niedaleko swojej pracy. – Sięgnęła do torebki i wyjęła broszurę reklamową Bella Mar. – Wiele pokoi ma widok na Zatokę San Francisco. Będziesz mógł widzieć morze, tak samo jak tutaj.

Ojciec nie wziął broszury do ręki.

– Chcesz mnie zabrać do jakiegoś domu opieki? – Jego ciemne oczy wypełniło rozczarowanie.

– To zwykły dom mieszkalny, gdzie zapewnia się częściową pomoc w codziennym życiu. Będziesz miał tam mieszkanie, a nie pokój. Na dole jest stołówka i gotują posiłki. A co ważniejsze, będę niedaleko. Będę cię mogła odwiedzać. Kiedy David przyjedzie na wakacje, także będzie wpadał z wizytą.

– Ani ty, ani twój brat nie odwiedziliście mnie ani razu przez trzynaście lat. Dlaczego miałoby się to nagle zmienić?

Walczyła ze sobą, żeby zignorować tę słuszną uwagę. Musiała trzymać się głównego tematu i nie dać się wciągnąć w spór na temat przeszłości.

– Proszę, obejrzyj sobie broszurę.

To pomysł twojej matki? – zapytał podejrzliwie. – Chce mnie ujrzeć zamkniętego w domu starców.

– To był mój pomysł – odparła, nie chcąc stwarzać nowego konfliktu między rodzicami. – Poza tym nie będziesz zamknięty. Chcę się tobą zaopiekować, tato.

– Nie musisz brać za mnie odpowiedzialności. Jeśli chcesz pomóc, możesz przeprowadzić się tutaj. To twój dom.

Potrząsnęła głową.

– Nie mogłabym mieszkać z Zatoce Aniołów po tym, co się tu wydarzyło. Wiesz o tym doskonale.

– A ja nie mogę mieszkać nigdzie indziej. – Wyrażający zdecydowanie wzrok ojca spoczął wprost na niej. – Tutaj się urodziłem. Tutaj przyszli na świat moi rodzice i tu, od stu pięćdziesięciu lat, rodzili się wszyscy nasi przodkowie. Jamisonowie od zawsze mieszkali w Zatoce Aniołów. A poza tym nie zostawię tu Abby samej.

W gardle Lauren ugrzązł bolesny czop. Nie miała dobrego argumentu. Nie poszła na grób siostry, odkąd widziała opuszczającą się w dół białą trumnę. Nie wiedziała, czy kiedykolwiek będzie w stanic iść na cmentarz.

Możliwe, że pragnąc ocalić siebie, porzuciła siostrę. Jednak Abby nie żyła. I to, czy jej ojciec i ona zostaną w Zatoce Aniołów, czy też nie, tego faktu nie mogło odmienić.

– Czy kiedykolwiek zatęskniłaś za swoim miastem? – Zakłopotany wzrok ojca błądził po jej twarzy. – Przecież tutaj masz wspomnienia, tutaj byliśmy rodziną. Na podwórzu za domem pochowaliśmy twoją złotą rybkę. Na trawniku przed domem uczyłaś się robić gwiazdę. Wygraliśmy konkurs na najładniejszą dekorację domu na Boże Narodzenie, kiedy umieściliśmy na dachu Świętego Mikołaja, pamiętasz? Razem z Abby skakałyście w klasy na podjeździe i jeździłyście na rowerkach.

Każde wspomnienie raniło głębiej. Czuła się tak, jakby już zaczęła krwawić.

– Proszę, tato. Nie rób tego. Nie sprawiaj, żebym się źle czuła.

– Chcę, żebyś pamiętała dobre czasy.

– Nie chcę ich pamiętać, bo kiedy wspominam, wszystko, co widzę, to cierpienie, i wszystko, co czuję, to ból. – Wzięła głęboki, drżący oddech. – Chcę żyć tam, gdzie teraz.

– Bez przeszłości? Bez wspomnień? Nie masz pojęcia, jak bardzo będziesz kiedyś żałowała tego jednego dnia.

– Nie sądzę.

– Będziesz – upierał się. – Do tego właśnie zmierzam. Lekarz powiedział mi, że pewnego dnia stanę się jak pusta tablica. Nie będę wiedział, kim jestem, nie będę pamiętał nikogo i niczego w tym mieście. Będę istniał, ale nie będę żył. Ty wybierasz zapomnienie, a ja rozpaczliwie chcę pozostać przy wspomnieniach tak długo, jak zdołam.

Dotąd nie widziała, by jej ojciec czegoś się bał, ale teraz się bał. Sięgnął wprost do sedna rzeczy, że nigdy nie wyzdrowieje, i to ją wystraszyło. Bowiem, choć ich stosunki były nie najlepsze i powikłane, był jej ojcem, a ona nie chciała go stracić.

– Powiem ci coś, Lauren – dodał. – Do kiedy będzie dopisywać mi pamięć, zostanę tutaj, w tym mieście. Będę oglądał zachody słońca nad oceanem, będę wąchał smażoną rybę w Krabowej Chacie, pił poranną kawę w kafejce Diny i słuchał opowieści Morta o największym tuńczyku, którego nigdy naprawdę nie złowił. Będę chodził na cmentarz, kładł kwiaty na grobie twojej siostry i opowiadał jej, co się ostatnio wydarzyło. A kiedy nadejdzie dzień, że zamienię się w zombie, a ty będziesz chciała mnie stąd wywieźć i zamknąć gdzieś w jakiejś klatce, nie będę w stanie ci się przeciwstawić. Ale jeszcze nie teraz. Nie teraz.

– Nie chcę cię skrzywdzić, tato. Nie wiem, co innego miałabym zrobić.

Ned wstał i zaniósł filiżankę do zlewozmywaka.

– Nic nie musisz robić. Idę do łóżka.

Skuliła się, słysząc lodowatą nutę w jego głosie. Nie umiała nigdy sprawić mu radości ani napełnić dumą, a tego wieczoru zawiodła go całkowicie. On jednak także popełnił błędy. Inni mogli przyklaskiwać temu, że został tutaj z Abby, ona jednak nie mogła mu zapomnieć, że doprowadził do tego, by opuściła go żona i pozostałych dwoje dzieci.

– Tato, musimy jeszcze o tym porozmawiać.

– Jutro. Jestem zmęczony. Możesz spać w swoim dawnym pokoju, jeśli chcesz. Nie spodziewam się, że zostaniesz tu długo. – Idąc, strącił z blatu stos kopert.

Lauren pomogła mu pozbierać papiery i zauważyła, że wiele z nich to rachunki. Niektóre były ostemplowane jako ostateczne wezwania do zapłaty. Czyżby nie pamiętał już, jak wypisuje się czeki? Przejrzy tę pocztę, kiedy ojciec pójdzie do sypialni.

Kiedy układała stos na blacie, jej wzrok przyciągnęły dwie wydrukowane strony z załączoną wizytów-

ką. Wyglądały jak konspekt jakiejś fabuły. Pierwszych
parę zdań zjeżyło jej włosy na głowie.
– Tato, co to ma być? – Przebiegła wzrokiem na-
stępny akapit i ścisnęło ją w żołądku. – O mój Boże,
to przecież jest o Abby. – Popatrzyła na ojca. – Czy
ktoś pisze książkę o jej śmierci?
– To nie książka, tylko film. Jakiś producent przyjechał kiedyś do mnie. Prowadzi swoje śledztwo
w sprawie morderstwa Abby.
Lauren patrzyła na ojca wstrząśnięta. Jak mógł zachowywać taki spokój? Mówić tak beznamiętnie?
– Dlaczego ktokolwiek chciałby to robić?
– Aby odkryć prawdę i aby sprawiedliwości stało
się zadość. Zawsze tego pragnąłem dla twojej siostry.
– Ja też chcę poznać odpowiedź, ale to nie jest droga, aby ją uzyskać.
– Wszystko inne zawiodło. Policja nic nie zrobiła
przez te wszystkie lata.
– Bo nie było żadnych tropów. Film nie odkryje nowych wątków.
– Ale może. Nigdy nie wiadomo.
Nie chciała tłumić błysku nadziei w oczach ojca,
ale nie mogła znieść myśli, że ktoś będzie zarabiał
pieniądze na śmierci jej siostry.
– Tato, nie. Pomyśl o tym. Film z aktorami i aktor-
kami grającymi ciebie, mnie, Abby i wszystkich innych? – Wzdrygnęła się. – Zniesiesz to, że odtworzą
noc morderstwa? Naprawdę to zniesiesz?
Na jego twarzy pojawiło się zatroskanie.
– To nie brzmi dobrze, ale chcę wiedzieć, kto ją zabił. Chcę, żeby za to zapłacił.
– Jakiś producent filmowy nie rozwiąże zagadki zamordowania Abby. To zadanie dla policji. – Wzięła
do ręki wizytówkę. – Zadzwonię do tego Marka Devlina i powiem mu, żeby zrezygnował.

– Wyglądał na bardzo zdecydowanego.

– Ja też się zdecydowałam.

– Naprawdę? – zaryzykował ojciec z ostrym błyskiem w oczach. – To może wymagać od ciebie pozostania w Zatoce Aniołów, a przecież tego nie chcesz, prawda? Nie zostaniesz tu dla mnie. Nie zostaniesz tu dla Abby. Teraz płoniesz słusznym oburzeniem, ale kiedy przyjdzie co do czego, wyjedziesz. Powiesz sobie, że spełniłaś swój obowiązek: przyjechałaś ocalić ojca, a on nie zgodził się wyjechać. Zrobiłaś, co mogłaś. Próbowałaś nawet powstrzymać produkcję filmu o siostrze, ale nikt cię nie posłuchał. Wszystko zatem, co mogłaś zrobić, to wrócić do swojego życia bez żadnych wspomnień. Czy nie tak będzie, Lauren?

Po raz pierwszy, od kiedy przyjechała, zwrócił się do niej po imieniu, ale w jego głosie nie było miłości, tylko rozczarowanie i sarkazm. Chociaż chciała mu powiedzieć, że się mylił, nie umiała. Nie wiedziała jeszcze, jak daleko skłonna jest się posunąć w swojej chęci pomocy ojcu czy w obronie pamięci o siostrze. Nie była nawet pewna, czy chce się dowiedzieć.

Rozdział 3

Mark Devlin przyprawiał o ból głowy swoją nienaganną prezencją, modnie ostrzyżoną blond czupryną, ubraniem od znanego projektanta mody i czerwonym ferrari. Nie tylko zawracał w głowach kobietom, ale mieszał w całej Zatoce Aniołów. Problem w tym, że także zbyt blisko domu szefa policji, Joego Silveiry.

Joe zatrzymał się w drzwiach baru Murraya i skrzywił się na widok swojej żony popijającej piwo z Devlinem przy stoliku w kącie sali. Rachel śmiała się z czegoś, co usłyszała od niego, uśmiechała się szeroko i ze szczerym rozbawieniem. Joego ogarnęła fala zazdrości. Przy nim rzadko się śmiała. Stał się odbiorcą wyłącznie rozgniewanych i rozczarowanych spojrzeń.

Ponosił winę za powstałe między nimi napięcie, przynajmniej według Rachel. To on postanowił zrezygnować z posady gliniarza w Los Angeles i przeprowadzić się na północ, do Zatoki Aniołów. To on przeoczył fakt, że Rachel miała w Los Angeles pracę, którą kochała, bo sprzedawała domy bogatym i sławnym ludziom. To on od niej zażądał, by zmieniła całe swoje życie.

Tak, przeprowadzka była jego pomysłem, ale Rachel także ponosiła odpowiedzialność za niektóre problemy w ich związku. I chociaż jego posunięcie zniszczyło małżeństwo, nie mógł się już cofnąć. Pracując jako gliniarz w Los Angeles, przestawał być sobą. Gdyby się wtedy stamtąd nie wyniósł, Bóg jeden wie, kim byłby teraz.

Ostatnio zaczął myśleć, że sprawy przybierają lepszy obrót. Rachel nadal dojeżdżała do Los Angeles, ale coraz więcej czasu spędzała na miejscu. Zatoka Aniołów była rozwijającym się miasteczkiem na wybrzeżu i przybywało nowych inwestycji. Nieruchomości do sprzedaży było dość i Rachel zaczęła to dostrzegać. Tak przynajmniej myślał. Byli razem od piętnastego roku życia i łączyła ich długa wspólna historia. Wiele włożyli w swój związek. Chciał, by małżeństwo trwało nadal.

Kiedy szedł do stolika, poczuł przypływ dumy. Rachel ze swoimi kruczoczarnymi włosami i ciemnymi oczami była jedną z piękniejszych kobiet, jakie znał. Teraz była nieco za szczupła jak na jego gust i nakładała za mocny makijaż. Zaczęła mieć też obsesję na punkcie ciuchów, co właściwie nie dziwiło, zważywszy ile czasu spędzała w Beverly Hills. Stłumił krytyczne myśli. Nie mógł skupiać się na tym, co mu się w niej nie podobało. Zmieniła się, on też. Nadal jednak byli razem i tylko to się liczyło.

– Joe! – Rachel zamachała do niego. – Jesteś! Bałam się już, że znowu mnie zostawiłeś samą.

Zostawiał ją samą wyłącznie wtedy, kiedy nie mógł zejść ze służby, ale nie był to argument, którego by chciał teraz użyć. Niezbyt lubił Devlina i nie ufał mu. Ten człowiek był zbyt układny i zbyt skłonny mówić ludziom to, co chcieli usłyszeć. Devlin i Rachel byli zaprzyjaźnieni w Los Angeles. To ona opowiedziała mu o Zatoce Aniołów i zachęciła go, żeby zrobił tu film. Joemu nie przeszkadzało, że miała w miasteczku przyjaciela, wolałby tylko, by był to ktoś inny.

Wślizgnął się na siedzenie obok Rachel i szybko cmoknął ją w usta, a w kierunku Devlina tylko skinął głową. Ten człowiek z ufarbowanymi na blond włosami i jasnobrązowymi oczami wyglądał jak surfer, ale jego luzacki styl nie mógł zwieść Joego. Devlin był graczem i manipulatorem. Należał do rodzaju ludzi, którzy zawsze mają plan.

– Z powrotem na weekend? – zapytał. – Spędza pan tutaj teraz wiele czasu.

Devlin uśmiechnął się do niego.

– Spotykam coraz więcej ludzi, którzy chcą mówić o sprawie Jamison.

– Ach, to o to chodzi. – Joe pochylił się i oparł łokcie na stole. – Myślałem, że planuje pan zrobić horror o jakimś nawiedzonym domu. Od kiedy ten film ma być o córce Jamisona?

– Od kiedy zrozumiałem, jakie możliwości drzemią w tej historii: nierozwiązana zagadka morderstwa ślicznej nastolatki w mieście, gdzie ramię w ramię czają się anioły i demony. Rachel zgadza się ze mną. Myśli, że to będzie fantastyczna opowieść, prawda, złotko?

Joemu nie podobała się ta poufałość ani też uśmiech na twarzy żony.

– A nie sądzisz, że film może zrobić krzywdę rodzinie tej dziewczyny? – skierował pytanie do Rachel. – Jej ojciec nadal tu mieszka.

– Mark wprowadzi też sporo fikcji – odparła. – Wyjdzie doskonale.

– Tak naprawdę myślę, że to będzie dobra historia kryminalna – rzekł Devlin. – Mam już studio zainteresowane projektem.

– Ten film przysłuży się miastu, Joe – dodała Rachel. – Pomyśl tylko o zyskach, jakie przyniesie, nie wspominając o dolarach, które zostawią tu turyści, kiedy film pojawi się w kinach. Zatoka Aniołów zaistnieje na turystycznej mapie!

– Już jesteśmy na tej mapie. Szybko się rozwijamy.

– Film to jeszcze przyśpieszy. Już widzę kilku celebrytów, którzy zechcą tutaj zbudować letnie rezydencje, jeśli tylko w mieście będzie więcej atrakcji.

Jej słowa sprawiły mu przykrość.

– Dlaczego nie możesz tu mieszkać i nie myśleć, jak zmienić miasteczko?

Wydęła wargi z niesmakiem.

– Czasami zmiany są dobre, Joe. Czy nie to mi zawsze powtarzasz?

– Zamówię jeszcze piwo – powiedział Devlin i podniósł się z miejsca. – Czy czegoś wam trzeba?

– Nie od pana – wypalił Joe, gdyż nie spodobał mu się koguci błysk w oczach Devlina.

– Cóż, to było subtelne – powiedziała Rachel, kiedy zostali sami. – Dziwię się, że nie zdecydowałeś się na obsikanie swojego terytorium.

– Czy to by coś zmieniło? Spędzasz z nim bardzo dużo czasu. Wiesz, że mi się to nie podoba.

– Co nie ma żadnego sensu, bo nawet nic znasz Marka. Ale to bez znaczenia, bo to mój przyjaciel, nie twój.

Wyzywające, bezczelne spojrzenie go zaniepokoiło.

– Dlaczego chcesz mieć przyjaciela, którego nie znoszę?

– Nie masz żadnego powodu, żeby go nie znosić. Między nami nic się nie dzieje. Nie zdradziłam cię. Mark i ja mamy wspólnych przyjaciół, wspólne interesy. Lubię to. Nigdy nie próbował wejść między nas. Jeżeli już, to zachęcał mnie, bym spędzała tutaj więcej czasu.

– Dlatego, że chce twojej pomocy przy realizacji filmu, a nie, że chce, byś była ze mną.

– Na filmie wszyscy skorzystamy. Nadal pracuję nad tym, żeby wejść na lokalny rynek nieruchomości. Jeżeli będę miała zajęcie tutaj, nie będę musiała dojeżdżać do Los Angeles.

Rachel zazwyczaj unikała długoterminowych zobowiązań w Zatoce Aniołów. Teraz po raz pierwszy wspomniała, że w ogóle poświęciła temu tematowi jakąś myśl.

Chciał jej wierzyć, bo kochał Zatokę Aniołów – wspaniałe zachody słońca, świeże morskie powietrze i zaskakujący błękit nieba. Lubił zasypiać przy dźwięku fal uderzających o brzeg. Uwielbiał poczucie wspólnoty, sposób, w jaki ludzie wzajemnie się tutaj traktowali. Wychował się w nieprzyjaznej robotniczej okolicy Los Angeles, gdzie niebezpiecznie było odwrócić się do kogoś plecami. Tutaj czuł się wolny. Pragnął tylko, żeby Rachel pokochała to miejsce tak mocno jak on. I może także, żeby kochała go tak mocno jak kiedyś.

– Rachel – zaczął.

Potrząsnęła głową i przerwała mu ostrzegawczym spojrzeniem.

– Nie zaczynaj, Joe. To nie jest wieczór na poważne rozmowy. Wypijmy po prostu parę drinków, żeby dobrze zacząć weekend.

– Nie wiesz nawet, co chciałem powiedzieć.

– Właśnie, że wiem. – Wytrzymała jego spojrzenie. – Znam cię od dawna. Jestem tutaj. Staram się. Na razie tak to zostawmy.

– Ja też się staram.

– Staraj się bardziej. Bądź troszkę milszy dla Marka. On nie jest twoim wrogiem.

– Wolałbym, żeby nie był twoim przyjacielem – burknął Joe, nie umiejąc ukryć zazdrości. Jego małżeństwo wisiało na włosku, a Mark bynajmniej nie pomagał.

– Ty też masz przyjaciół, Joe. A ta blondynka, którą parę miesięcy temu przyprowadziłeś do domu?

– Doktor Adams jest po prostu znajomą. – Ładna blond doktor pociągała go bardziej, niż był skłonny przyznać, ale w ciągu ostatnich miesięcy postawił sobie za punkt honoru utrzymać dystans. A Charlotte nie była z tych, które wdają się w romans z żonatym mężczyzną.

– Mark to mój kolega z pracy – powiedziała Rachel. – Zatem wyjaśniliśmy to sobie, tak?

– W porządku – zgodził się Joe.

Mark postawił przed nim kufel piwa i zajął swoje miejsce.

– Pomyślałem, że powinien się pan napić, szefie.

– Dzięki.

– A ja poproszę o przysługę – ciągnął Devlin. – Przeczytałem to, co opublikowano ze śledztwa w sprawie zabójstwa Jamison, ale chciałbym zobaczyć akta policyjne. Jeden z pana policjantów powiedział mi, że nie może udostępnić akt, bo śledztwo nie zostało zamknięte.

– Tak, to śledztwo w toku.

– Jakoś nie było w toku przez całych dziesięć lat. Rozmawiałem z ojcem Abigail Jamison. Mam poparcie rodziny. No i sądzę, że policja w Zatoce Aniołów chętnie przyjmie pomoc w rozwiązaniu zagadki zabójstwa.

Joe poczuł na sobie wzrok Rachel. Musiał teraz jej pokazać, jak bardzo jest skłonny się postarać.

– Przemyślę pana prośbę. Być może są informacje, które mogę ujawnić.

– Byłbym bardzo wdzięczny. – Podniecenie zabłysło na krótko w oczach Marka, kiedy do baru wszedł mężczyzna. – O, patrzcie, kto przyszedł.

– Kto to jest? – zapytała Rachel, podążając za wzrokiem Marka.

– Shane Murray – odparł Joe i poczuł się bardzo niezręcznie. Ciemnowłosy i ciemnooki rybak zdobył w przeszłości kiepską reputację. Przez siedem miesięcy, kiedy Joe był w mieście, Murray trzymał się swoich spraw i nie sprawiał żadnych kłopotów. Był to jednak człowiek hardy i skłonny do brawury, który przez lata łowił ryby na najniebezpieczniejszych morzach świata. Nie był facetem, którego można było lekceważyć albo z którym można było zadrzeć.

– Shane Murray to pierwszy podejrzany w sprawie śmierci Abby Jamison – wyjaśnił Rachel Devlin. – Był chłopakiem starszej siostry Abby, Lauren.

– Nigdy też nie stanął przed sądem z braku dowodów – dodał Joe.

– To nie znaczy, że jej nie zabił – powiedział Devlin.

– Zamierza więc pan go zapytać, czy ją zabił? – spytał Joe.

Devlin się uśmiechnął.

– Zamierzam go zapytać, czy zechce mi pomóc odnaleźć prawdziwego zabójcę. Większość niewinnych ludzi chwyta się takiej okazji, by oczyścić swoje imię.

– A jeśli nie jest niewinny? – spytała Rachel. – Powinieneś być ostrożny, Mark. Jeżeli zabił tę dziewczynę, może mu się nie spodobać twoja ciekawość.

– Może powinienem wziąć ze sobą długie ramię przedstawiciela prawa – odparł Mark i uśmiechnął się do Joego. – Co pan powie, szefie? Chce pan być moim wsparciem?

– Jest pan sam. – Czy to źle, że miał nadzieję, iż Shane rozniesie Devlina na strzępy? – Jeśli jednak Murray pana zabije, aresztuję go.

– Joe – jęknęła Rachel i westchnęła ciężko.

– Zamówmy frytki z chili – powiedział i dał znak kelnerce. – Wygląda na to, że odbędzie się tu przedstawienie.

* * *

Shane usiadł na stołku na końcu baru, patrząc, jak jego młodszy brat, Michael, miesza drinki. Michael i ich kuzynka Aidan prowadzili bar Murraya razem ze stryjem Tommym. Bar od pokoleń należał do rodziny i w weekendy zawsze było tu tłoczno. Na trzech telewizyjnych ekranach można było oglądać programy sportowe, a w sali z tyłu stały stoły do wynajęcia na prywatne imprezy.

Jak każde z rodzeństwa Murrayów, Michael miał jasną skórę, ciemnoblond włosy i piegi na nosie i policzkach. Tylko Shane, jak przystało na czarną owcę w rodzinie, uniknął jasnej skóry i piegów. Michael był słodkim chłopczykiem. Nieszczególnie sobie cenił tę opinię, zwłaszcza że skończył już dwadzieścia pięć lat, ale nadal miał młodzieńczą niewinność, którą Shane pragnął chronić.

Michael popchnął w jego stronę zimne piwo, które Shane błyskawicznie złapał i pociągnął długi łyk. Od kiedy pojawiła się Lauren, cały czas czuł, że musi się napić. Większość czasu w ciągu ostatnich dziesięciu lat spędził na staraniach, by o niej nie myśleć. Zobaczył trochę świata, zarobił pieniądze i miał mnóstwo innych kobiet. Pięknych, seksownych kobiet. Trudno mu było sobie je wszystkie przypomnieć.

Nie powinien był całować Lauren. Okazało się to najgłupszym pomysłem, jaki kiedykolwiek wpadł mu do głowy. Na wargach ciągle czuł jej smak, a na klatce piersiowej muśnięcie jej miękkiego, pełnego biustu. Najgorsze, że w głowie cały czas siedziało mu to, że go jednak nie odepchnęła. Odwzajemniła pocałunek. O wiele łatwiej by było, gdyby go spoliczkowała.

Michael wziął pustą butelkę i wymienił ją na pełną.

– Świetna obsługa – powiedział z uznaniem Shane.

~ 43 ~

– Domyśliłem się, że wpadniesz, jak tylko usłyszałem o przyjeździe Lauren Jamison do miasta. Czy nie byliście parą w szkole średniej?

– Chodziliśmy ze sobą. – Michael był siedem lat młodszy i kiedy Shane i Lauren byli razem, uczył się jeszcze w podstawówce.

Michael uśmiechnął się.

– To tak się to dawniej nazywało?

– Nie chcę rozmawiać o Lauren. Jak się dowiedziałeś, że jest w mieście?

Michael przewrócił oczami.

– Plotka poszła, kiedy tylko zawinąłeś do portu na łódce jej ojca. Wszyscy zaczęli się już zakładać o to, czy się zejdziecie. Chcesz, żebym też się założył? Mogę poświęcić trochę gotówki.

– Zatrzymaj ją dla siebie. Lauren jest tutaj, żeby uporządkować sytuację życiową ojca. To wszystko.

– Ciekawe, czy wie już o filmie.

Shane westchnął. W Zatoce Aniołów wrzało na ten temat.

– Jeśli jeszcze nie wie, to pewne, że się dowie.

– Ten facet, co robi film, właśnie tutaj siedzi. – Michael przechylił głowę. – Poznałeś go już?

– Nie.

– Niesamowite, prawda? Lauren przyjechała akurat w tym czasie, kiedy ktoś chce zrobić film o jej siostrze i ty także przez przypadek jesteś tutaj. Wszyscy gracze są w mieście w tym samym czasie. Wygląda to tak, jakby wmieszały się w to znów nasze anioły.

– Myślę, że mam inne zmartwienia niż anioły. – Shane'a ogarniało silne złe przeczucie. Czekał długo z powrotem do domu, żeby przycichły wszystkie plotki, żeby jego rodzina przestała już być w centrum zainteresowania i żeby wszyscy zapomnieli. Teraz zaś wszystko zaczynało się od początku.

– Co zrobisz? – zapytał Michael.

– Nie mam pojęcia.

– Lepiej szybko coś wymyśl, bo masz towarzystwo.

Mężczyzna zajął miejsce na stołku obok Shane'a.

– Panie Murray – powiedział z szerokim uśmiechem. – Jestem Mark Devlin. Robię film na motywach sprawy śmierci Abigail Jamison. Chciałbym z panem porozmawiać.

– Nie mam nic do powiedzenia – odparł Shane i wstał.

Mark wstał także i położył mu rękę na ramieniu.

Shane natychmiast ją strząsnął i równocześnie lekko popchnął Devlina. Szybko zwalczył lekkomyślną pokusę, żeby trzasnąć faceta w szczękę. Nie zamierzał przecież znów odgrywać koguta. Zwłaszcza że parę stolików dalej siedział szef policji.

Mark położył mu na ramionach obie ręce.

– Przepraszam. Chcę tylko usłyszeć pana wersję wydarzeń z tamtej nocy. Na pewno chciałby pan oczyścić swoje imię.

– Nie dbam o to, co gadają ludzie.

– Ja nie wierzę, że pan to zrobił – pośpieszył z zapewnieniem Devlin.

Shane znieruchomiał.

– Naprawdę?

– Myślę o paru innych osobach, w tym o osobie, która nigdy nie była przesłuchiwana.

Shane nie mógł powstrzymać się od pytania, które wyrwało mu się z ust.

– O starszej siostrze, Lauren. Ludzie mówią, że ze sobą rywalizowały. Lauren zżerała zazdrość. Abby była bystrzejsza, ładniejsza, bardziej utalentowana i Lauren nie podobało się, że jej siostra ten wieczór spędzała z panem.

– Pan chyba oszalał.

– Doprawdy? – W oczach Devlina pojawił się zaczepny błysk. – Jest pan tego pewien? Powinien pan ze mną porozmawiać. Razem możemy dociec prawdy.

– Rozmowa zakończona.

– Tylko na razie. Nie wyjeżdżam stąd. Może się pan zastanowi.

Shane przeszedł przez salę świadomy, że spoczywa na nim wzrok wszystkich obecnych. To było za wiele jak na dawno minioną przeszłość. Pomimo oświadczenia Devlina, że to Lauren uważa za podejrzaną numer jeden, Shane wiedział, że on sam jest tuż po niej. Nie było sposobu na to, by Devlin zrobił film bez jego udziału. Znalazł się wśród osób z motywem. Był przesłuchiwany mnóstwo razy. I nawet gdy policja nie zdołała sformułować oskarżenia, połowa miasta wierzyła, że to on był winien. Niektórzy wierzyli w to nadal.

Mądrzej było nie wracać do domu. Miał dziwne uczucie, że Lauren pomyśli sobie dokładnie to samo.

* * *

Była już prawie północ, kiedy Lauren zebrała dość odwagi, by wejść do sypialni, którą dzieliła z Abby. Kiedy zapaliła światło, poczuła, jakby cofnęła się w czasie.

Łóżko Abby nakryte było czerwoną kołdrą w kropki, kilkoma poduszkami i Loveylou, wypchanym królikiem, z którym Abby spała od drugiego roku życia. Lauren wzięła głęboki oddech, czując wszechogarniający ból na widok jednouchego królika. Natychmiast odwróciła wzrok, jednak każde miejsce, na które patrzyła, przywoływało dalsze wspomnienia.

Ubrania Abby leżały w szafie, a buty na podłodze, w miejscu gdzie rzuciła je niedbale tamtego dnia. Tablica korkowa nad biurkiem pyszniła się jej ostatnim szóstkowym świadectwem, programem balu na zakończenie roku i zdjęciem szkolnej drużyny siatkarskiej, gdzie Abby była najlepszą rozgrywającą, oraz niewykorzystanym biletem na koncert w czasie weekendu po jej śmierci.

Popatrzyła na fotografię na biurku. Jej młodsza siostra była śliczna. Miała kasztanowe włosy i wielkie brązowe oczy. Abby była podobna do ojca, podczas gdy ona i David wygląd odziedziczyli po matce. Mieli ciemne włosy i błękitne oczy. To zabawne, że rodzina może być tak podzielona.

W pokoju nie było ani jednej rzeczy Lauren. Zostało tylko jej łóżko ogołocone do materaca. Kiedy matka postanowiła zabrać stąd ją i Davida, spakowała wszystko. Ned nie pozwolił jej tknąć ani jednej rzeczy Abby. Tamtego ostatniego dnia stoczyli zaciekłą walkę. Matka płakała całą drogę do San Francisco. Lauren nie rozumiała wtedy, ani też teraz, jakim sposobem żałoba rodziców przedzierzgnęła ich w zaciekłych wrogów, ale tak właśnie się stało.

Kiedy zdecydowała się przyjechać do domu, nie spodziewała się, że tak intensywnie będzie musiała skonfrontować się z przeszłością, że otaczać ją będzie tyle rzeczy, których Abby dotykała, które nosiła i na których spała. Czy to jej wyobraźnia, czy nadal w powietrzu czuć było jej perfumy?

Zamknęła oczy, lecz to tylko wzmogło wspomnienia. Dzień, w którym umarła Abby, zaczął się całkiem niewinnie, jak każdy poniedziałkowy poranek.

– Abby, pośpiesz się! – Lauren pochwyciła z blatu kuchennego swój lunch i upchnęła w plecaku. Lekcje zaczynały się za kwadrans, lecz Abby jak zwykle się spóźniała. – Wychodzę bez ciebie – dodała. Do szkoły były prawie cztery kilometry i Lauren wiedziała, że Abby nie ma ochoty na taki spacer.

Kiedy siostra nie odpowiedziała, Lauren popędziła do sypialni. Abby siedziała przy biurku i pisała coś w pamiętniku. Podskoczyła na widok Lauren i szybko zamknęła zeszyt z wyrazem skruchy na twarzy.

– Co robisz? – zapytała Lauren.

– Nic.

Lauren nie obchodziło właściwie, czym zajmuje się siostra, lecz rumieniec na twarzy Abby obudził jej zainteresowanie.

– Masz tajemnicę? Jaką?

– Nie powiem ci.

– W takim razie sama przeczytam w pamiętniku.

Abby czym prędzej wrzuciła zeszyt do plecaka.

– Nawet o tym nie myśl.

– Zakochałaś się w kimś – przekomarzała się z nią Lauren.

– Nieprawda.

– Na pewno tak. Kto to jest? Powiedz!

Abby wzruszyła ramionami z zagadkowym wyrazem twarzy.

– To nieważne. I tak nie mogę go mieć.

– Dlaczego? Ma inną dziewczynę?

– Nie chcę o tym rozmawiać, Lauren. Chciałaś już iść, więc chodźmy. – Abby przemknęła koło niej jak wiatr i potrąciła ją plecakiem.

– Auu! – jęknęła Lauren i jęła rozcierać sobie ramię. – Zrobiłaś to specjalnie! Mam przez ciebie tylko kłopoty. Powinnam cię zostawić, żebyś gnała na piechotę.

– Nie zrobisz tego, bo mnie kochasz – rzuciła od niechcenia Abby z porozumiewawczym uśmiechem.

– Nie aż tak bardzo – odgryzła się.

Następnego ranka Abby już nie żyła.

Lauren otworzyła oczy, dysząc ciężko. Ostatnią rzeczą, którą powiedziała siostrze, było to, że jej nie kocha tak bardzo. Czy Abby wiedziała, że to tylko żarty? Boże, miała taką nadzieję.

Powędrowała wzrokiem znów do biurka. Wiedziała, że nie było tam pamiętnika, ponieważ szukali go wszyscy po jej śmierci w nadziei, iż w nim może znajdować się tajemnica, która zabiła Abby. Jednak plecak Abby zniknął i nigdy nie został znaleziony.

Kogo Abby miała na myśli? Jakiegoś chłopca, którego nie mogła mieć? W oczywisty sposób na myśl nasuwał się Shane. Tak mówił każdy, komu Lauren powtarzała tę rozmowę. Fakt, że Shane'a widziano, jak odwoził Abby do szkoły, dodatkowo wspierał tę teorię.

Czy coś zaszło między Shane'em i Abby? Zaprzeczył, a ona chciała mu wierzyć, chociaż okłamał ją tamtego dnia. Powiedział jej, że wieczorem popłynął w morze na łodzi rybackiej razem ze swoim ojcem, a tymczasem był w miasteczku, razem z Abby. Nigdy nie wyjaśnił dlaczego. Myśl o tym, że Abby i Shane mogli ją zdradzić, była bolesna, a Lauren nigdy na dobre jej się nie pozbyła.

Dwoje knujących nastolatków to jedno, ale morderstwo to było zupełnie coś innego.

– Och, Abby – powiedziała na głos. – Chciałabym, żebyśmy mogły cofnąć zegarki i odtworzyć raz jeszcze tamtą rozmowę tak, abyś mi wtedy powiedziała, co miałaś zamiar robić tamtego dnia.

Powiew chłodu wdarł się do pokoju. Choć okna były zamknięte, firanki zafalowały, jakby poruszone lekkim podmuchem wiatru. Lauren ogarnęło dziwne uczucie, że nie jest sama.

– Abby? – wyszeptała.

– Co ty jeszcze robisz?

Stanęła i obróciła się w miejscu.

Jej ojciec stał w drzwiach, mając na sobie piżamę i kapcie.

– Jest już późno, Abigail. Powinnaś spać. Ruszamy o czwartej. Ryby nie będą czekać.

Jego słowa wstrząsnęły Lauren i przywróciły do teraźniejszości.

– Sądzę, że nie wybierzemy się jutro na ryby, tato – powiedziała powoli, niepewna, jak należy z nim rozmawiać. Czy lepiej się z nim sprzeczać, czy ciągnąć jego wątek?

– Oczywiście, że popłyniemy. To przecież twoje urodziny. Za każdym razem w twoje urodziny wypływamy na ryby.

– Ile lat teraz kończę?

– Trzynaście. Jesteś już nastolatką. – Jego uśmiech posmutniał. – Niedługo przestaniesz być moją słodką dziewczynką. Wkrótce do tych drzwi zaczną stukać chłopcy, ale jutro będzie jeszcze należeć do nas. Nie mów nic mamie ani Lauren, ale zaszedłem do Marty i kupiłem jagodowe mufinki, które tak lubisz. Zjemy je sobie na śniadanie. To będzie jeden z naszych małych sekretów.

Coś w sposobie, w jaki wymówił słowo „sekret", uderzyło Lauren bardziej niż cała reszta nieskładnej rozmowy.

– A mamy jeszcze inne sekrety, tato?

Zmarszczył twarz i zmrużył oczy, przyglądając się jej lepiej. W jego oczach pojawiła się niepewność.

– Lauren?

Wrócił do teraźniejszości.

– Tak, to ja, tato – powiedziała łagodnie.

– No, to oczywiste, że to ty. Pewnie myślisz, że powinienem do tej pory pozbyć się rzeczy Abby.

– Czy nie ciężej ci jest, kiedy widzisz ten pokój taki, jak był wtedy?

– Tutaj czuję, że jestem bliżej Abby. Mówię do niej i myślę, że ona mnie słyszy. – Wszedł do środka i wziął do ręki jeden z kilku pucharów za zawody węd-karskie ustawionych na komódce. – Abby miała tylko jedenaście lat, kiedy go wygrała. Była urodzonym wędkarzem. – Podrapał się w policzek. – Zupełnie inaczej jest z tobą. Ty nie umiałaś czekać. Nigdy nie pojąłem tego, że mam córkę, która nie cierpi oceanu.

– Lubiłam ocean za dnia i na krótko. Lubiłam bar-dziej inne rzeczy, ale to ciebie nigdy nie obchodziło.

– Twoja mama zawsze wiedziała, co lubiłaś – po-wiedział, jakby to zdejmowało z niego odpowiedzial-ność.

Wzięła głęboki oddech, czując się tak, jakby miała skoczyć z wysokiego urwiska. Nigdy nie rozmawiała z ojcem o osobistych sprawach.

– Chciałam, żebyś ty także wiedział.

– Wiedziałem. Matka mi powiedziała. – Odstawił puchar na miejsce. – Idę spać.

– Tato, przez te wszystkie lata nie znalazłeś pa-miętnika Abby?

– Nie, musiał być w plecaku z książkami, który mia-ła tamtego wieczoru.

Pokiwała głową, kiedy wyszedł. Tak właśnie myślała. Tajemnice siostry powędrowały wraz z nią do grobu.

Lauren nie wyobrażała sobie, w jaki sposób produ-cent filmowy mógłby dotrzeć do mordercy Abby. Nie było żadnych tropów. Nigdy nie istniały. Jeśli Mark Devlin zamierzał podać nazwisko mordercy, to mu-siał po prostu z kogoś go zrobić.

Rozdział 4

Lauren obudziła się w sobotni poranek z bólem w plecach i ze sztywną nogą. Przeciągnęła się z jękiem, czując się potłuczona i posiniaczona. Wątpiła, czy stara sofa była w ciągu dziesięciu lat choć raz rozkładana. Nie mogła jednak wyobrazić sobie spędzenia nocy w swojej dawnej sypialni, która teraz stała się kaplicą z relikwiami jej siostry.

Wstała i chwiejnym krokiem poszła do łazienki. Lustro nad umywalką nie wykazało się łaskawością. Ciemnobrązowe włosy były rozczochrane i splątane, a pod oczami widniały cienie. Przyczesała włosy i ochlapała twarz zimną wodą. Najpierw kawa, a potem prysznic. Wyjęła z walizki bluzę i wciągnęła na piżamę złożoną z różowej góry i fioletowych spodni.

Zrobi coś z jajek – może francuskie tosty z cukrem pudrem i bekonem. Od lat nie jadła bekonu, ale pobyt w domu przypomniał jej o sandwiczach, które zazwyczaj robiła matka, i o chrupiącym bekonie na tostach z mnóstwem masła. To cud, że nikomu jak dotąd nie wysiadło serce.

W miarę przeglądania pustych półek w kuchni ojca jej podniecenie opadło. Jedyna kawa była rozpuszczalna i prawdopodobnie miała parę lat, co ją zdziwiło. Ojciec zawsze lubił wypijać rano kawę. Było to ich jedyne wspólne upodobanie.

Zamknęła szafkę i zrozumiała, że w domu jest dziwnie cicho. Było piętnaście po dziewiątej, ojciec powinien już wstać. Łowił ryby, od kiedy nauczył się chodzić, i zawsze wiele opowiadał o tym, jak cudownie jest być na oceanie podczas uderzającego spokoju o świcie. Ona zaś nigdy nie była miłośniczką brzasku, ale była zdecydowaną miłośniczką śniadania. Być może zdoła go obudzić i pójdą na jakieś naleśniki.

Ojca jednak nie było w pokoju ani też nigdzie indziej w domu. Znowu gdzieś się podział, a ona nie miała pojęcia gdzie. Kiedy zastanawiała się nad możliwościami, rozległ się dzwonek przy drzwiach. Chwila czystej próżności sprawiła, że się zawahała. Wyglądała koszmarnie i miała szczerą nadzieję, że nie jest to Shane. Potrzebowała zbroi na następną z nim rozmowę, przynajmniej trochę szminki.

Wróciła do pokoju dziennego, wyjrzała przez judasz, i ze zdumieniem rozpoznała stojącą na ganku atrakcyjną blondynkę. Po raz pierwszy od przyjazdu naprawdę się ucieszyła na czyjś widok. Otworzyła drzwi z uśmiechem.

– Charlotte Adams. Nie mogę uwierzyć, że to ty.

Charlotte aż otworzyła usta i oczy jej się rozszerzyły ze zdumienia.

– Lauren? Kiedy przyjechałaś?

– Wczoraj. – Charlotte była jej pierwszą najlepszą przyjaciółką. Poznały się już w przedszkolu. Wystraszone nowym miejscem siadły w kącie, trzymając się za ręce, i długi czas jedna nie pozwalała drugiej się oddalić, aż do szkoły średniej, kiedy weszli im w drogę chłopcy i inne kłopoty. – Nic się nie zmieniłaś.

Złote włosy Charlotte zaczesała do tyłu w koński ogon. Cerę miała czystą i piękną, jasnobłękitne oczy okolone były długimi ciemnymi rzęsami. Wyglądała zgrabnie w butach do joggingu, czarnych legginsach i T-shircie.

– To zdecydowanie nieprawda. Nigdy nie sądziłam, że wrócisz, Lauren.

– Musiałam. Ojciec jest chory.

– Wiem. – Charlotte obdarzyła ją współczującym uśmiechem. – Wyglądasz, jakbyś miała ciężką noc.

– Stoczyłam walkę z rozsuwaną sofą. Co tutaj robisz?

– Podrzucam zapiekankę i trochę ciastek twojemu ojcu. – Charlotte wyciągnęła do niej pudełko. – Uprzejmość mojej mamy.

– To bardzo miłe. Możesz wejść na chwilę, czy musisz się śpieszyć do pracy? Słyszałam, że zajmujesz się sprowadzaniem na świat noworodków jako ginekolog położnik.

Charlotte uniosła brwi.

– Jakie tajemne łącza Zatoki Aniołów przenoszą wieści aż do San Francisco?

– Moja matka nadal utrzymuje kontakty z niektórymi znajomymi. – Lauren wprowadziła Charlotte do kuchni. Wstawiła naczynie z zapiekanką do piekarnika, a talerz z czekoladowymi ciasteczkami postawiła na stole. – Wyglądają pysznie.

Charlotte uśmiechnęła się, odsunęła krzesło i usiadła.

– Na pewno nie umywają się do twoich. Pieczesz jeszcze?

– Niewiele. Dużo pracuję. Jestem planistką imprez korporacyjnych.

– Naprawdę? Pamiętam, jak matka podarowała ci na Boże Narodzenie miniaturowy piekarnik. Zmuszałaś mnie, żebyśmy bez końca bawiły się w restaurację. – Charlotte się roześmiała. – Zawsze myślałam, że skończysz gdzieś w piekarni.

– Nadal biegasz? – zapytała Lauren z chęci zmiany tematu.

– Prawie codziennie. Powinnaś się wybrać ze mną. Możemy ruszyć ścieżką wzdłuż urwiska. Nie uwierzysz, jak mocno rozrosła się Zatoka Aniołów. Promenada zmieniła się kompletnie – są na niej wytworne galerie, sklepy z antykami i butiki z ubraniami od projektantów mody. Wzdłuż wybrzeża stanęło kilka nowych rezydencji. Widocznie bogaci i sławni postanowili, że Zatoka Aniołów stanie się nowym miejscem ich letnich wypadów.

– Zauważyłam kilka nowych domów przy wjeździe – rzekła Lauren. – Jak podejrzewam, to już nie jest dawna mieścina. A ty kiedy tu wróciłaś? Myślałam, że prowadzisz praktykę w Nowym Jorku?

– Przyjechałam kilka miesięcy temu, kiedy zmarł ojciec. Brat służy w piechocie morskiej i stacjonuje na Środkowym Wschodzie. Siostra mieszka w San Francisco z mężem i dziećmi, tak że mama została tutaj całkiem sama. Padło na mnie, żebym tu przyjechała i się nią zajęła. – Charlotte uśmiechnęła się smutno. – Mama bardzo się ekscytuje, mając wreszcie przy sobie swoje ulubione dziecko.

Lauren uśmiechnęła się przy tym zwięzłym komentarzu. Przypomniała sobie batalie, które Charlotte staczała ze swoją surową i zawsze wszystko oceniającą matką.

– I jak wam się mieszka razem?

– To zbyt długa historia, żeby ją teraz rozpoczynać, i z rodzaju tych, którą powinien usłyszeć mój psychoterapeuta. Zamierzasz mnie zmusić, żebym poprosiła o ciasteczko?

– O, przepraszam – Lauren odwinęła folię i wręczyła talerz Charlotte.

– Co zamierzasz zrobić z ojcem? – spytała wprost Charlotte.

Lauren zaczęła mówić, przypominając sobie równocześnie, że właściwie nie wie, gdzie jest ojciec.

– Nie jestem pewna. Tak naprawdę właśnie miałam wyjść go szukać, kiedy zadzwoniłaś do drzwi.

– Prawdopodobnie jest u Diny w kafejce. Codziennie jada tam śniadania.

– Mam nadzieję. Wczoraj wieczór postanowił sam wypłynąć w morze. – Zawahała się, po czym nabrała pewności, że Charlotte i tak usłyszy tę historię, nim zajdzie słońce. – Spotkałam Shane'a. Był w porcie, kiedy ojciec wypłynął, i razem go goniliśmy.

Charlotte otworzyła szeroko oczy ze zdziwienia.

– Mówisz poważnie? I jak było?

– Niezręcznie. Byliśmy spięci. – Nie miała ochoty mówić Charlotte o pocałunku.

– Chyba dobrze, nie?

– Od kiedy widzieliśmy się po raz ostatni, minęło trzynaście lat. Czułam się jednak, jakby to było pięć minut temu, co bardzo mnie przestraszyło. Ostatnią rzeczą, którą chciałabym zrobić, jest powrót do tamtego czasu i miejsca.

Charlotte wyciągnęła rękę i położyła na dłoni Lauren.

– To, co się stało z Abby, było niewyobrażalne. A jeszcze przy oskarżeniu Shane'a o to morderstwo... Nie wiem jak przez to przebrnęłaś. – W jej oczach błysnęło poczucie winy. – Chciałam być wtedy z tobą, ale wówczas jakiś czas nie odzywałyśmy się do siebie i nie wiedziałam, czy chcesz mnie usłyszeć.

– Byłam tak pochłonięta tym nieszczęściem, że nie chciałam z nikim rozmawiać. – Lauren przerwała i zastanowiła się, dlaczego ich przyjaźń rozleciała się na drobne kawałeczki. – Co właściwie między nami zaszło, Charlie? W jednej chwili byłyśmy najlepszymi przyjaciółkami, a w następnej już nie.

Charlotte uśmiechnęła się smutno i puściła rękę Lauren. Usadowiła się wygodniej na krześle.

– Pozwoliłyśmy pewnym chłopcom i pewnym plotkarom, żeby stanęli między nami.

Lauren odchyliła głowę.

– Było coś więcej. Ty wtedy coś przeżywałaś i nigdy nie powiedziałaś mi co. Po prostu się odseparowałaś.

– W średniej szkole zaliczyłam wiele błędów. Znudziło mi się być córeczką pastora, grzeczną dziewczynką, i trochę zaczęłam szaleć. Dzięki Bogu, w końcu dorosłam. Zajęło mi to tylko dość sporo czasu.

– Charlotte włożyła do ust ostatni kawałek ciasta.

– Słyszałaś o biednej Karze?

– O Karze Murray? Siostrze Shane'a? Co się stało?

– Dobra wiadomość jest taka, że za dwa tygodnie urodzi dziecko. Zła zaś taka, że jej mąż, Colin, dostał kilka miesięcy temu postrzał i leży w śpiączce.

Lauren otworzyła usta.

– O mój Boże! To straszne! Jak Kara daje sobie z tym radę?

– Walczy, ale rokowania nie są pomyślne. Wszyscy robimy, co możemy, żeby ją podtrzymać na duchu.

– To bezgranicznie smutne. Jak Colin został postrzelony?

– Na służbie, niestety. Jest policjantem.

– To był zawsze taki porządny chłopak. Mam nadzieję, że wyzdrowieje.

– Wszyscy mamy nadzieję. A z rzeczy weselszych: urządzamy Karze i jej dzidziusiowi bociankowe. O drugiej, w sklepie z narzutami. Powinnaś przyjść.

– Nie, lepiej nie – powiedziała błyskawicznie Lauren.

– Kara bardzo się ucieszy na twój widok, tak samo wszystkie inne.

– Ja już wypadłam z tego towarzystwa.

– To nie ma znaczenia. Mnie też tutaj dawno nie było. Uwierz mi, po kilku chwilach spędzonych

Pod Sercem Anioła poczujesz się tak, jakbyś nigdy stąd nie wyjeżdżała.

Tego właśnie najbardziej się bała.

– Nie sądzę, żeby Kara chciała mnie widzieć na swojej imprezie. Murrayowie mieli mi za złe, że nie stanęłam po stronie Shane'a.

– Murrayowie rozumieli, że to była sprawa zabójstwa Abby. Nikt ciebie za nic nie winił.

– Shane winił – mruknęła. – On chciał, żebym w niego wierzyła, żebym stała przy nim, a ja nie byłam w stanie. Miałam w głowie kompletny mętlik i byłam zdruzgotana śmiercią Abby.

Spojrzenie Charlotte spotkało się z jej spojrzeniem.

– Nie sądzisz chyba, że to Shane zrobił Abby krzywdę, prawda? Wiem, że widział się z Abby tamtej nocy, ale był zakochany w tobie.

– To dlaczego był z Abby?

– Nigdy ci nie powiedział?

Lauren potrząsnęła głową.

– Nie, nigdy. Poprosił mnie tylko, żebym uwierzyła w to, że jest niewinny.

– Cóż, ja myślę, że nie był winny, i założę się, że ty też tak sądzisz.

Lauren lekko pokiwała głową.

– Tak, tylko zupełnie nie wiem dlaczego.

– Dlatego, że znałaś go lepiej niż ktokolwiek inny. Przyjdź na bociankowe. Kara nie żywi żadnej urazy, a teraz akurat potrzebuje wszystkich przyjaciół, których uda się jej zebrać. Do tego możesz odciągnąć jej myśli od tego nieszczęścia. Pomyśl o tym, jak o akcji charytatywnej.

Lauren pogroziła Charlotte palcem. Przyjaciółka zawsze miała dar przekonywania.

– Używasz chwytów poniżej pasa, Charlie.

– Z czasem i tak spotkasz wszystkich. Lepiej mieć to od razu za sobą.

– Nie wiem, czy zdołam stawić czoło pytaniom o Shane'a, Abby i mnie. Myślałam, że minęło już dość czasu, ale teraz jest tu producent filmowy, który węszy po mieście i pyta wszystkich o śmierć Abby. Nie miałam pojęcia, że kiedy wrócę do domu, tak się to skończy.

– To jeszcze jeden dobry powód, żeby przyjść na imprezę. Jesteś jedną z nas, Lauren. Wychowałaś się tutaj. Masz tu przyjaciół i sąsiadów. Producent filmowy jest obcy. Trzeba, żebyś przypomniała tutejszym kobietom, że też jesteś tutejsza. Wszystkie pójdą za tobą, zobaczysz. – Charlotte wstała. – I nie musisz wcale przynosić prezentu.

– Pomyślę o tym – powiedziała Lauren i wstała także. – Miło było z tobą pogadać, Charlotte.

– Z tobą też. To zabawne, że tylu z nas wyjechało z Zatoki Aniołów, a teraz wszyscy wracają.

– A kto jeszcze przyjechał?

– Andrew Schilling – powiedziała z chytrym uśmiechem Charlotte.

– Twój dawny chłopak? – spytała zaskoczona Lauren.

– Tak. Objął stanowisko pastora po moim ojcu. Jak ci się to podoba?

– A tobie jak się to podoba?

Charlotte roześmiała się i ruszyła do drzwi.

– Przyjdź na bociankowe. Może wtedy ci powiem.

* * *

Kara stanęła w drzwiach pokoju dziecięcego. Było prawie południe i chciała już być przy łóżku Colina, ale jeszcze nie zebrała na to dość energii. Nie spała dobrze, czuła się zmęczona i naprawdę bardzo, bardzo gruba. Dziecko zrobiło się już takie duże. Brzuch był wzdęty i napięty jak beczka. Przypominał, jak prędko biegnie czas. Pokoik dla dziecka nie był jeszcze gotowy. Należało pomalować listwy wykończeniowe, zawiesić firanki i rozpakować pościel. Czekała na Colina, żeby się zbudził, wrócił do domu i skończył pokój tak, jak sobie razem obmyślili. Przycisnęła rękę do brzucha i wymacała małą nóżkę. Jej córeczka chciała się już wydostać na zewnątrz.

– Jeszcze tylko troszeczkę – powiedziała dziecku. – Najpierw musi obudzić się tatuś.

W oczach wezbrały jej łzy, kiedy córeczka kopnęła. Miała w środku maleńkie życie, które stworzyli razem – ona i Colin. Czuł się taki szczęśliwy, kiedy zaszła w ciążę. Czuwał nad nią jak wszystkowidzący jastrząb i mówił o marzeniach na przyszłość, o wszystkich rzeczach, jakie mieli robić z dzieckiem. Jej wielki, barczysty mąż płakał, kiedy zobaczył pierwsze usg. Rodzice Colina się rozwiedli i dlatego on najbardziej na świecie pragnął założyć i utrzymać rodzinę.

Musi się obudzić.

Rozpacz zawrzała jej w żyłach, aż zrobiło się jej gorąco, aż oblał ją pot, a po chwili jeszcze bardziej gorąco, kiedy nadeszła następna myśl:

Co będzie, jeśli się nie obudzi?

Nienawidziła się za takie myśli, ale ostatnio wątpliwości zaczęły się zakorzeniać. Pragnęła być dzielna i rozsądna w swoim optymizmie, ale minęły już trzy miesiące i zegar tykał dalej. Stawało się coraz bardziej realne, że będzie wychowywać dziecko sama. Jak niby miałoby jej się to udać?

Wzięła głęboki oddech i odpędziła złe myśli. Jest żoną Colina. Jeśli ona przestanie wierzyć w jego wyzdrowienie, to kto będzie wierzył?

Zadzwonił dzwonek do drzwi. Skrzywiła się. Nie spodziewała się nikogo ujrzeć, dopóki nie naciągnie na siebie codziennej maski optymizmu. Dzwonek jednak zadzwonił ponownie i wiedziała, że musi otworzyć. Na podjeździe stał samochód. Jeśliby nie otworzyła, ktoś mógłby pomyśleć, że zaczęła rodzić, leży na podłodze i potrzebuje pomocy. Najprawdopodobniej zadzwoniono by na policję i ściągnięto tutaj całe przeklęte miasteczko, by ją ratować.

Pomaszerowała do drzwi wejściowych i otworzyła je, wpadając przy tym w zdecydowanie zrzędliwy nastrój. Na ganku stał Jason Marlow. Jason o jasnobrązowych włosach, brązowych oczach i leniwym uśmiechu dorastał razem z nią i Colinem. Był też zastępcą szefa policji w Zatoce Aniołów i w ogóle porządnym gościem, lecz miał pecha przyjść w niestosownej chwili. Czuła zbyt duże zmęczenie i frustrację, by zdobyć się na uprzejmość.

– Jasonie, nie chcę nic do jedzenia. – Jej wzrok padł na papierową torbę w jego ręce. – Ludzie w tym mieście uważają, że muszę jeść za pięcioro. Niedługo nie zmieszczę się w drzwiach.

– Dobrze, bo w torbie nie ma jedzenia. Mogę wejść?

– A mogę ci zabronić?

Podniósł ze zdziwieniem brwi.

– Masz zły humor?

– Ależ skąd, jestem tutejszą świętą, nie słyszałeś? – Weszła do salonu i opadła na kanapę. Jason zamknął drzwi wejściowe i podążył za nią.

– Ja tam nigdy nie uważałem cię za świętą, Ruda – zażartował.

– Nie nazywaj mnie tak! – Jason drwił sobie z jej rudych włosów i piegów od czasów szkolnych. – No, to co mi przyniosłeś?

– Nie jestem już pewien, czy powinienem.

– W porządku. – Skrzyżowała ręce na wielkim brzuchu, – Nie zapraszałam cię tutaj, nie prosiłam cię o nic. Boże, Jasonie, kiedy to się wreszcie skończy?

Uśmiech zniknął z jego twarzy, kiedy ich oczy się spotkały. Wiedział, że nie mówiła teraz o wiecznych dostawach jedzenia.

– Nie wiem, Karo.

Westchnęła drżąco i dziecko wymierzyło jej silnego kopniaka, przypominając, że ma się trzymać.

– Nie powinnam była tak mówić.

– Mnie możesz powiedzieć wszystko. I nie przyniosłem jedzenia. Przyniosłem farby. – Wyciągnął puszkę, żeby jej pokazać. – Colin nie zdążył pomalować wykończeń w dziecięcym pokoju.

– Zrobi to, kiedy się obudzi – powiedziała po raz setny. Odmówiła już pomocy od braci, ojca i sąsiada.

– Kiedy Colin się obudzi, będzie zbyt zajęty, żeby zatroszczyć się o malowanie. Pozwól mi go wyręczyć, Karo. Wykończę pokój.

– Nie wierzysz w to, że się obudzi, prawda? – Nie mogła uwierzyć, że jej to przeszło przez gardło, ale siedzieli tutaj tylko we dwoje, a wokół panowała raczej gęsta atmosfera. – Prawda? Czekała, żeby zaprzeczył, i ujrzała rozterkę w jego oczach. Kiedy nie zaprzeczył, rzekła: – Idź lepiej do domu i zabierz ze sobą farbę.

– Nie ma znaczenia, co myślę. Nie ma nawet znaczenia, co ty myślisz, Karo. Powrót Colina do życia nie zależy od twojego pozytywnego myślenia.

– Ale może zależeć. Nigdy nie wiadomo.

Postawił farbę na stoliku do kawy.

– Wyzdrowienie Colina zależy od tego, czy obrzęk w jego mózgu ustąpi i czy nastąpią jeszcze inne fizjologiczne procesy. Nie posiadasz mocy sprowadzenia go z powrotem, przestań więc brać na siebie ten ciężar. To ci nie służy. Nie służy też dziecku.

– Jak śmiesz mi mówić, że mam nie wierzyć w wyzdrowienie mojego męża? – Korciło ją, żeby się z kimś dzisiaj pokłócić, na nieszczęście dla Jasona, bo był najbliżej.

– Tego nie powiedziałem. A ty nie jesteś wkurzona na mnie, Karo. Jesteś wściekła na siebie, bo to ty zaczynasz mieć wątpliwości. Boisz się, że Colin się nie obudzi, ale nie możesz sobie pozwolić, by to głośno powiedzieć. Dlatego kładziesz te słowa w moje usta.

Miał słuszność, ale nie chciała tego przyznać.

– To nieprawda. Nie mam najmniejszych wątpliwości, ale jeśli chcesz pomalować to cholerne wykończenie, zrób to. Pewnie też umiałbyś naprawić cieknący kran nad umywalką w łazience.

– I coś jeszcze?

– Chcę powicsić obrazek w pokoju dziecka. Dała mi go moja babcia. Jest w garażu. Trzeba też wyszorować porządnie podłogę w kuchni, nic mówiąc o toalecie i prysznicu.

– Teraz przeginasz w drugą stronę.

Jego słowa przywołały na jej twarz niepewny uśmiech, po czym westchnęła.

– Miałeś rację w tym, co wcześniej powiedziałeś. Martwię się, że Colin się nie obudzi, ale strasznie się boję, że kiedy przyznam to głośno, to tak się naprawdę stanie.

– Martwienie się niczego nie powstrzyma, ani też nie może spowodować, że coś się stanie. Sprawia jedynie, że czujesz się źle.

Nie znosiła jego pragmatycznej postawy, wiedziała jednak, że ma słuszność.

Jason siedział w fotelu naprzeciwko. Był to ulubiony fotel Colina, miała więc ochotę poprosić go, żeby się przesiadł. Powstrzymała się jednak w samą porę. Pomyślałby, że całkiem już sfiksowała.

– Wiem, że to jego fotel – rzekł Jason z błyskiem w oku. – Byłem przy tym, jak go kupił.

– To ty go przekonałeś, żeby wziął droższą wersję, ze skóry. Dziękuję. – Zabrzmiało to oschle.

– Już i tak był na wpół zdecydowany, ja tylko lekko przeważyłem szalę. Skóra znacznie dłużej się trzyma.

– Zawsze miałeś czas dla Colina.

– Nie tej nocy, kiedy dostał kulę – powiedział ponuro Jason. – Wtedy akurat wziąłem zwolnienie. To ja powinienem był obserwować dom Jenny Davies. I to ja powinienem dostać tę kulę. Chciałem ci to powiedzieć przez te całe trzy miesiące, ale nie umiałem znaleźć odpowiednich słów.

Wlepiła w niego wzrok niepewna, czy ucieszyło ją to wyznanie. Colin nie wspomniał, że bierze zmianę za Jasona. Nie wyglądało też na to, że był to atak skierowany specjalnie na Colina, po prostu znalazł się na linii strzału, wykonując swoją pracę.

– Powinnam mieć do ciebie pretensję, że zachorowałeś? – zapytała Jasona.

– Ja mam.

– To największe głupstwo, jakie kiedykolwiek słyszałam. Przecież nie zrobiłeś nic złego. A Colin po prostu wykonywał swoją pracę. Pracę, którą kochał.

– Tak łatwo zwalniasz mnie z szubienicy?

– Jeśli chcesz odpracować swoje grzechy, to pies pani Marson podrzucił mi trochę prezentów na podwórzu. Może mógłbyś mi pomóc się tym zająć. – Przerwała i wytrzymała jego spojrzenie. – Tak szczerze jednak, to nie chcę, żebyś wykonywał tu jakąś pracę, Jasonie. Chcę tylko, żebyś był moim przyjacielem i przywoływał mnie do porządku, kiedy zaczynam się zachowywać jak głupia płaczliwa baba.

Jason się uśmiechnął.

– Ostatnim razem, kiedy powiedziałem, że jesteś głupia, rzuciłaś mi w twarz ciastko. Z polewą kokosową, na którą mam uczulenie. Po kwadransie miałem czerwone plamy na twarzy i zaciśnięte oskrzela. O mało mnie nie zabiłaś tym cholernym ciastkiem, zatem jeśli sądzisz, że ze mnie aż taki dureń, żeby powiedzieć ci, że jesteś głupia, to naprawdę jesteś... no wiesz jaka.

Uśmiechnęła się.

– Przepraszałam cię już za tamto.

– Tylko dlatego, że matka ci kazała.

– Byliśmy w piątej klasie. Strasznie mnie wkurzałeś.

– Colin też cię wkurzał, ale jego pocałowałaś.

– Dopiero w siódmej klasie. I tylko dlatego, że mi powiedział, że jestem piękna. – Wspomnienie wywołało uśmiech na jej twarzy. – To był mój pierwszy pocałunek. Colin był taki przejęty, że ustami tylko dotknął kącika moich ust, co i tak przyprawiło mnie o dreszcz. Dwa miesiące zbierał się na odwagę, żeby spróbować drugi raz.

– Tak, i o ile pamiętam, plótł o tym jednym pocałunku co chwilę każdego dnia przez te dwa miesiące – powiedział Jason i przewrócił oczami. – Powiedziałem mu, że jeśli się nie pośpieszy, to ja cię pocałuję. Sądzę, że to dlatego wziął się w końcu w garść.

– Możliwe. Zawsze starał się dotrzymać ci kroku, a ty stale miałeś mnóstwo dziewczyn na każde skinięcie i zawołanie.

– Poza tobą. Ty byłaś wpatrzona w Colina – rzekł.

W jego głosie pojawiła się dziwna nuta, która ją zmieszała. Podejrzewała, że Jason podkochiwał się w niej trochę, kiedy byli nastolatkami, ale nigdy nic nie powiedział ani też, rzecz jasna, niczego nie zrobił. Był lojalny wobec Colina.

– Cóż, to wszystko działo się tak dawno temu. Chociaż chciałabym teraz powrócić do tamtych beztroskich dni.

– Dobre dni są przed tobą.

– Mam nadzieję.

Jason popatrzył jej w oczy.

– Karo, tak na poważnie, myślę, że Colin się obudzi.

– Ja też – wyszeptała.

– To idź sobie stąd wreszcie i pozwól mi malować.

Rozdział 5

Lauren nie zamierzała jechać do domu Ramsayów. Po sprawdzeniu, że ojciec jest w kafejce, postanowiła pojechać do supermarketu, żeby kupić trochę żywności i uzupełnić zaopatrzenie lodówki. Jednak po drodze złapała się na tym, że jeździ po mieście i się rozgląda. Zupełnie bezwiednie wylądowała na wąskiej drodze prowadzącej do starego domu nad urwiskiem, gdzie znaleziono ciało jej siostry.

Zanim ogień strawił wschodnie skrzydło budynku, dom Ramsayów był dwupiętrową rezydencją z sześcioma sypialniami, czterema łazienkami i mnóstwem innych pokoi, łącznie z małą salą kinową. Zbudował go jako luksusową letnią rezydencję w latach pięćdziesiątych potentat medialny o nazwisku Bert Ramsay. Właściciele wyprawiali tu wielkie przyjęcia dla rozrywki celebrytów, którzy spędzali letnie tygodnie na plaży albo na jachcie Ramsaya.

Po śmierci Berta Ramsaya dom odziedziczyły jego dzieci, a potem wnuki. Każde pokolenie spędzało w nim mniej czasu. Z czasem dom w zimie straszył pustką, a latem bywał wynajmowany na sezon. Większość czasu stał jednak niezamieszkany, co czyniło go doskonałym miejscem nocnych imprez dla nastolatków.

Wszystko do czasu znalezienia ciała Abby w piwnicy.

Po śmierci Abby Ramsayowie sprzedali posiadłość. Od tamtej pory miała już kilku właścicieli. Lauren słyszała, że dom jest nawiedzony i słychać w nim krzyki jej siostry. Nie podobał się jej pomysł, że duch Abby mógłby znaleźć się w tym miejscu niczym w pułapce. Wolała wierzyć, że te dźwięki istniały tylko w wyobraźni ludzi, którzy wiedzieli, że zamordowano tam dziewczynę.

Kto próbował spalić dom? Czy miejscowe dzieci bawiące się zapałkami? Nowy właściciel, który chciał zainkasować odszkodowanie i wybudować dom, który nie byłby nawiedzony? Czy może ktoś z poczuciem winy, kto nie mógł dłużej znieść wspomnień?

Westchnęła głęboko, wyłączyła silnik i wysiadła z samochodu. Zaczęła zbliżać się do domu. Było prawie południe i słońce wysoko świeciło na niebie, lecz ona czuła się strasznie przez wysokie drzewa rzucające długie cienie na ścieżkę. Przed frontowymi drzwiami poczuła się jeszcze bardziej niepewnie. Były otwarte na oścież. Zawahała się chwilę. Lekki podmuch wiatru sprawił, że drzwi poruszyły się lekko na zardzewiałych zawiasach, zupełnie jakby ktoś zapraszał ją do środka.

Przygryzła dolną wargę, czując, że szaleństwem był już sam pomysł przyjazdu tutaj. Jeżeli istniały jakieś ślady prowadzące do rozwiązania zagadki śmierci Abby, to do tej pory już na pewno zniknęły. Jednak coś kazało jej iść do przodu. Popchnęła drzwi i weszła do wielkiego holu.

Przy wejściu i w pomieszczeniach pozostających w zasięgu wzroku nie było żadnych mebli. Na drewnie widniały ślady zniszczenia od ognia i wody. Lustro na ścianie popękało na kilka części, a dywan na schodach był podciągnięty do góry.

Do piwnicy wchodziło się przez pralnię przy kuchni. Wiedziała o tym, ponieważ przyszła kiedyś do tego domu w najstarszej klasie na imprezę z Shane'em i kilkoma innymi osobami. Schodzili do piwnicy, żeby nikt przejeżdżający nie zobaczył świateł.

Wszystkie mięśnie jej ciała napięły się, kiedy zastanawiała się nad następnym krokiem. Logicznie biorąc, wiedziała, że nie ma się czego bać. Minęło trzynaście lat. Mordercy Abby od dawna tu nie było.

A może był?

A jeżeli morderca Abby nie był nikim przyjezdnym, ale kimś stąd, kto nadal mieszkał w pobliżu?

Powiew wiatru przeszedł wierzchołkami drzew i zamknął z trzaskiem drzwi frontowe, aż zadzwoniły szyby w oknach. Lauren podskoczyła. Cóż za głupstwa! Wiatr zawsze silnie wiał na urwistym wybrzeżu. Dom nie był nawiedzony. Był po prostu stary i pusty.

Wyprostowała się i poszła do kuchni, a stamtąd do pralni. Otworzyła drzwi do piwnicy. Włosy na karku zjeżyły jej się ze strachu, kiedy zaczęła schodzić po schodach.

Czy Abby też się bała tamtego wieczoru? Czy miała tak samo złe przeczucie? Czy też może weszła do tej piwnicy, nie uświadamiając sobie w ogóle, co zaraz miało się jej przytrafić?

Lauren pstryknęła włącznik, ale nie było prądu. Snop światła padał przez małe okienko pod sufitem, słabo oświetlając wnętrze. Pomieszczenie było długie i wąskie. Wzdłuż jednej ściany ciągnęły się cementowe półki. W kącie leżały porzucone narzędzia ogrodnicze i sprzęt. Podłoga zaś zarzucona była niedopałkami i pustymi butelkami po piwie, pozostałościami po jakiejś balandze. Czyżby miejscowi nastolatkowie nadal tu przychodzili? Czyżby nie słyszeli o zamordowaniu Abby?

Kiedy zeszła całkiem ze schodów, zaczęła dygotać. To tutaj stała Abby w ostatnich chwilach swojego życia. Lauren poczuła lęk siostry. Zaczęła dyszeć szybko i płytko. Powietrze było gęste od kurzu i pleśni, aż dusiło w gardle. A może dusiła świadomość, że ktoś, kto stał w tym dokładnie miejscu, owinął linę wokół szyi Abby i wycisnął z niej życie. Jakże musiała być przerażona, patrząc w oczy mordercy i wiedząc, że umiera.

Lauren próbowała odetchnąć głębiej, ale czuła ucisk w piersi. Musiała stąd wyjść. Potrzebowała powietrza. Potrzebowała znów móc oddychać.

Zanim zdołała się poruszyć, otworzyły się nad nią drzwi. Przestraszona, skierowała wzrok do góry. Stał tam jakiś mężczyzna. W mdłym świetle widziała, że ma na sobie ciemne spodnie i długi płaszcz, ale nie widziała jego twarzy.

Telefon komórkowy został w samochodzie. O Boże!

Serce waliło jej trzy razy szybciej niż zazwyczaj, rozprowadzając adrenalinę po całym ciele.

Zaświecił jej latarką prosto w twarz i oślepił. Zasłoniła się ręką.

– Kto tutaj jest? – zapytała, starając się, żeby zabrzmiało to zdecydowanie.

Mężczyzna skierował światło latarki na sufit i zaczął schodzić po schodach.

Odruchowo cofnęła się, ale nie miała dokąd uciec.

– Kim pan jest i co pan tutaj robi? – Złapała grabie. Nie była to może zbyt skuteczna broń, ale jedyna, którą znalazła.

– Miałem panią zapytać o to samo. – Stanął i skupił wzrok na jej twarzy. W jego oczach błysnęło zaskoczenie. – Czy to pani jest Lauren Jamison?

– Skąd pan wie? – zapytała szybko. Miał blond włosy i jasne oczy oraz dość pociągającą twarz z ciepłym uśmiechem. Jej napięcie nieco zelżało.

– Widziałem pani zdjęcie – odparł. – Jestem Mark Devlin.

– Producent filmowy.

– Nie spodziewałem się tu pani znaleźć – ciągnął. – Byłem właśnie u państwa w domu. Ojciec nie wspomniał, że pani się tutaj wybiera.

– Musi pan zostawić mojego ojca w spokoju. Pan go tylko denerwuje.

– Nie wydawał się wcale zdenerwowany. Wie, że próbuję pomóc.

– Robiąc film kryminalny o śmierci Abby? Przez to morderstwo rozpadła się cała moja rodzina. Ja nie mogę tego przeżywać po raz drugi. Powinien pan zrezygnować z tego pomysłu.

Zmarszczył brwi.

– Rozumiem, że to musi być bolesne, ale czy naprawdę nie chce się pani dowiedzieć, kto zabił pani siostrę?

– Oczywiście, że chcę, ale skoro policja tego nie wykryła, jakim sposobem uda się to panu?

– Mam świeże spojrzenie, inną perspektywę i korzyść w postaci czasu, który już minął. W sprawach, które nie zostały rozwiązane, to bardzo ważne. Po wielu latach ludzie zazwyczaj pamiętają jeszcze sporo rzeczy. Czują się przy tym niczym niezwiązani i zaczynają mówić. Ja już dowiedziałem się czegoś, czego nie odkryła policja.

– Co to takiego? – spytała kpiąco, pewna, że zamierzał ją uraczyć nic nieznaczącą sensacyjką, tylko po to, żeby skłonić do zaangażowania się w film.

– Dwa dni przed zabójstwem Abby i jej przyjaciółka Lisa były widziane w samochodzie przed domem trenera siatkówki. Było to w sobotę około dziesiątej wieczorem.

– I co z tego?

– A to, że ich trener siatkówki był młodym, dwudziestoparoletnim mężczyzną. Był żonaty i nazywał się Tom Sorensen. Z tego, co się zorientowałem, wiele uczennic w nim się podkochiwało.

– Znałam pana Sorensena. Uczył też biologii. Nie rozumiem jednak, do czego pan zmierza. Sądzi pan, że wdał się w romans z moją siostrą?

– Sądzę, że powinna pani zapytać Lisę, dlaczego powiedziała policji, że ani ona, ani Abby nie wychodziły tego wieczora od niej z domu.

– Pewnie czegoś zapomniały po treningu – dresów albo torby z piłkami, czy czegoś podobnego. Skąd w ogóle ma pan taką informację? – spytała podejrzliwie.

– Od Kendry Holt.

– Nie wiem, kto to taki.

– To kobieta, która tu mieszka. W czasie, kiedy wydarzyło się to morderstwo, miała romans z mężczyzną, który mieszkał obok Sorensenów, i nie mogła sobie pozwolić na to, żeby pojawić się na scenie. Parę lat temu się rozwiodła i teraz nie dba już tak bardzo o swoją reputację ani o byłego męża. Pani Holt powiedziała także, że to nie był pierwszy raz, kiedy widziała dziewczęta na tej ulicy. – Przerwał. – Próbowałem skontaktować się z Lisą Delaney i panem Sorensenem. Żadne z nich nie chciało jednak ze mną rozmawiać. Przekazałem także tę informację szefowi policji. Nie próbuję wyręczać policji w pracy, chcę tylko pomóc.

– Lisa była najlepszą przyjaciółką Abby – powiedziała Lauren. – Została bardzo dokładnie przesłuchana. Pytano ją o wszystko, co robiły razem w ciągu tygodni poprzedzających śmierć Abby. Jestem bardziej skłonna uwierzyć jej niż jakiejś kobiecie, która miała romans i wydawało jej się, że widziała moją siostrę w samochodzie. Lisa i Abby miały za mało lat, żeby samodzielnie prowadzić samochód. W czyim aucie w takim razie siedziały?

– Dobre pytanie. Może trzeba zapytać Lisę.

– Rozmawiałam z Lisą kilka razy po śmierci Abby. Prosiłam ją, żeby powiedziała mi, czy coś działo się wokół Abby, do czego Abby nie przyznałaby się rodzicom. Zaprzeczyła. – Lauren pokręciła głową. Nie podobały się jej wątpliwości, które właśnie wkładał jej do głowy Mark Devlin. – Jeżeli sugeruje pan, że moja siostra zaangażowała się w związek z żonatym mężczyzną, który był jej nauczycielem, to znaczy, że stracił pan rozum. Abby miała piętnaście lat. Lisa powiedziałaby mi o panu Sorensenie, gdyby było cokolwiek do powiedzenia. Jest pan na złym tropie.

– To możliwe – powiedział z lekkim potakującym ruchem głowy. – Mam też innych podejrzanych.

Jednym z tych innych podejrzanych musiał być Shane.

– Nie interesują mnie pana teorie. – Odstawiła grabie i skierowała się na schody.

– Nawet, jeżeli jedna z nich dotyczy pani?

Obróciła się powoli.

– O czym pan mówi?

– Nigdy pani nie przesłuchano.

Minęła dłuższa chwila, nim te słowa dotarły do jej świadomości.

Otworzyła ze zdumienia usta.

– Co pan, do licha ciężkiego, wygaduje? Abby była moją młodszą siostrą! Jak może pan pomyśleć, że miałam cokolwiek wspólnego z jej śmiercią!

– Była piękna, lubiana, uzdolniona, wysportowana, świetnie się uczyła. Niektórzy mówią, że pozostawała pani w jej cieniu i że była pani o nią zazdrosna.

– Byłam z niej dumna! – oświadczyła Lauren, nie chcąc przyznać się do najmniejszego poczucia zazdrości z powodu sukcesów siostry. Oczywiście Abby wszystko przychodziło łatwiej i to było nieraz frustrujące, ale jej miłość do siostry była znacznie silniejsza niż jakakolwiek o nią zazdrość.

– Pozostaje sprawa pani alibi. Jest w nim sporo luk. Bibliotekarka powiedziała, że widziała, jak pani wchodziła do biblioteki, ale nie widziała, kiedy pani z niej wyszła. – Mówił, nie spuszczając z Lauren wzroku. – Jednak, nawet jeśli została pani w bibliotece do zamknięcia, czyli do dziesiątej, to do domu przyjechała pani dopiero o jedenastej dwadzieścia pięć. To aż godzina i dwadzieścia pięć minut, z których nie może się pani wytłumaczyć.

Serce mocno zabiło jej w piersi, ale próbowała zachować spokój. Zależało mu, żeby zareagowała, ale ona nie chciała uczynić mu tej przyjemności.

– Po wyjściu z biblioteki poszłam się przejść. Wypiłam kawę i dopiero wróciłam do domu. Policja potwierdziła, że zatrzymałam się u Diny na kawie.

– Była pani u Diny tylko pięć minut. A co robiła pani potem?

Poszła na przystań zobaczyć, czy Shane przypłynął już z ojcem z wycieczki na ryby, którą ktoś u nich zamówił. Łódź tam była, ale nie było śladu Shane'a. Poszła do jego domu, ale nie zobaczyła na podjeździe motocykla. Poddała się w końcu i wróciła do domu.

Wyprostowała się dumnie.

– Nie muszę odpowiadać na pana pytania. Nie zabiłam siostry.

– To kto w takim razie to zrobił? Shane Murray?

– To taki pana pokręcony sposób zmuszania mnie, żebym go w to wrobiła, tak? – zapytała zaczepnie.

Lekki uśmiech zaigrał mu koło ust.

– Być może. Chociaż kiedy powiedziałem panu Murrayowi o moim przypuszczeniu dotyczącym pani, nie zaprzeczył, że mogła pani być w to wmieszana. – Zesztywniała. Devlin kłamał. Shane nie skierowałby podejrzeń na nią. A może? – Protokoły, które przeczytałem, mówią, że pani rodzina była zaniepokojona związkiem Abby z Shane'em – kontynuował Devlin.

– Abby nigdy nie pozostawała z nim w żadnym związku, a na samym początku wszyscy byliśmy w szoku. Zaskoczyło nas, że Shane'a i Abby widziano razem. Jednak to przecież nic takiego, że Shane ją podwiózł. I nie znalazł się ani jeden dowód, by połączyć Shane'a ze śmiercią Abby. – Pobiegła w górę schodów, mając nadzieję uciec od dalszych pytań, ale on deptał jej po piętach, już kiedy wchodziła do kuchni.

– Zdaję sobie sprawę, że dla pani to bardzo trudna sytuacja. Ja tylko próbuję pomóc – powiedział, idąc za nią przez cały dom.

– Nie, pan próbuje zarobić pieniądze na śmierci mojej siostry. Dlaczego panu tak zależy, żeby nasza rodzina znowu przeszła ten najgorszy koszmar, który już raz przeżyliśmy?

– Ponieważ siostra pani zasłużyła na sprawiedliwość. A chciałbym raczej pracować z panią niż przeciwko pani. Niemniej z panią czy bez i tak dojdę do prawdy – powiedział Devlin, kiedy znaleźli się w holu.

Nim Lauren zdołała coś odpowiedzieć, w drzwiach wejściowych pojawiła się kobieta. Miała na sobie modną czerwoną garsonkę z krótką spódniczką i bardzo wysokie obcasy. Czarne włosy nosiła zaczesane do tyłu. Posłała Devlinowi uśmiech, a w stronę Lauren pytające spojrzenie.

– Cześć – powiedziała. – Przepraszam za spóźnienie, Marku. Czy w czymś przeszkodziłam?

– Już skończyliśmy – rzekła cierpko Lauren.

– To Lauren Jamison – przedstawił Devlin. – A to Rachel Silveira.

– Silveira? – powtórzyła Lauren. – Żona szefa policji? Kobieta skrzywiła się.

– Widzisz, w Los Angeles nigdy nie musiałam się przedstawiać w taki sposób – burknęła do Devlina.

– To urok małych miasteczek, złotko.

– Tak, jestem żoną szefa policji – przyznała Rachel. – Jestem jednak także agentką nieruchomości i znajomą pana Devlina.

– Dlaczego pani tu przyszła? – zapytała Lauren.

– Żeby pomóc Markowi rozejrzeć się po domu – odparła Rachel.

– Zamierzam zrekonstruować w Los Angeles ten dom, zwłaszcza piwnicę – wtrącił Devlin. – Wszystkie zdjęcia plenerowe będą kręcone tutaj.

– Stawia pan już dekoracje, a nie ma pan jeszcze scenariusza? – zdziwiła się Lauren. – Jak można nakręcić film, skoro nie wie się, kto jest mordercą?

– Wszystko wymaga czasu. Dopiero puszczam w ruch maszynę.

On naprawdę ma zamiar to zrobić. Ta prawda mocno uderzyła w Lauren. To nie był jakiś mglisty pomysł, ale już konkretny projekt w toku realizacji.

– Ten film wyrządzi tylko krzywdę niewinnym ludziom.

– Albo wreszcie zdemaskuje mordercę – rzekł. – Ja na pewno dojdę do tego, kto to zrobił.

Mogłaby nawet uwierzyć, że ta pewność siebie jest twórcza, gdyby wcześniej nie usłyszała jego świeżo wysmażonych teorii, w tym jednej, która czyniła z niej morderczynię.

– Niewinni nie mają się czego bać – dodał. – Niech drży winny.

Te słowa przebiegały jej przez myśli, kiedy wyszła z domu. Dotarła do samochodu, wsunęła się za kierownicę i zamknęła dobrze drzwi. Wtedy dopiero odetchnęła głęboko. Mark Devlin z całą pewnością dał jej dość materiału do przemyślenia. Nie wiedziała, na czym skupić się najpierw. Czy na tajemniczych relacjach Lisy, Abby i trenera Sorensena, czy na stosunku Shane'a do jej siostry, czy też na braku żelaznego alibi. Jak dotąd nikt go nie podał w wątpliwość. Nie umiała przejść do porządku nad tym, że Mark Devlin mógł uwierzyć, iż zabiła własną siostrę.

W dodatku Shane nie oponował, słysząc o takiej możliwości, przynajmniej według słów Devlina. No cóż. Niby dlaczego miałby to robić? Prawdopodobnie poczuł radość, że głównym podejrzanym jest wreszcie ktoś inny.

Do licha z tym, powinien był powiedzieć coś na jej obronę, a nie siedzieć cicho.

Tak samo, jak ona siedziała cicho przez te wszystkie lata, kiedy on był oskarżany.

Teraz jednak to było co innego. Shane skłamał. Shane był z Abby. A potem nie chciał powiedzieć dlaczego.

Już najwyższy czas, żeby to zrobił.

* * *

Shane wrócił właśnie z rejsu z wędkarzami i zmierzał do Jawajskiej Chaty, by wypić kawę, kiedy ujrzał Lauren idącą przez parking w zatoce. Była ubrana zwyczajnie i bardziej przypominała dziewczynę, którą zapamiętał. Miała na sobie obcisłe niebieskie dżinsy, biały top i różowy sweter opinający jej kształty. Ciemnobrązowe włosy opadały rozpuszczone na ramiona, a kołysanie jej bioder sprawiało, że się spinał. Bardzo chciał nie reagować na nią w ten sposób, ale była ładna i diabelnie seksowna. Działała na niego wyjątkowo od dnia, kiedy się poznali.

Upływ czasu nie osłabił tego pociągu ani trochę, nawet go wzmocnił, bo teraz Lauren nie była już nieśmiałą, niepewną siebie dziewczyną, ale piękną kobietą. Kobietą, która zmierzała prosto w jego stronę, a to nie wróżyło nic dobrego.

– Czego chcesz? – spytał ostrzegawczym tonem.

– Odpowiedzi.

– Co się stało? – Coś z pewnością wytrąciło ją z równowagi.

– Pojechałam do domu Ramsayów. – Zacisnęła usta. – Weszłam do piwnicy.

– Po kiego diabła to zrobiłaś?

– Nie mogłam się przed tym powstrzymać. Coś mnie tam wciągnęło i ocknęłam się po chwili, jak już chodziłam po tym starym skrzypiącym domu i wyobrażałam sobie, jak Abby musiała się czuć, kiedy zeszła po schodach, kiedy stanął przed nią morderca, kiedy zrozumiała, że nie ma wyjścia. Czułam jej strach, Shane. Czułam tę linę zaciskającą się wokół mojej szyi. – Głos jej zamierał, kiedy walczyła o równowagę.

– Nie powinnaś była sobie tego robić, Lauren.

– Cóż, zrobiłam, a kiedy byłam sama w tej piwnicy, wszedł tam jakiś mężczyzna. Myślałam, że wyskoczę ze skóry. Pomyślałam, że to morderca Abby przyszedł teraz po mnie. Tymczasem to był Mark Devlin. Czy słyszałeś kto, jego zdaniem, zabił Abby? – Ogień gniewu w jej oczach rozpalił się mocniej.

– On ma wiele teorii – powiedział, pragnąc zachować neutralność, Shane.

– Łącznie z taką, która morderczynię robi ze mnie, zazdrosnej starszej siostry. Siostry, która tak się bała, że ją zostawi jej chłopak i zamiast niej wybierze Abby, że aż postanowiła ją zabić.

– Mark Devlin nie wierzy wcale, że zabiłaś Abby.

– Czyżby? Dlaczego? Ponieważ ty mu powiedziałeś, że to bez sensu? Mówił, że w ogóle nie zaprzeczyłeś tej teorii.

– On nas rozgrywa przeciwko sobie, Lauren. Nie widzisz tego? Każdy, kogo oskarży, będzie się starał odwrócić podejrzenia jak najdalej od siebie. To jego metoda skłaniania ludzi do mówienia.

– To właśnie zrobiłeś? Odwróciłeś jego uwagę na mnie?

Nie spodobało mu się, że mogła w ogóle pomyśleć, iż jest takim tchórzem.

– Nie tak było.

– No to powiedz mi, jak było, Shane. Nie mówię tu o twojej rozmowie z Markiem Devlinem. Powiedz mi, co się działo z Abby takiego, że spędzałeś z nią czas tamtego wieczoru. Powiedz mi to, czego nie wiem, a co powinieneś mi był powiedzieć trzynaście lat temu.

Na to żądanie zabrakło mu w piersiach tchu. Wiedział, że nadeszła chwila, w której Lauren powtórnie wkroczy w jego życie, nie był na to jednak jeszcze gotowy. Byli w to wszystko uwikłani także inni, zupełnie niewinni ludzie.

Przecież Lauren też była niewinna, przypomniał sobie. Przynajmniej była taka, póki się z nim nie zadała. Powinien się zajmować takimi samymi nieokrzesanymi dziewczynami jak on. Przecież wiedział doskonale, że Lauren będzie żądała od niego więcej, niż był w stanie jej ofiarować. Gdyby miał choć odrobinę rozsądku, nie wdawałby się w związek, który od początku był przegrany.

– Poprzednio uciekłam, Shane. Teraz jednak nie odjadę, dopóki nie usłyszę odpowiedzi – powiedziała tonem nieznoszącym sprzeciwu. – Jesteś mi to dłużny.

– Dobrze, porozmawiamy, ale nie tutaj. Tu jest za dużo ludzi dookoła. – Widział kilku wędkarzy, którzy już ciekawie gapili się w ich stronę. – Przejedźmy się. – Pokazał ręką motocykl zaparkowany w pobliżu.

– Naprawdę? Na motorze? – zapytała, wyraźnie niezbyt zachwycona tym pomysłem.

– Wyjedziemy z miasta, znajdziemy jakąś otwartą przestrzeń, świeże powietrze...

– Gdzie możemy być kimkolwiek chcemy – dokończyła. – Tak zawsze mówiłeś.

– To nadal prawda.

Widział w jej oczach niezdecydowanie i był niemal pewien, że powie „nie", gdy tymczasem uniosła dumnie podbródek.

– Dobrze, jedziemy – rzekła.

Podeszli do motocykla. Wręczył jej kask, a ona usadowiła się na tylnym siodełku. Kiedy objęła go rękami w pasie tak samo, jak czyniła to wiele lat temu, nieoczekiwane emocje schwyciły go za gardło. Nie byli młodzi, beztroscy ani też szaleńczo zakochani. Musiał o tym pamiętać. Kiedy przejażdżka się skończy, Lauren będzie spodziewała się wyjaśnień. Lepiej podrzucić jej jakieś od razu, i to jak najszybciej.

Rozdział 6

Lauren doszła do wniosku, że ma nie po kolei w głowie. W żadnym wypadku nie powinna jechać na motorze Shane'a z tyłu z ciałem przyciśniętym do jego mocnych pleców. Jednak kiedy zjechali z autostrady na wybrzeżu Pacyfiku na drogę, która wiła się i pięła wysoko nad oceanem, napięcie, które towarzyszyło jej od przypadkowego spotkania z Markiem Devlinem, zelżało. Pod czystym błękitnym niebem, pod którym rozpościerała się przed nimi niekończąca się droga, poczuła, jak jej zmartwienia gdzieś odpływają, razem z latami, które minęły pomiędzy ostatnią taką wycieczką i tą obecną.

Pierwszy raz wsiadła z Shane'em na motor, gdy miała szesnaście lat. Bardzo się bała, że się rozbiją. Nigdy nie lubiła ryzyka ani nie szukała dreszczyku emocji. Nie była impulsywna ani spontaniczna. Robiła plany. Stawiała sobie cele. Zanim skoczyła do wody, dobrze ją najpierw sprawdziła. Jej matka zawsze mawiała, że pierwsze dziecko zazwyczaj jest ostrożne i przewidujące, i ten opis dobrze do niej pasował.

Shane wszystko to zmienił. W przenośni i dosłownie usunął jej grunt spod stóp, kiedy wsadził ją na tylne siedzenie motocykla i zaproponował wspólny wypad na pustkowie. Uwiódł ją seksownym uśmiechem i obietnicą w ciemnych oczach. Wyciągnął ją z bezpiecznej strefy, a ona pozwoliła, by jej zorganizowane życie porwał wiatr, i poddała się uczuciom. Otworzyła się na nowy świat. Sprawił, że poczuła rzeczy, o których nawet nie śniła.

Nie dowie się nigdy, czy ułożyłaby sobie życie, gdyby Abby nie zginęła, gdyby on nie skłamał i gdyby nie opuściła miasteczka... Było za wiele tego „gdyby", zbyt wiele zakrętów, dokonanych wyborów, decyzji, które podjęli, i których cofnąć już nie mogli. Nie miała zamiaru znowu się z nim wiązać. W obecnym życiu miała daleko zabawniejszych facetów, którzy doskonale do tego życia pasowali. Nie próbowali jej zmieniać ani stawiać przed nią wyzwań wykraczających poza jej możliwości. Nie wyprowadzali jej z równowagi ani nie narażali na niebezpieczeństwo utraty kontroli. Na co komu wszystkie te niestałe uczucia? Miała trzydzieści lat, była odpowiedzialną, dorosłą osobą i interesowały ją tylko dojrzałe związki.

W miarę jednak jak wiatr owiewał jej twarz, czuła się coraz bardziej jak beztroska nastolatka, która tęskni za czymś, czego nie umie dokładnie nazwać – za czymś, co może znaleźć w ramionach Shane'a.

Pędząc drogą po wybrzeżu, czuła jego gorące ciało i siłę. Pracował fizycznie, w słońcu, na morzu, mocował się z naturą. Zawsze jej się podobały jego siła, moc i pewność siebie. I pomimo że otaczała go sława rozrabiaki, zawsze czuła się z nim bezpiecznie. Jedyna rzecz, która ją w tym przerażała, to jej bezmyślne, irracjonalne pożądanie, tak silne jak zawsze.

Dlaczego Shane jeszcze się nie ożenił? Dlaczego ona nie wyszła za mąż? Dlaczego jeszcze nie stanął między nimi nikt, kto dostarczyłby powodu, żeby się nie zeszli?

Przypomniała sobie, że były powody. Obecnie stali się już innymi ludźmi. Nie ufali sobie. Za parę dni zamierzała wyjechać. Nie wiadomo też było, jak długo Shane planował tu pozostać. Zwykle jedną nogą był za drzwiami, jak ktoś, kto chciał mieć w życiu wiele otwartych możliwości.

Zawsze pragnął podróżować i, jak się zdawało, spełnił, przynajmniej częściowo, swoje chłopięce marzenia. Jej marzenia zmieniły się, kiedy umarła Abby. Wszystko, czego pragnęła dla siebie wcześniej, ustąpiło miejsca konieczności pozbierania się po strasznej stracie, życia dla matki i brata, tylko z dnia na dzień, w nadziei, że da się zapomnieć o przeszłości.

Zdawało jej się, że zapomniała, teraz jednak wszystko wróciło i znalazła się jak w pułapce pomiędzy dziewczyną, którą niegdyś była, i kobietą, którą się stała. Czy Shane też się czuł tak rozklekotany jak ona, czy tylko była po prostu jedną z wielu dziewczyn z jego przeszłości? Nie był nigdy święty i szczerze wątpiła, że spędził lata na opłakiwaniu ich związku.

Odkąd go znała, zawsze miał w środku niezmordowaną wściekłość. Zawsze go korciło, żeby wyrwać się z miasteczka, czy to na motorze, czy na łodzi. Nie mógł swobodnie oddychać w Zatoce Aniołów. Nie podobało mu się, że tu wszyscy wiedzieli o sobie wszystko. Pragnął znacznie więcej, niż mogła mu dać. Teraz jednak przyjechał do domu, tak jak ona.

Dwadzieścia minut później Shane skręcił z szosy ma piaszczystą drogę, która kończyła się na skalistym wysokim brzegu nad morzem. Tak bardzo podobała się jej jazda, że poczuła żal, kiedy się w końcu zatrzymali. Trwało dłuższą chwilę, nim oderwała dłonie od jego pasa i zeszła z siedzenia. Zdjęła kask i potrząsnęła włosami.

Shane także zdjął kask, po czym odwrócił się i wpatrzył w ocean. Wyglądał na spokojniejszego, jakby szybka jazda motocyklem rozładowała jego gniew i bunt.

Popatrzyła w tę samą stronę co on, podziwiając promienie słońca igrające w wodzie oceanu, białe grzywy fal rozbijające się o plażę na dole w nigdy niekończących się przypływach i odpływach. Był to piękny widok. Shane wyglądał na zahipnotyzowanego. Jak mógł spędzać na morzu tyle czasu i nadal z takim zachwytem na nie patrzeć?

– Nie męczy cię ta woda? – zapytała. – Przecież widzisz ją codziennie. Co rano wypływasz w morze. Czy to cię nie nudzi?

Odwrócił głowę z półuśmiechem, który niemal ją uwiódł. Już bardzo dawno nie widziała tego uśmiechu.

– Nigdy. Woda zawsze wygląda inaczej, w świetle, w ciemności, kiedy wieje wiatr lub kiedy jest cisza. Czasami zachowuje się jak zepsute dziecko, czasami jak wściekły potwór, a jeszcze kiedy indziej jak słodka uwodzicielska kochanka.

Zaskoczyła ją poezja tych słów. Shane znany był z tego, że nigdy nie używał dwóch słów, kiedy wystarczało jedno.

– Chodź bliżej – zaproponował.

Znieruchomiała zaskoczona, w pierwszej chwili myśląc, że chodzi mu o niego i ją.

– Zejdźmy na plażę – dodał z błyskiem zrozumienia w oczach. – Pomyślałaś, że chodzi o coś innego?

– Ależ nie. Tutaj mi dobrze. Wspaniały widok, a poza tym zejście jest dla mnie za trudne.

– Da się zejść, już tutaj byłem. – Wyciągnął do niej rękę i spojrzał jej w oczy. – Chodź ze mną, Lauren.

Wahała się przez dłuższą chwilę. Wreszcie wsunęła dłoń w jego rękę i wstrzymała oddech, czując mocny żar. Wzrok Shane'a spotkał się z jej wzrokiem i nade wszystko pragnęła, żeby nic teraz nie mówił.

Poprowadził ją na kamienne stopnie, wyżłobione w skale, które zakosami prowadziły w dół. Była wdzięczna, że mocno trzyma ją za rękę, bo ślizgała się po podłożu. Shane zaś nie zawahał się ani przez chwilę z wyborem drogi.

Ich wycieczka przypomniała jej inną, w innym czasie. Nie chciała do niej powracać, ale wspomnienia potoczyły się same...

Było ciemno, księżyc wszedł i świecił wysoko na niebie, a snop latarki Shane'a skakał po skale, kiedy schodzili na plażę. Tętno jej przyśpieszyło, nie tylko dlatego, że Shane pocałował ją, kiedy zsiedli z motocykla, ale dlatego, że w jego oczach czaiła się obietnica.

Oficjalnie była w kinie, nie na ustronnej plaży z chłopakiem o najgorszej opinii w mieście, z dwoma piwami i kocem. Kiedy zeszli na piach, była już podekscytowana, zdenerwowana i brakowało jej tchu.

Shane uśmiechnął się do niej i rozłożył koc. Fale rozbijały się o brzeg zaledwie dziesięć metrów od nich. Kawałek plaży był jedynie małym skrawkiem na ciągnącym się wiele kilometrów dzikim wybrzeżu. Byli całkiem sami, z dala od reszty świata.

– Chcesz piwo? – zapytał Shane.

Potrząsnęła głową.

– Jeśli mamy zamiar to zrobić, nie chcę być pijana. – Mogłoby pójść łatwiej, gdyby była, ponieważ jeszcze nie posmakowała seksu. Ale była na to gotowa. Chciała zrobić to z Shane'em.

– Zrobimy cokolwiek, co będziesz chciała, Lauren. Wiesz o tym, prawda?

Wiedziała. Ufała Shane'owi. Kochała go. Z emocji ścisnęło ją w gardle.

– Dlaczego ja? – zapytała, chcąc usłyszeć słowa.

– A dlaczego nie ty? – odparł. Ujął jej twarz w dłonie. – Jesteś piękna.

Chciała, aby powiedział: „Kocham cię", Shane jednak zaczął ją całować, a jej usta rozchyliły się pod jego ustami. Skończyły się pytania. Krew szybciej popłynęła w żyłach, a serce zaczęło bić tak głośno, że i tak nie usłyszałaby tych słów, nawet gdyby je wypowiedział.

Nie powiedział ich jednak, a ona się tym nie przejęła. Pomyślała, że ma w sobie dość miłości za nich dwoje.

– Lauren? Wszystko gra? – zapytał Shane, wyrywając ją z przeszłości.

Spostrzegła, że się zatrzymał.

– Wszystko w porządku.

– Ostatni skok. – Wskazał głową metrowy spadek przed nimi.

Zaszła daleko i mogła bez trudu przebyć całą drogę od początku. Myśl ta dopasowała się do wcześniejszego wspomnienia i wywołała uśmiech na jej twarzy. Tym razem, rzecz jasna, nie miała zamiaru dojść aż tak daleko.

– Co w tym takiego zabawnego? – Shane zmarszczył brwi.

– Nic takiego. Idź, skoczę za tobą. – Shane lekko skoczył na piach, podczas gdy ona kucnęła i ześlizgnęła się ze skały. Nie był to ruch pełen wdzięku, ale w ten sposób dostała się na plażę bez ryzyka złamania nogi. Otrzepała brud z dżinsów, po czym wyciągnęła rękę w stronę oceanu. – Jest piękny.

Duże fale wypiętrzały się na jakieś pół metra, a rozbijający się o nie wiatr rozpryskiwał krople i słał wysoko w powietrze. Poczuła się tak, jakby wiatr i siła oceanu dodawały jej życia.

– To miejsce nazywa się Cienista Plaża – wyjaśnił Shane.

Widziała dlaczego. Między skałami i wyszczerbionym klifem połowa plaży pozostawała w cieniu, podczas gdy druga połowa tonęła w oślepiającym słońcu. Plaża przypominała Shane'a, który zawsze miał swoją jasną i ciemną stronę. Dziś zdecydowała się dotrzeć do tej ciemnej.

– Przejdźmy się – zaproponował i ruszył wzdłuż brzegu.

– Dobrze. – Zrzuciła sandały i poszła za nim. Po jakimś czasie dotarli do miejsca, w którym skały sięgały do samej wody i nie mogli już iść dalej.

Lauren przysiadła na głazie. Shane stał metr dalej. Przyglądali się dwóm mewom, które nurkowały pośród fal w poszukiwaniu pożywienia. Wreszcie mewy krzyknęły i odleciały.

– Shane, muszę wiedzieć, co się wydarzyło tamtej nocy, kiedy zginęła Abby – powiedziała znienacka, wiedząc, że i tak nie znajdzie żadnego dyplomatycznego nawiązania do tego tematu.

– Nie martwisz się przecież, ze Mark Devlin zrobi z ciebie morderczynię, prawda? – odparował Shane.
– Nikt nigdy by nie uwierzył, że zabiłaś Abby.

– Nie? Niewątpliwie Devlin rozmawiał z kimś, kto mu powiedział, że byłam zazdrosna o powodzenie Abby, o jej świetne stopnie, sukcesy w sporcie i o jej urodę.

– Z kim? – spytał Shane.

– Nie podał żadnego nazwiska. Nie mogę jednak zaprzeczyć, że Abby wiodło się dużo lepiej niż mnie. Miała wielkie możliwości, Shane, była naprawdę obiecująca. – Poczuła w oczach wzbierające łzy. – Abby miała wszelkie dane po temu, żeby zostać kimś. Jestem tego absolutnie pewna.

– Ty jej nic zabiłaś, Lauren. Nie musisz się bronić.

– A dlaczego ty się nie martwisz, Shane? Byłeś ostatnim człowiekiem, który widział Abby przy życiu. Musisz wiedzieć, że nadal jesteś podejrzany.

– To nic nowego – powiedział i wzruszył ramionami. – Kiedy oskarżono mnie o śmierć Abby, ludzie na mój widok przechodzili na drugą stronę ulicy. Moim rodzicom grożono śmiercią. Obrzucono nam dom jajkami. „Anielski Rekin" został wysmarowany grafitti wyzywającym mnie od morderców. Jakoś nie starcza mi wyobraźni, że Mark Devlin mógłby zrobić cokolwiek, czym by mnie zaskoczył.

Zachmurzyła się.

– Nie wiedziałam, że było aż tak źle, że aż tak ucierpiała na tym twoja rodzina.

– Bo wyjechałaś wcześniej. Chociaż nie zostałem aresztowany pod zarzutem zamordowania Abby, to miasto i tak wsadziło mnie do więzienia. Mój wyjazd był tak naprawdę ucieczką. Nie miałem zamiaru nigdy tu wracać.

– To dlaczego wróciłeś?

Długo się zastanawiał, nim udzielił odpowiedzi.

– Pracowałem na kutrze u wybrzeży Alaski. Była to ciężka robota, przeżyliśmy mnóstwo silnych sztormów. Straciłem paru przyjaciół i miałem już dość roboty w mokrym ubraniu, w zimnie i z dala od lądu. Kara przysłała mi zdjęcie rodziny. Zobaczyłem, że wszyscy dorośli i się zmienili. Ledwo rozpoznałem Michaela. Z chłopca stał się mężczyzną, a ja tego wszystkiego nie widziałem. Kara chciała, żebym przyjechał do domu, zrobił sobie przerwę, a ja pomyślałem: czemu nie, w końcu minęło już trzynaście lat.

– A gdzie byłeś, kiedy wyjechałeś? – zapytała z ciekawością.

– Wszędzie. Brałem każdą robotę na morzu. Nie umiem nic poza pływaniem na kutrach i łowieniem ryb. Szedłem tam, gdzie płacili dość, żebym przeżył. Z jednego portu do drugiego. Z jednego trawlera na drugi.

– To brzmi jak przygoda. Zawsze chciałeś widzieć to, co jest za horyzontem, a ja chciałam, żebyś widział tylko mnie.

– Byłaś jedynym powodem, dla którego zostałem tutaj tak długo – powiedział ze wzrokiem wyrażającym powagę. – Chciałem wyjechać zaraz po szkole, ale wtedy zaczęliśmy być razem i wcale nie zamierzałem wyjeżdżać. Sprawiłaś, że chciałem zostać.

– Na pewno byś wyjechał. To była tylko kwestia czasu. Nie pozwoliłbyś na to, żebym cię powstrzymała.

– Możliwe, ale sądzę, że nie wyjechałabyś z Zatoki Aniołów, gdyby Abby nie zginęła. Chciałaś otworzyć ciastkarnię przy promenadzie i konkurować z Martą o tytuł mistrzyni wypieków. Słodycz, pikanteria, wszelka kokieteria – powiedział uśmiechając się lekko.

Poczuła ukłucie w sercu, słysząc znajome zdanie, którym podśmiewał się z niej przed laty.

– Dawniej strasznie mnie to złościło. Nie chciałam być słodką kokietką, ale pełną grzesznego seksu kobietą wampem, której nikt nie może się oprzeć.

– Byłaś. Ja cię pożądałem, od pierwszego spojrzenia.

Wyraz jego oczu sprawił, że serce zaczęło jej bić szybciej.

– Nie mam pojęcia dlaczego. Nie byłam w twoim typie. Przede mną miałeś tylko same ładne, puste lalki.

– Byłaś inna.

Czekała, żeby rozwinął myśl, ale milczał.

– W jaki sposób inna? – pociągnęła go za język, zła na siebie, bo przecież wcale już jej to nie obchodziło.

Zastanawiał się przez chwilę.

– Uczciwa. Naturalna. Szczera.

– Opisujesz mnie jak skautkę – rzekła z wyrzutem.

– Nie wydaje mi się, żeby to, co razem robiliśmy, znajdowało się w podręczniku skautingu – odparł lekko. – A powiem szczerze, że pobyt na tej plaży przypomina mi o pewnym wieczorze, kiedy...

– Nie przypominaj tamtego wieczoru – ostrzegła.

– Dlaczego?

– Bo już go sobie dziś wspominałam – wyznała szczerze.

– Naprawdę? – W jego brązowych oczach pojawił się szelmowski błysk. – To był przecież wspaniały wieczór.

– Tak – przyznała i ich spojrzenia spotkały się. Zawirował między nimi cudowny żar wspomnień. Wbiła palce w twardą skałę, na której siedziała. Całą siłą woli powstrzymała się, żeby nie wstać i nie rzucić się mu w ramiona, by sprawdzić, czy było naprawdę tak wspaniale, jak zapamiętała. – Przestań patrzeć na mnie w ten sposób – rzekła rozkazująco.

– Ty patrzysz na mnie w ten sam sposób. To nadal między nami jest, Lauren, niezależnie, jak bardzo chcemy temu zaprzeczyć.

Wstała i podeszła do brzegu. Pod wpływem impulsu podwinęła dżinsy i wkroczyła do lodowatej wody. Musiała ostudzić żar między nimi i na powrót zamrozić rozpalone wspomnienia.

Wtedy Shane podszedł i stanął za nią, obejmując ją rękami w pasie. Bezwolnie odwróciła się do niego przodem. Odczekał, dając jej czas, aby się odsunęła, lecz ona położyła mu dłonie na piersi i podniosła głowę.

Pochylił się i pocałował ją delikatnie, ulotną pieszczotą, która wzmogła jej pragnienie. Powiodła dłońmi po jego karku, przysunęła go bliżej i ponagliła. Musnął językiem linię jej warg i wreszcie wsunął się do środka. Poczuła słony smak morskiego powietrza, słodki smak wspomnień i uderzające do głowy gorąco.

Przesunął dłonie na jej biodra i przycisnął mocno do siebie, tak by poczuła każdy centymetr jego twardego ciała. Jej dłonie trafiły pod T-shirt i zaczęły głaskać jego gorącą skórę opinającą wydatne mięśnie, aż delikatność pocałunku ustąpiła miejsca wściekłemu pożądaniu.

Całował ją głęboko, nie przestając wodzić dłońmi po całym ciele. Ich ciała poszukiwały tego, za czym tak długo tęskniły. Serce jej waliło, a krew zaszumiała w uszach, kiedy opadli na kolana, a potem na piasek, i znalazła się pod nim.

– Shane... – Imię wyrwało się jej z ust, przeleciało przcz jcj scrcc i rozdarło jc. Kochała go. Nicnawidziła go. A teraz...

– Chcesz tego? – spytał.

– Nie wiem – odpowiedziała szeptem.

– Chcesz. – Musnął palcami jej twarz i objął dłonią policzek, kiedy jego pytające oczy zajrzały w jej oczy.

Nie wiedziała? Nigdy nikogo nie pragnęła tak mocno jak jego. Podniosła głowę, by go pocałować, gdy wtem nadeszła nieoczekiwanie większa fala. Nagły szturm sprawił, że w oszołomieniu aż otworzyła usta, nie wiedząc, co się dzieje. Była cała mokra.

Shane skoczył na nogi i pociągnął ją za rękę, żeby wstała.

– A niech to!

Patrzyła niedowierzająco na wodę do kostek wymywającą jej piach pod stopami, kiedy fala cofała się z plaży.

– To był piekielnie zimny prysznic – wypalił z wyrzutem w stronę oceanu.

– Prawdopodobnie był nam potrzebny. – Zdryfowała zbyt daleko od swoich pierwotnych zamiarów. – Chciałam z tobą porozmawiać, a nie spacerować po plaży. Usiądźmy w słońcu i wyschnijmy.

Skierowała się na skały, gdzie usiadła z wyciągniętymi nogami i objęła się obiema rękami w pasie, bo wiatr przeszywał ją chłodem.

Shane usiadł na głazie parę kroków od niej ze wzrokiem skierowanym na morze. Widziała jego profil, nieodgadniony i surowy.

Przez chwilę siedzieli w milczeniu. Odezwała się pierwsza:

– Shane, musisz mi powiedzieć, co zdarzyło się w nocy, kiedy zginęła Abby. Dlaczego z nią byłeś. Nie wyjadę, dopóki nie usłyszę odpowiedzi.

Milczał chwilę, po czym powiedział:

– Poprosiłem Abby o spotkanie w kancelarii prawniczej Harrigana i Millera.

– Tam, gdzie pracowała parę godzin w tygodniu? Dlaczego? – zapytała zaskoczona Lauren.

– Dlatego, że mogła mnie wpuścić, używając swojego klucza. Musiałem tam czegoś poszukać. Ona czekała w korytarzu. Po wszystkim podwiozłem ją do szkoły, tak jak powiedziałem policji. Wysadziłem ją na parkingu. Wtedy widziałem ją ostatni raz. Między nami nie było niczego osobistego, Lauren.

Pokręciła głową zbita z tropu.

– Nie rozumiem. Czego szukałeś w kancelarii?

– Nie mogę ci tego powiedzieć, ale nie ma to nic wspólnego z tobą ani z Abby.

– Dlaczego nie możesz mi powiedzieć?

– Ponieważ to nie jest mój sekret.

Zmarszczyła brwi.

– Co to znaczy? Miałeś jakieś kłopoty? Czy to może miało coś wspólnego z bójką, w którą się wdałeś z chłopakiem tydzień wcześniej?

– Nie, nie miało. Kiedy wysadziłem Abby, pojechałem na przejażdżkę wzdłuż wybrzeża. Miałem wiele do przemyślenia. Wróciłem o czwartej nad ranem i poszedłem spać. Policja obudziła mnie o ósmej. Powiedzieli mi, że Abby nie żyje, a widziano ją, jak zsiada z mojego motocykla o siódmej wieczór.

– Zostawiałam ci tamtego wieczoru wiadomości – powiedziała Lauren, przypominając sobie swoje gorączkowe telefony, z których nie odebrał żadnego.

– Wiadomości sprawdziłem dopiero następnego dnia, po zamknięciu w pokoju przesłuchań. Oddzwoniłem tak szybko, jak mogłem, ale ty nie chciałaś już ze mną rozmawiać.

– Dlaczego nie powiedziałeś mi wcześniej, że Abby wpuściła cię do kancelarii?

– Byłaś niczym kocioł parowy bliski wybuchu i nie chciałem ryzykować. Bałem się, że powiesz policji o tej kancelarii, a na to nie mogłem pozwolić.

– A zatem broniłeś siebie – powiedziała z rozczarowaniem i złością.

– Nie tylko siebie, Lauren. Możesz się wściekać, ale...

– Masz świętą rację, że mogę – powiedziała i skoczyła na równe nogi. – Zataiłeś dowód.

Podniósł się szybko.

– Nie zataiłem dowodu. Abby żyła cały czas, kiedy była ze mną. Nic, co razem zrobiliśmy, nie przyczyniło się do jej śmierci. Na litość boską, przecież tylko otworzyła drzwi i postała sobie przez kwadrans na korytarzu!

– Policja przecież chciała odtworzyć wszystko, co Abby robiła tamtego wieczoru. Minuta po minucie.

– Wszystko się zgadzało. Podwiozłem Abby z Elm Street do szkoły i wysadziłem o siódmej dziesięć. Tak powiedziałem policji i była to prawda. Nie wiem, co robiła wcześniej, zanim się ze mną spotkała tamtego wieczoru, ani też co się z nią działo, kiedy ją wysadziłem. Spędziłem z nią zaledwie trzydzieści minut.

– Bardzo ważnych trzydzieści minut.

– Tylko dla mnie, ale nie dla niej – spierał się. – Cokolwiek Abby zamierzała robić tamtego wieczoru, nie miało nic wspólnego ze mną.

Spojrzała na niego podejrzliwie.

– Co masz na myśli? – Zabrzmiało to tak, jakby Abby miała jeszcze inne plany niż pójść na lekcje.

– Tak jakoś dziwnie się zachowywała. Kiedy jechaliśmy do szkoły, czułem, że się denerwowała.

– Może dlatego, że właśnie ją poprosiłeś, aby się potajemnie zakradła do swojej pracy.

– Nie, to było coś innego. Pomyślałem wtedy, że pewnie czeka ją spotkanie z jakimś chłopakiem. Wyobrażałem sobie, że to kolega z grupy.

Ponieważ owe wieczorne lekcje w grupie nie zostały zidentyfikowane, nikt nie miał pojęcia, z kim Abby miała się zobaczyć tamtego wieczoru. Wielu ludzi nie uwierzyło w opowieść Shane'a. Przypuszczali, że to z nim miała się spotkać.

Lauren pokręciła głową, czując się jeszcze bardziej zagubiona.

– Zupełnie nie wiem, co o tym myśleć.

– Gdyby to, co pominąłem, mogło w jakikolwiek sposób pomóc policji odnaleźć mordercę Abby, na pewno bym to powiedział – oświadczył stanowczo Shane. – Nie miało to jednak w ogóle nic wspólnego z tym, co się jej przydarzyło.

– Nie jestem pewna, czy możesz tak naprawdę to wiedzieć – powiedziała, czując nowy przypływ złości.

– Może któryś prawnik się wściekł, że cię wpuściła do kancelarii. Może wziąłeś coś, a oni myśleli, że to ona, i dlatego jeden z nich ją zabił.

– Niczego stamtąd nie zabrałem, ani też nikt nas nie widział.

– Pani Markham cię widziała.

– Już na ulicy, a obok kancelarii była lodziarnia, więc sądziła, że byliśmy na lodach.

– Czy Abby wiedziała, co robiłeś w kancelarii?

– Nie.

– To dlaczego zrobiła to, co zrobiła? Ryzykowała, że straci pracę. Dlaczego ci pomogła?

Shane wzruszył ramionami.

– Tego nie wiem.

Mógł nie wiedzieć, ale Lauren wiedziała.

– Abby cię lubiła. Podkochiwała się w tobie. Wszyscy tak myśleli.

– Mylili się. Nawet mając osiemnaście lat, dobrze wiedziałem, kiedy dziewczyna mnie chce. Abby mnie nie chciała.

– Abby powiedziała mi, że jest ktoś, kogo ona lubi, ale nie może go mieć. Któż inny mógłby to być, jak nie ty?

– Nie wiem, ale między Abby i mną nic nie było, nawet najzwyczajniejszego flirtu. Byłem twoim chłopakiem. Ona była twoją siostrą. Nie interesowała mnie. Abby cię nie zdradziła.

Chciała w to uwierzyć najbardziej na świecie.

– Decyzja o tym, co było ważne, a co nie, nie należała do ciebie. W pierwszym odruchu powinieneś chcieć mi pomóc, a nie osłaniać siebie czy kogokolwiek innego, kto cię widać obchodził bardziej niż... – Przerwała, gdy zrozumiała, że musi teraz podjąć decyzję. – Mocno zaryzykowałeś, mówiąc mi wszystko. Dla mnie nie jest jeszcze za późno, bym poszła z tym na policję.

Pokiwał głową i wytrzymał jej spojrzenie.

– Nie jest. Czy pomyliłem się, mówiąc ci o tym, Lauren?

Zawahała się.

– Jeszcze nie wiem.

Rozdział 7

Dwie godziny później Lauren weszła na posterunek w Zatoce Aniołów i poprosiła o rozmowę z szefem policji. Po wycieczce na Cienistą Plażę przebrała się w suche ubranie i sprawdziła, czy wszystko w porządku z ojcem. Był pochłonięty grą w karty w kafejce Diny. Dopiero wtedy skierowała się na posterunek policji. Nadal rozważała, co właściwie zamierza powiedzieć, kiedy wpuszczono ją do gabinetu Joego Silveiry.

Szef policji nie mieszkał w Zatoce Aniołów, kiedy dorastała. Podobało jej się, że niedawno został zatrudniony. Potrzebne jej było obiektywne spojrzenie.

– Miło panią poznać, panno Jamison. – Szef policji powitał ją gestem ręki zza biurka. – Wiele o pani słyszałem.

Nie było to szczególnie krzepiące. Czyżby Mark Devlin już podzielił się z nim swoimi hipotezami?

– Doprawdy? A od kogo?

– Od pani ojca. Obaj lubimy pić poranną kawę u Diny – powiedział z ujmującym uśmiechem.

Joe Silveira wyglądał stanowczo lepiej od poprzedniego szefa policji. Miał oliwkową cerę, kruczoczarne włosy i ciemne oczy. W oczach tych czaiła się inteligencja, która wzbudzała zaufanie. On mógłby pomóc znaleźć mordercę Abby.

– O zabójstwie mojej siostry ma być nakręcony film – powiedziała. – Chciałabym się dowiedzieć, czy policja planuje ujawnienie akt sprawy producentowi filmowemu, czy może już to uczyniła.

– Rozważamy, jakie ewentualnie informacje moglibyśmy rozpowszechnić.

– A dokładniej, co to oznacza?

– A może pani powie, czego się pani obawia?

– Martwię się o to, że mój ojciec będzie musiał ponownie przeżyć najgorsze noce w swoim życiu i że reputacja mojej siostry zostanie zszargana domysłami, o których w ogóle w sprawie nie ma mowy. Rozmawiałam przez chwilę z panem Markiem Devlinem i nie mam wątpliwości, że ma bujną wyobraźnię. Chcę rozwiązania zagadki, ale wolałabym, żeby to zrobiła policja, a nie jakiś hollywoodzki scenarzysta, który wysmaży taki scenariusz, na jaki sprzeda się więcej biletów do kina.

– Rozumiem pani obawy, ale pan Devlin może zrobić każdy film, jaki tylko zechce jeśli zastrzeże, że to fikcja.

Tego właśnie się obawiała najbardziej.

– Zapoznałem się z aktami sprawy pani siostry – ciągnął Joe. – Rozmawiałem z Warrenem Laughtonem, który był jednym ze śledczych. Niestety, ówczesny szef policji, Howard Smythe, zmarł pięć lat temu.

– Czy usłyszał pan cokolwiek nowego? Czy może były jakieś uchybienia? Jakieś przeoczone tropy? Jakieś wątki, których nikt nie podchwycił?

– Niczego takiego nie dostrzegłem, ale wznowienie śledztwa to nigdy nie jest zły pomysł. Po jakimś czasie ludzie jeszcze przypominają sobie rzeczy, które wtedy nie wydawały im się istotne, albo też zwyczajnie są bardziej skłonni do rozmowy. Tu się niedobrze składa, bo miejsce zdarzenia nie dostarczyło żadnych dowodów do analizy. Nie było śladów napaści na tle seksualnym, żadnego DNA ani odcisków palców.

Przełknęła z trudem na dźwięk słów „napaść seksualna". Słyszała to już wcześniej, ale była to dla niej ulga, że jeszcze raz ktoś to potwierdził.

– A co z rzeczami zebranymi na plaży poniżej domu Ramsaya?

– W obozowisku były pozostałości po ognisku, trochę artykułów spożywczych. Nie znaleziono żadnych śladów nadających się do identyfikacji. Ustalono tylko, że ktoś tam rozbił namiot w tym samym czasie, kiedy zamordowano pani siostrę. Zapewne doprowadziło to do wniosku, że ów włóczęga mógł także być mordercą.

– Tak powiedziano, ale to nie miało sensu, ponieważ Abby nigdy by nie poszła do tego domu sama. Był wielki, stał na odludziu i w dodatku w nim straszyło.

– Rozumiem jednak, że miejscowej młodzieży służył za miejsce zabaw?

– To prawda, ale nikt tam nigdy nie szedł sam.

– Pani siostra też nie była w nim sama – powiedział szef policji.

Lauren zmarszczyła brwi. Był z nią jej morderca.

– Jeśli Abby weszła z kimś do tego domu, to znaczy, że znała swojego mordercę. Najcięższe chwile w moim życiu polegały na tym, że nie mogłam uwierzyć, by ktokolwiek, kto znał Abby, mógł pragnąć jej śmierci. To była młodziutka, bardzo dobra dziewczyna. Miała mnóstwo przyjaciół. Nikt nie miał powodu, by ją zabijać.

– A pani chłopak, Shane Murray? Był głównym podejrzanym w tej sprawie. Co może mi pani powiedzieć o jego stosunkach z pani siostrą?

W miarę jak zwlekała z odpowiedzią, wzrok Silveiry stał się podejrzliwy.

– Czy chciałaby pani coś mi powiedzieć o panu Murrayu?

– Nie – oświadczyła, podejmując impulsywną decyzję, by osłaniać Shane'a przynajmniej jeszcze na razie. Zapewne świadczyło to o jej głupocie, ale stare nawyki ciężko było zwalczyć.

– A inni przyjaciele, chłopcy, z którymi spotykała się pani siostra? – zapytał Joe.

– Abby nie miała żadnego chłopaka, a przynajmniej ja o tym nic nie wiedziałam.

Nie podobał jej się kierunek, w którym podążała ta rozmowa.

– Zgodnie z raportem z sekcji, pani siostra nie była dziewicą.

Lauren otworzyła usta ze zdumienia.

– Jest pan pewien?

Wziął do ręki kartkę i podał jej. Przebiegła wzrokiem po tekście w naukowym żargonie i zatrzymała się przy słowach „nie stwierdzono obecności błony dziewiczej". Podniosła wzrok na szefa policji.

– Nigdy mi nie powiedziała, że uprawiała seks. Miała tylko piętnaście lat. – Spuściła wzrok znów na raport i ścisnęło ją w żołądku, kiedy zrozumiała, jak dokładnie zbadano ciało Abby. Odłożyła kartkę drżącymi rękami. – Nie muszę tego czytać.

– Przykro mi. Powinienem był panią wcześniej przygotować. – Uśmiechnął się do niej ze współczuciem. – Co mogę zrobić, żeby pani pomóc, panno Jamison?

– Odmówić pomocy panu Devlinowi w realizacji filmu. Może pan nie udostępniać mu tych akt?

– Mogę, lecz jeśli mam być szczery, niewiele jest w nich informacji, których pan Devlin nie mógłby poszukać sobie sam. Zabójstwo pani siostry było rzadkim i tragicznym wypadkiem w tej okolicy. Gazeta pisała o tym codziennie przez długie miesiące. Ludzie o tym rozmawiali, a wielu z nich żyje do dziś. – Przerwał. – Całkiem możliwe, że wznowienie sprawy mogłoby dostarczyć nowych śladów. Czy na pewno chce pani zablokować tę możliwość?

Niczego już nie była pewna.

– Chcę sprawiedliwości, ale nie chcę, żeby zabójstwo siostry odgrywano na ekranach. Jeżeli nie udostępni pan akt, może pan Devlin straci zainteresowanie sprawą i stąd wyjedzie – powiedziała. – Zebranie informacji zabrałoby mu wtedy dwa razy tyle czasu, a na pewno są łatwiejsze historie do nakręcenia.

Szef uśmiechnął się do niej oschle.

– Proszę mi uwierzyć, że bardzo bym chciał, aby Mark Devlin wyjechał z miasta, ale bardzo wątpię, że to uczyni. Dam mu jedynie skrót informacji, nie udostępnię wszystkich protokołów z przesłuchań. Będę także nadal sam przyglądał się tej sprawie. Właściwie... – Przeszukiwał papiery na biurku. – Coś wzbudziło moją ciekawość.

– Co takiego?

– Pani ojciec w dniu morderstwa wpłacił na konto pani siostry osiemset dolarów. Zauważyłem, że nie dokonał podobnych wpłat ani na konto pani, ani pani brata. – Joe skierował na nią pytające spojrzenie. Nie umiała na nie odpowiedzieć.

– Nie wiedziałam o tym.

– Czy Abby wykonała dla ojca jakąś pracę?

– Nie. Lubiła łowić z nim ryby, ale żadne z nas nie pracowało w jego sklepie. Poza tym Abby była zbyt zajęta szkołą, treningami siatkówki, przyjaciółkami. Do tego miała swoją pracę.

– Zgadza się, w kancelarii prawniczej – powiedział Joe. – Oni zawsze płacili jej czekiem. Zapytałem pani ojca o tę wpłatę, ale odparł, że nic nie pamięta.

Nie pamiętał? Czy też może niechętny był przyznać się, że podrzucał Abby pieniądze na konto. Dlaczego to robił?

– Ojciec pani powiedział mi, że oszczędzał na wysłanie Abby na studia i jeśli wpłacił pieniądze na jej konto, to zapewne dlatego. O ile mi wiadomo, pani siostra marzyła o tym, by zostać biologiem morskim.

– Tak, Abby chciała badać ocean i chronić zagrożone życie. Była zdolna i mądra. Na pewno osiągnęłaby swój cel. – Lauren przerwała. – Dlaczego policja zaglądała do kont bankowych?

– To standardowa procedura.

– Po co?

– Żeby odkryć nieregularne wpłaty albo wypłaty.

– Jednak w tamtym czasie ta wpłata nie wzbudziła niczyjego zainteresowania.

– Cóż, to całkiem zwyczajna rzecz, jeśli ojciec wpłaca pieniądze na konto córki.

– To w takim razie dlaczego ta wpłata wzbudziła pana zainteresowanie?

– Ciekawy był czas, ciekawe, że to była gotówka i że była to jednorazowa wpłata. Przejrzałem bankowe wyciągi z poprzedniego roku, ale nie mogłem znaleźć żadnych podobnych wpłat. Wydało mi się to dziwne.

– Abby musiała po cichu coś zrobić dla taty albo, tak jak powiedział, chciał odłożyć trochę pieniędzy na jej studia.

Myśl, że ojciec po kryjomu dawał Abby pieniądze, użądliła ją. Ona była bliższa ukończenia szkoły niż Abby. Może nie miała tak ambitnych planów na studia jak siostra, ale marzyła o pójściu do akademii gastronomicznej. Nie marzyła o ocaleniu populacji żółwi morskich, ale czy to czyniło jej plany gorszymi?

Poczuła na sobie badawczy wzrok Joego. Ostatnia rzecz, jakiej potrzebowała, to podejrzenie szefa policji, że była zazdrosna o siostrę. Potwierdziłoby to hipotezę Marka Devlina. – Czy to coś zmienia w śledztwie, że ojciec dał Abby pieniądze? – zapytała.

– Możliwe, że nic. Jak rzekłem, po prostu przyglądam się faktom.

Zastanowiła się przez chwilę. Joe Silveira nie poruszyłby sprawy pieniędzy, jeśliby nie sądził, że ma to jakieś znaczenie.

– Wiem, że pani rodzice są po rozwodzie, ale zastanawiałem się, jak wyglądał ich związek przed zamordowaniem pani siostry? – spytał Joe, przerywając ciszę.

– Myślę, że dobrze. Nigdy nie słyszałam, żeby się kłócili. Zdawało się, że pogodzili się z losem. Mamę drażniło, że tato spędzał mnóstwo czasu na morzu, albo w sklepie. Często spóźniał się na obiad i mama czuła, że ojciec nie stawiał rodziny na pierwszym miejscu, ale nie pamiętam, żeby z tego powodu były jakieś konflikty. Po śmierci Abby ich małżeństwo się rozpadło. Byli wściekli i wyciągnęli tę sprawę przeciwko sobie. Ojciec nie chciał stąd wyjechać. Mama nie mogła znieść miejsca, które odebrało jej dziecko, dlatego zabrała stąd mnie i mojego młodszego brata. Śmierć Abby zniszczyła naszą rodzinę.

– To musiało być bardzo trudne.

– Nawet sobie pan nie wyobraża, jak bardzo.

– Czy Abby była blisko z ojcem? Myśli pani, że wiedziała o jego zajęciach więcej niż reszta waszej rodziny?

Przypomniała sobie rozmowę z poprzedniego wieczoru, kiedy ojciec myślał, że rozmawia z Abby i nawiązywał do jednego z ich małych sekretów.

– Jakich zajęciach? – zapytała szefa policji.

– O czymś, co może robił, a nie chciał, żeby wiedziała o tym wasza matka?

Lauren nagle zrozumiała, do czego zmierzał.

– Ma pan na myśli jakiś romans?

– Niczego nie mam na myśli. Próbuję tylko wczuć się w państwa sytuację rodzinną.

– A co nasza sytuacja rodzinna ma wspólnego z zabójstwem Abby?

– Możliwe, że nic.

Słowo „możliwe" ubodło ją.

– Brzmi to tak, jakby żywił pan jakieś wątpliwości względem mojego ojca.

– Mam wątpliwości względem wszystkich osób. To jedyny sposób prowadzenia śledztwa, jaki znam.

– Czy te wątpliwości obejmują też mnie?

– A ma pani coś do ukrycia? – spytał Joe.

– Nie.

– To w porządku.

Wstała.

– Dziękuję za poświęcony mi czas. Dał mi pan wiele do myślenia.

– Nie ma za co. Czy wie pani, jak długo zostanie w Zatoce Aniołów?

Pytanie to okazało się pytaniem dnia. Chciałaby znać na nie odpowiedź.

– Nie wiem. Myślałam, że to będzie krótki wypad do domu. Chciałam ocenić tylko w jakim stanie jest ojciec, ale okazuje się, że to o wiele bardziej skomplikowane.

* * *

Charlotte nigdy nie wyobrażała sobie, że pewnego dnia będzie musiała spakować swoje dzieciństwo w rodzinnym domu i się z niego wyprowadzić. Rozglądając się po swoim pokoju, poczuła smutek. Podwójne łóżko, na którym w dzieciństwie sypiała z Doreen, było rozebrane. Komody, szafy i półki na książki zostały opróżnione. Nawet dywan został zwinięty i odkrył drewnianą podłogę, o której istnieniu w ogóle nie wiedziała. Było tylko jeszcze jedno do zrobienia.

Podeszła do szafy. Na ramie od drzwi były ślady flamastra, które odzwierciedlały każdy rok jej życia od piątego do czternastego. Jako czternastolatka zaczęła się buntować, zrywać pęta odpowiedzialności, wychodzić z roli grzecznej córeczki pastora. Jej rodzice, zwłaszcza matka, postawili poprzeczkę wysoko i Charlotte zawsze wypadała poniżej oczekiwań. Nawet teraz jako lekarka szanowana przez pacjentów, w oczach matki była nadal tylko nienadzwyczajną córką. Wątpiła, że kiedykolwiek się to zmieni.

Charlotte zanurzyła pędzel w farbie i nałożyła ją na ramę. Kilka pociągnięć zakryło kreski. Każde pociągnięcie pogrążało ją w głębszym smutku. Dziwna rzecz, że tak jej żal domu, w którym spędziła okres dzieciństwa, pragnąc się wówczas z niego wyrwać. Było jej jednak żal i to uczucie ją zaskoczyło.

Jej rodzice przeżyli w tym domu trzydzieści cztery lata. Tutaj się urodziła i każde ważne wydarzenie z jej dzieciństwa celebrowane było w tych ścianach. Życie się jednak zmienia. Ojciec umarł rok temu i wkrótce dom jej dzieciństwa będzie należał do kogoś innego. Ironią losu było, że do jej chłopaka z czasów szkolnych. To Andrew był nowym pastorem, a dom był własnością kościoła.

Andrew Schilling zachował się szlachetnie i dał jej matce aż trzy miesiące na znalezienie nowego domu. Po starannym rozpoznaniu zdecydowała się na kupno nieruchomości przy Ravenswood Lane, kilka przecznic dalej. Charlotte zgodziła się zamieszkać razem z nią. Wspólne mieszkanie nie układało im się może najlepiej, ale ponieważ namówiła matkę na wzięcie pod dach ciężarnej nastolatki, nie mogła teraz zostawić ich samych sobie. Wszystkie trzy zamieszkać miały razem. Miała nadzieję, że się nie pozabijają.

– Hej, Charlotte – powiedziała Annie, wchodząc do pokoju. – Mama kazała ci przekazać, że spotka się z tobą w nowym domu.

Annie była śliczną osiemnastolatką w siódmym miesiącu ciąży. Trzy miesiące temu wyprowadziła się z domu, by uciec przez ojcem, który był weteranem inwalidą z problemami psychicznymi. Carl Dupont bił Annie. W chwili rozpaczy rzuciła się do zatoki. Na szczęście ją odratowano i pożałowała swojej chwilowej niepoczytalności. Charlotte poznała Annie na ostrym dyżurze i kiedy dowiedziała się o jej położeniu, przekonała matkę, żeby pozwoliła dziewczynie zamieszkać u nich do porodu i do znalezienia sposobu na utrzymanie się.

– Czy mogę ci w czymś jeszcze pomóc? – zapytała Annie. – Bo jeśli nie, to pójdę do nowego domu i pomogę twojej mamie się rozpakować.

– Nic nie trzeba, pomogłaś już nadzwyczajnie. – Charlotte najbardziej zaskoczyło to, że kiedy Annie zamieszkała z nimi, doskonale dogadała się z jej matką. Monika Adams wzięła dziewczynę pod skrzydła niczym kwoka i ani razu nie wystąpiła nawet z najlżejszą krytyką, że Annie tak niefrasobliwie zaszła w ciążę. Widocznie córkom innych ludzi wolno było popełniać błędy.

– Jestem bardzo wdzięczna, że pozwoliłyście mi zostać z wami w nowym miejscu – rzekła Annie.

– Nie masz za co. Bardzo się cieszymy, że cię mamy.

– Twój brat przysłał dzisiaj kolejny e-mail. Napisał z takim uczuciem, że twoja mama się popłakała. Dowiedziała się, że marzy o jej pieczonym kurczaku i sałatce ziemniaczanej i że nigdy nie myślał, że będzie za nią aż tak tęsknił.

– To cały Jamie. Zawsze pamiętał, by skomplementować matkę. Tak naprawdę powinna od czasu do czasu wziąć z niego przykład.

– Jest naprawdę bardzo miły – powiedziała cicho Annie. – Nie spodziewałam się.

Annie była mocno wystraszona, kiedy się dowiedziała, że będzie spać w pokoju Jamiego, który był żołnierzem. Ojciec Annie po powrocie z wojska zamieszkał wysoko w górach i włóczył się po lesie ze strzelbą. W swojej wyobraźni nadal był na wojnie. Od kiedy jednak Annie razem z matką Charlotte zaczęły razem czytać listy od Jamiego, Annie zaczęła wierzyć, że nie wszyscy żołnierze to wariaci.

– Jamie napisał także parę słów o tym, że mnie wita w rodzinie. To znaczy, ja nie należę do rodziny ani nic takiego. Wiesz, że w ogóle tak nie myślę – rzuciła w stronę Charlotte zaniepokojone spojrzenie.

– Jesteś członkiem rodziny, Annie. Mama cię zaadoptowała.

– Przecież tylko do porodu, prawda?

– Nie martw się, nikt cię nie wyrzuci. Mama bardzo lubi twoje towarzystwo. A jeszcze bardziej będzie się cieszyła z dzidziusia w domu.

– Ale ja muszę iść do pracy i zacząć zarabiać pieniądze, kiedy już urodzi się dziecko.

– Masz czas, Annie, naprawdę. Mamie nie są potrzebne pieniądze za wynajem. Bardzo lubi ci gotować. Dzięki tobie czuje się potrzebna, a to jest wielki dar.

– Ja potrzebuję jej bardziej niż ona mnie.

– Nie byłabym tego taka pewna. – Po śmierci męża matka potrzebowała się kimś zaopiekować, a Charlotte była zbyt zajęta i broniła zaciekle swojej niezależności. – A nie zapomnij o bociankowym, które urządzamy mojej przyjaciółce. Bardzo bym chciała, żebyś przyszła.

– Nie mogę, Charlotte. Przepraszam.

– Na pewno? Będzie dobra zabawa. Nie możesz się ukrywać przez całe życie.

– Te wszystkie panie będą na mnie patrzyły i plotkowały.

– Najłatwiejszym sposobem, by uciąć plotki, jest podać nazwisko ojca dziecka.

Annie zmarszczyła się.

– Wiesz, że tego nie zrobię.

Charlotte wiedziała, ponieważ obie z matką próbowały już nieraz przekonać Annie, że ojciec ponosi też odpowiedzialność finansową za dziecko, ale Annie odmówiła podania jego nazwiska. Przed zajściem w ciążę pracowała w serwisie sprzątającym na mieście i chodziły plotki, że ojcem jej dziecka może być jeden z klientów.

– Zobaczymy się w nowym domu. – Annie skierowała się do drzwi, wyraźnie pragnąc uniknąć dalszej dyskusji.

Charlotte nałożyła jeszcze jedną warstwę farby na ramę, po czym wzięła pędzel do kuchni, by go spłukać wodą. Wycierała go właśnie, kiedy usłyszała odgłos otwieranych drzwi frontowych.

– Jest tu ktoś? – odezwał się głos Andrew.

– W kuchni! – odkrzyknęła.

Wszedł i uśmiechając się, postawił na ladzie torbę z jedzeniem.

– Mam nadzieję, że zgłodniałaś. Przyniosłem dwie porcje chińszczyzny.

– Nie mogę zostać. Muszę pomóc mamie. – Andrew zdawał się zainteresowany odnowieniem znajomości, podczas gdy ona nie miała do tego przekonania. W średniej szkole mieli ze sobą przelotny romans, było to jednak całe lata temu. Do tego Andrew był teraz pastorem, co nie kojarzyło jej się zbyt dobrze. Z całą pewnością nie pasowała do roli dziewczyny pastora ani tym bardziej żony pastora.

– Możesz zostać parę minut, Charlotte – powiedział ze zdecydowaniem w głosie Andrew.

– No, może parę. – Przechyliła się przez ladę, gdy Andrew wyciągał kartony z jedzeniem. Był ubrany w zwykłe spodnie i błękitną koszulę. Jasne włosy nosił obcięte krótko, a fale z czoła zaczesywał do tyłu, używając odrobiny żelu. Był zawsze świeżo ogolony i pachniał wodą toaletową. Musiała też przyznać, że jego uśmiech zachował zdolność przyśpieszania bicia jej serca.

– O, zostawiłaś talerze – rzekł ze zdumieniem Andrew, kiedy otworzył szafkę. – Myślałem, że będziemy jeść z papierowych tacek.

– To są nowe talerze. Matka kupiła je specjalnie dla ciebie, a także szklanki, kieliszki i sztućce dla czterech osób. Nie chciała, żebyś tu wszedł i nie miał na czym zjeść.

– To bardzo szlachetnie z jej strony. Zapłacę dodatkowo.

– Spróbuj tylko – powiedziała z uśmiechem.

Uśmiechnął się także.

– W takim razie podziękuję.

– Już lepiej.

– Jak się czujesz w dniu przeprowadzki?

– Dziwacznie. Jakoś żal. – Roześmiała się lekko. – Nie cierpiałam tego domu, kiedy dorastałam. Był dla mnie niczym więzienie, w którym matka była strażnikiem.

– Były też dobre chwile, prawda?

– Tak, wiele historii zostało w tych ścianach. Nowy dom nigdy nie będzie już domem rodzinnym. Boże Narodzenie nie będzie już takie samo bez drzewka w kącie salonu obok kominka. Dziwnie. Jestem dorosła i nie powinno mi być żal.

– Nie musisz całkiem porzucać tego miejsca. Możesz zawsze mnie odwiedzić. Pomóc mi kupić meble, zasłony.

– Nie jestem w tym dobra, to była zawsze domena matki. Z pewnością ucieszy ją, jeśli będzie ci mogła pomóc.

Wydał z siebie dramatyczne westchnienie.

– Czy kiedyś dasz mi szansę, Charlie?

– Szansę na co?

– Żebym mógł cię poprosić, a ty byś nie odmówiła.

– Nie możemy przywrócić przeszłości, Andrew.

– Nic chcę wracać do przeszłości. Mówię o przyszłości. – Zbliżył się do niej i objął ją w pasie. – Lubię cię taką, jaka jesteś teraz. Podoba mi się, kim ja teraz jestem. Razem byłoby nam dobrze.

Mogłoby być. Jeśli jednak miałaby na dobre związać się z Andrew, musiałaby także być z nim szczera. Tymczasem były w przeszłości rzeczy, o których nie chciała mówić.

– Nie, to by się nie udało. Musisz zadbać o dobrą reputację. Wiem, co to znaczy być pastorem w tym mieście i co to znaczy być kobietą u jego boku. Nigdy nie będę mogła zostać tą kobietą.

– Nie musisz być taka jak matka. Żony pastorów bywają różne. Nie mówię jeszcze o małżeństwie – dodał szybko. – Tylko o kolacji we dwoje, w jakiejś restauracji, gdzie sobie usiądziemy i napijemy się wina.

– Zacznijmy od obiadu i zobaczymy, jak nam się rozmawia. – Odsunęła się od niego, po czym zaczęła zajadać ryż.

Andrew przysunął krzesło i usiadł.

– Czy jest ktoś inny?

Przez myśl przemknęła jej twarz Joego Silveiry. To nie był ktoś inny, a szef policji. Żonaty. Podnosił jej jednak ciśnienie, czemu gorąco pragnęła zaprzeczyć.

– Nie – odparła, zdając sobie sprawę, że Andrew oczekuje na odpowiedź.

– Długo się zastanawiałaś – powiedział w zamyśleniu.

– Skupiam się teraz na pracy i na matce. Tyle naraz mogę udźwignąć.

– A jak sobie radzi Annie?

– Świetnie. Dobrze się dogaduje z matką. Zdumiewa mnie, że matka okazała się tak nowoczesna, jeśli idzie o ciążę Annie, podczas gdy wcześniej była... – Ugryzła się w język, zdając sobie sprawę, że wchodzi na niebezpieczny temat.

– Jaka? – dopytywał Andrew.

– Taka sztywna w stosunku do mnie. Pamiętasz, że miałam godzinę policyjną? To była dziesiąta wieczorem i to dopiero wtedy, kiedy skończyłam szesnaście lat. Wstydziłam się strasznie, bo wszyscy sobie ze mnie żartowali.

– Niemniej i tak udało nam się trochę zabawić – powiedział z szelmowskim uśmiechem.

Rzuciła mu ostrzegawcze spojrzenie.

– Nie wyobrażam sobie, jakim będziesz pasterzem dla nastolatków w tym mieście po tym, co sam wyprawiałeś.

– A ja myślę, że mi to pomoże. – Spoważniał. – Wiem, co czują.

– I co? Powiesz im, żeby czekali?

– Powiem – powiedział i ich spojrzenia się spotkały.

– Żałujesz tego, że my nie czekaliśmy?

Zastanawiał się chwilę.

– Sądzę, że tak. Oczywiście było wspaniale. Jednak gdybyśmy wtedy nie przekroczyli tej granicy, może byłabyś bardziej skłonna dać mi teraz szansę.

– Sądzisz, że nie wyjdę za ciebie dlatego, że straciłam z tobą dziewictwo? – zapytała zdumiona. – Ja nie mam ci tego za złe.

– A tego, że po trzech dniach spałem już z kimś innym? Nie popisałem się wtedy.

– Ja też się nic nie popisałam. – Nie mówiła bynajmniej o tym, co wydarzyło się z nim. – Zjedzmy, zanim wystygnie.

– W porządku. Mamy to za sobą. Poćwiczę przy tobie swoje kazanie. W ten sposób, jeśli zaśniesz jutro na mszy, to niczego nie stracisz.

Skrzywiła się.

– Zdarzyło mi się tylko raz, i to dlatego, że całą noc spędziłam przy trudnym porodzie. O ile sobie przypominam, bez końca mówiłeś coś o jabłkach.

– To było kazanie o pokusie – poprawił.

– No właśnie, tak mnie skusiłeś, że aż zasnęłam.

– Dlatego potrzebujesz osobistego pastora, żeby pomógł ci iść prostą, wąską drogą.

– Próbowałam tak iść przez osiemnaście lat i mi się nie udało, Andrew. – Podniosła rękę, żeby uciąć wszelkie dalsze uwagi na ten temat. – Dość już o nas. Jakie plotki ostatnio usłyszałeś?

– Nie mogę powiedzieć ci tego, co mi wyznano w zaufaniu.

– A o tym, co usłyszałeś w kawiarni?

Uśmiechnął się szeroko.

– Cóż, dziś rano podsłuchałem Mary Harper, jak mówiła do Lucy Schmidt, że masz obrzydliwą pracę. I że to bardzo przygnębiające, bo nikt nie ożeni się z kobietą z tak płaskim biustem.

Zaniemówiła, po czym poczuła się jeszcze bardziej niezręcznie, kiedy spojrzenie Andrew powędrowało do jej piersi.

– Mary Harper powiedziała tak umyślnie, żebyś to usłyszał. Ma na ciebie chrapkę, więc uważaj.

– To mnie nie martwi, bo ja mam chrapkę na ciebie. – Spojrzeniem znów powędrował do jej piersi.

– Są trochę większe, Charlie.

Cisnęła w niego serwetką.

– Doigrałeś się, ogłaszam zakończenie obiadu.

Rozdział 8

Kiedy Lauren wróciła z posterunku policji, znalazła ojca drzemiącego w ulubionym fotelu. Cicho zamknęła za sobą drzwi i popatrzyła na niego w zamyśleniu. Nie było tajemnicą, że faworyzował Abby, poświęcając jej więcej uwagi, ale że dawał jej pieniądze, było dla niej zaskoczeniem.

W ciągu paru ostatnich dni wiele rzeczy ją zaskoczyło. Myślała, że zna ludzi, z którymi mieszkała i których kochała. Ukazali się jej jednak z zupełnie innej strony, po czym ogarnęły ją wątpliwości, czy ich w ogóle kiedykolwiek znała. Choć nie podobał się jej pomysł z filmem Marka Devlina, musiała przyznać, że coś się dzięki niemu zaczęło dziać.

Postawiła torebkę na stole i ojciec się zbudził. Otworzył oczy, zamrugał, widząc światło, i wyciągnął ręce nad głowę.

– Lauren – wymamrotał z ziewnięciem. – Wróciłaś.

– Dzięki Bogu, że wiedział, z kim ma do czynienia.

– Gdzie byłaś? – zapytał, podnosząc się z fotelem do pozycji siedzącej.

– Na policji. – Usiadła na kanapie. – Spotkałam się z szefem policji, Joem Silveirą. Przygląda się znów sprawie Abby.

Ojciec wyglądał na zadowolonego. Czy byłby tak ucieszony, gdyby miał coś do ukrycia? Mogła to z niego wyciągnąć.

– Silveira wspomniał o wpłacie na konto Abby, którą zrobiłeś w dniu jej śmierci – ciągnęła. – Wpłaciłeś osiemset dolarów.

– Pytał mnie o to kiedyś. Zacząłem oszczędzać na jej studia. Miała jeszcze przed sobą parę lat szkoły i chciałem odłożyć trochę pieniędzy.

Odpowiedź zdawała się szczera. Nie zachowywał się, jakby uczynił coś złego. Zdenerwowało ją to jeszcze z innego powodu.

– A dlaczego nie oszczędzałeś na moje studia?

W oczach zabłysło mu zdziwienie.

– Przecież chciałaś iść do miejscowego college'u i pracować w ciastkarni Marty.

– Chciałam iść do akademii gastronomicznej, ale myślałam, że nie możemy sobie na to pozwolić.

Kąciki ust mu opadły.

– Jesteś zła o te pieniądze.

– Wiem, że byliście sobie bardzo bliscy, ale dlaczego jej wykształcenie było ważniejsze niż moje?

– Nie było ważniejsze. Nie pamiętam, żebym słyszał, że wybierasz się do akademii. Za to z Abby wiele rozmawialiśmy o jej marzeniach. Kiedy byłem młody, też chciałem zostać biologiem morskim, ale nie było na to dość pieniędzy. Chciałem dać Abby to, co mnie ominęło. Nie dlatego, żebym nie chciał pomóc tobie, Lauren. Myślałem, że masz, czego potrzebujesz. Zdawałaś się zadowolona. – Wzruszył lekko ramionami, jakby jej nie zrozumiał i uważał, że nie ma racji.

Tamtego roku była szczęśliwa. Zakochała się i spędzała coraz mniej czasu w domu. Czy myliła się, mając pretensje do ojca, że nie znał jej marzeń? Czy w ogóle kiedykolwiek próbowała się z nim nimi podzielić? Czy może tak przywykła do braku zainteresowania z jego strony, że tego zaniechała?

– Twoja matka zrobiła mi piekło o te pieniądze. Dla niej był to jeszcze jeden powód, by mnie do reszty znienawidzić.

– To znaczy, że mama dowiedziała się o pieniądzach po fakcie? – Ucieszyło ją, że przynajmniej matka nie spiskowała za jej plecami.

– Tak. Lubiła pilnować pieniędzy, jak wszystkiego w tym domu – burknął.

– Czy byliście z mamą szczęśliwi, zanim zginęła Abby? – zapytała Lauren, zastanawiając się, czego jeszcze nie wiedziała. – Mama zawsze powtarzała, że śmierć Abby zniszczyła wasze małżeństwo, ale wygląda na to, że były jeszczc inne powody.

– Każde małżeństwo ma swoje problemy, ale uważałem, że sprawy mają się dobrze. Życie wymagało dużo pracy. Mieliśmy troje dzieci. Interes zajmował mi mnóstwo czasu, co matka nie zawsze rozumiała. Nie wiem. Przypuszczam, że oboje mogliśmy zachować się inaczej. Nikt nie jest doskonały.

– To prawda. – Lauren oparła się o poduszki. – Jak się dzisiaj czujesz? Chcesz zjeść obiad?

– Zjadłem w kafejce razem z Mortem. Wiesz, Mort, Rita, twoja mama i ja trzymaliśmy się zawsze razem. W każdy weekend robiliśmy sobie grilla, wypływaliśmy łodzią, spędzaliśmy u siebie nawzajem Boże Narodzenie. Dość długo ty i Leslie byliście dobrymi przyjaciółmi, a Rita z twoją matką uwielbiały razem szyć patchworkowe narzuty. Założę się, że matka już nie szyje patchworków, mam rację?

Lauren była pewna, że matka zostawiła w Zatoce Aniołów igłę z nitką razem ze wszystkimi innymi rzeczami.

– Teraz pasjami degustuje wina. Mieszka w okolicy winnic.

– Zawsze lubiła piwo – zacisnął usta. – Przypuszczam, że umyślnie nie pozwala sobie na wszystko to, co lubiła, zanim stąd wyjechała.

Lauren dostrzegła smutek w jego oczach, obok gniewu. W czasie rozwodu była zawsze po stronie matki. Nigdy nie zastanawiała się nad tym, jak widział to ojciec. Może nie była sprawiedliwa. Jednak kiedy mówiła tylko jedna strona, trudno było zrozumieć drugą stronę sporu.

Ojciec wziął gazetę z kolan i podał jej.

– Może będziesz chciała to obejrzeć.

– A co to jest?

– Złote monety z „Gabrielli", które morze wyrzuciło wczoraj na brzeg na Plażę Zbiegów. Trzy miesiące temu natrafiono na dzwon ze statku, a teraz na te monety. Myślę, że wkrótce może się pojawić nawet sam wrak.

Lauren przebiegła wzrokiem artykuł. Statek płynął na południe z San Francisco, według tego, co mówiono, przeładowany pasażerami zarażonymi gorączką złota, kiedy zatonął podczas straszliwego sztormu w tysiąc osiemset pięćdziesiątym roku. Morze wyrzuciło kilkanaście ciał i fragmenty statku, po czym niczego już nie odkryto. Poszukiwacze skarbów spekulowali, że „Gabriella" ukryła się w jednym z podmorskich głębokich kanionów przy centralnym wybrzeżu, które odsłaniają się tylko przy specjalnych warunkach odpływu. Do dzisiaj nikt nie był w stanie znaleźć wraku.

– Bardzo chciałbym ujrzeć ten statek na powierzchni – rzekł Ned z błyskiem w oku. – Ciekawe, jaką historię by opowiedział? Czy wreszcie dowiedzielibyśmy się, co się stało z załogą, z pasażerami, no i ze złotem.

– Czy już nie wiadomo dosyć? – spytała i odłożyła gazetę. – Pamiętam, kiedy czytałeś mi fragmenty pamiętnika Leonory. To była taka romantyczna i tragiczna historia.

– O, tak. Leonora poznała Tommy'ego, kiedy byli jeszcze dziećmi, ale obiecano ją innemu. Poślubiła Clarka Jamisona, mieli syna, Jeremy'ego. Po kilku latach Clark zmarł. Wtedy nieoczekiwanie pojawił się Tommy. Przypłynął do San Francisco jako kapitan „Gabrielli" i w porcie ujrzał Leonorę. Zdumiała go i zachwyciła jej uroda, świeża jak u szesnastolatki. Nie widzieli się przez dwadzieścia lat, ale Leonora napisała, że czuła, jakby minęło tylko kilka minut.

Ostatnie zdanie uderzyło Lauren. Pomyślała to samo, kiedy ujrzała Shane'a po trzynastu latach.

– Tommy także był wdowcem – ciągnął ojciec. – Miał córkę, która mieszkała w San Diego z jego matką, podczas kiedy wypływał w morze. Musiał popłynąć „Gabriellą" z powrotem wzdłuż wybrzeża i poprosił Leonorę i Jeremy'ego, żeby wybrali się razem z nim. Wzięli ślub ostatniego wieczoru przed wypłynięciem na południe. Spędzili ze sobą niewiele czasu zanim nadszedł sztorm, który zatopił „Gabriellę". Statek zabrał więcej pasażerów niż zwykle, ponieważ podróżowali nim poszukiwacze złota i dlatego nie wystarczyło łodzi ratunkowych. Leonora chciała, żeby Tommy wsiadł na łódź razem z nią i Jeremym, ale to był kapitan. Musiał zejść z pokładu ostatni. – Ojciec przerwał ze spojrzeniem utkwionym gdzieś daleko, jakby w myślach przyglądał się tamtej chwili. – I to był ostatni raz, kiedy Leonora widziała Tommy'ego. Jego ciało nigdy nie zostało wyrzucone na brzeg.

– A Leonora i Jeremy osiedlili się tutaj, w Zatoce Aniołów. I tutaj zaczęła się historia naszej rodziny – dokończyła Lauren.

– Pierwsza miłość ma zawsze swoją moc. Ciężko jest z nią zerwać – rzekł ojciec.

– Mama była twoją pierwszą miłością, prawda?

– Tak. Pewnego lata przyjechała tutaj odwiedzić kuzynkę i natychmiast się w sobie zakochaliśmy. Pobraliśmy się po czterech miesiącach. Prawdopodobnie za szybko. Byłem dziesięć lat od niej starszy i powinienem dać jej więcej czasu, by dojrzała. Pragnąłem jej jednak, a w tamtym czasie ona także mnie pragnęła.

– Szkoda, że nie walczyłeś bardziej, żebyście zostali razem po śmierci Abby – powiedziała cicho Lauren.

– Wiem, że mama chciała cię pocieszyć, ale ty nie dopuszczałeś nas do siebie. Zamknąłeś się w swoich uczuciach. Wypływałeś w morze na długie dnie. Każdego wieczoru, kiedy cię tutaj nie było, mama płakała, póki nie zasnęła. Nie mogłam znieść odgłosu jej szlochania. – Wciągnęła powietrze. – Myślisz teraz o tym w ten sposób, że to mama wyjechała ze mną i Davidem, ale to ty opuściłeś nas wcześniej.

Ponury wyraz oczu ojca przypominał jej ten w ciągu pierwszych tygodni po śmierci Abby.

– Nie wiedziałem wtedy, co zrobić, jak postępować. Próbowałem rozmawiać z matką, ale nie pozwalała mi mówić o Abby. Chciała o wszystkim zapomnieć. Za każdym razem, kiedy wychodziłem do pracy, bałem się, że po powrocie zobaczę, iż matka wymazała z domu wszelkie ślady życia Abby. A kiedy matka już oznajmiła, że wyjeżdża, nie było dyskusji. Nie poprosiła, żebym pojechał z nią, tobą i Davidem.

– Nie powinieneś był czekać, aż o to poprosi. Powinieneś upierać się przy tym, żebyśmy wszyscy zostali razem, czy to w Zatoce Aniołów, czy gdziekolwiek indziej. Byliśmy rodziną, tato. Nawet wtedy, kiedy odeszła Abby, nadal byliśmy rodziną. Dlaczego o nas nie walczyłeś?

Przełknął z trudem.

– Wiedziałem, że ty pojedziesz z matką. Zawsze byłaś jej pupilką. A David był za mały, żeby nie mieć matki.

– Więc powinieneś pojechać z nami.

– Nie mogłem zostawić Zatoki Aniołów. Nie mogłem zostawić Abby.

– Przecież miałeś jeszcze dwoje dzieci, które cię potrzebowały.

– Nie byłaś sama – upierał się. – Miałaś mamę i Davida. We trójkę mieliście siebie nawzajem.

– Ale nie mieliśmy ciebie. – Otarła nieoczekiwaną łzę. – Kiedy byłam mała, to ty byłeś moim bohaterem. Kochałam cię. Potrzebowałam cię. Kiedy wyjechaliśmy, płakałam przez całą drogę wzdłuż wybrzeża. – Wytarła oczy. – Mogłam zostać też twoją pupilką, gdybyś mi dał szansę.

Ojciec wbił wzrok w dywan. Mijały minuty. Wreszcie podniósł głowę i powiedział:

– Przepraszam, Lauren.

Od bardzo dawna chciała usłyszeć te słowa. Teraz, kiedy już usłyszała, nic nie zmieniły. Nic nadrobiły tego, że straciła ojca w tym samym czasie, w którym straciła siostrę.

– Nigdy nie miałem zamiaru skrzywdzić ciebie i Davida – ciągnął. – Nie mogłem wyjechać, a twoja matka nie mogła tu zostać. Nie walczyłem, żeby was tu zatrzymać, częściowo dlatego, że nie wierzyłem, iż jeszcze potrafię być dobrym ojcem. Nie ochroniłem Abby, nie zapewniłem jej bezpieczeństwa. Pomyślałem, że z mamą będzie wam lepiej.

– Powinieneś sprawdzić, czy jest nam lepiej. A wreszcie, powinieneś nas odwiedzać, pisać do mnie listy i dzwonić. Nie robiłeś tego jednak, z wyjątkiem świąt i urodzin.

– Masz słuszność. Powinienem był postarać się lepiej. – Przerwał i popatrzył na nią wprost jasnym spojrzeniem. – Czego oczekujesz ode mnie teraz?

To było najtrudniejsze pytanie, jakie kiedykolwiek jej zadał. Czego właściwie chciała? Chciała rodziny takiej jak dawniej. Chciała, żeby Abby żyła. Chciała cofnąć zegar. Nic z tego jednak nie było możliwe.

– Chcę, żebyś był szczęśliwy i żebyś był bezpieczny – powiedziała. – Jeżeli nie pojedziesz ze mną do San Francisco, to co zamierzasz?

– Nie masz powodu się o mnie troszczyć, Lauren.

– Nie mogę tak po prostu przymknąć oczu na twój stan zdrowia. Jesteś moim ojcem. Ja jestem twoją córką. Tak jest. Wymyślmy coś razem.

– Rozumiem, że mój mózg się zamyka – rzekł powoli. – Przeraża mnie, że nie zawsze wiem, co robię. Czasem ocknę się w jakimś miejscu i nie rozumiem, jak się tam znalazłem.

Wstrząsnęło nią, że się do tego przyznał. Kiedy przyjechała, próbował swoją chorobę zamieść pod dywan.

– Tutaj, w Zatoce Aniołów, mam swoje znaki orientacyjne – mówił dalej. – Wiem, gdzie jestem, i umiem znaleźć drogę do domu. Nie mogę przeprowadzić się do obcego miasta, muszę zostać na znanym terenie.

Jego lęk rozorał jej serce.

– Dobrze, tato. To jak zrobić, żeby to lepiej działało? Może wynająć kogoś, żeby opiekował się tobą w domu?

– Nie mógłbym zamieszkać z nikim obcym.

– To może kogoś, kto przyjdzie w dzień, posprząta, zadba, żebyś miał co zjeść?

– Sądzę, że powinienem skorzystać z takiej pomocy, ale nie mam zbyt wiele pieniędzy.

– Mogę pomóc.

– Bo masz tak dużo pieniędzy, prawda? – zapytał, marszcząc brwi.

– Nie powiedziałabym, że mam dużo, ale podzielę się tym, co mam.

Odchylił głowę i obdarował ją zamyślonym spojrzeniem.

– Dlaczego miałabyś to robić? Chyba właśnie ustaliliśmy, że byłem kiepskim ojcem. Nie chcę, żebyś mnie miała na głowie.

– Ja też nie chcę, ale już cię mam na głowie.

– Przynajmniej jesteś szczera.

– Najwyższy czas, nie uważasz?

– Jeśli chcesz wiedzieć, co naprawdę myślę, to powiem ci, że powinnaś się tutaj sprowadzić. Nie mamy porządnej ciastkarni od dwóch lat, bo Marta przeszła na emeryturę. Sam w kafejce wypieka jakieś ciastka i ciasta, ale tylko on jeden. Supermarket sprowadza pakowane pieczywo cukiernicze nie wiadomo skąd. W Zatoce Aniołów potrzebne są porządne ciastka. Możesz otworzyć ciastkarnię, taką o jakiej zawsze mówiłaś.

Była zaskoczona propozycją, zwłaszcza że okazał, iż jednak o niej myślał. Miał słuszność. Kiedyś otworzenie ciastkarni było jej wielkim marzeniem, ale już przestało nim być.

– Teraz już nie pragnę tego samego, co w dzieciństwie. Poszłam dalej.

– To wróć.

– Nie.

– Będzie ci z tym dobrze.

– Nie będzie.

– Skąd wiesz?

– Bo wiem – powiedziała z rozdrażnieniem, czując się tak, jakby właśnie wsiadła do odjeżdżającego pociągu. Ojciec nigdy nie dbał o to, co robiła. Fakt, że teraz się zatroszczył, wyprowadził ją z równowagi.

– To chociaż zastanów się nad tym – powiedział.

– Posiedź tutaj z tydzień, poodnawiaj znajomości. Może coś odkryjesz.

– Co na przykład?

Uśmiechnął się.

– Że wszędzie dobrze, ale w domu najlepiej.

* * *

Shane dorastał w piętrowym domu na końcu zaułka w jednej ze starszych części Zatoki Aniołów. Z pięciorgiem dzieci w rodzinie i mnóstwem zwierząt domowych nigdy nie panowała w nim cisza. Dzisiejszy wieczór nie był pod tym względem wyjątkowy. Kiedy Shane parkował motocykl przy krawężniku, widział w salonie mnóstwo ludzi. Matka zebrała wszystkich znajomych z okazji sześćdziesiątych piątych urodzin ojca.

Dziwnie było pomyśleć, że jego ojciec i Ned Jamison byli mniej więcej w tym samym wieku, ale stan ich zdrowia był tak odmienny, jakby żyli w innych światach. John Murray był zażywnym mężczyzną o wspaniałym apetycie, o kilku dodatkowych kilogramach sadła, huczącym, serdecznym śmiechu i niespożytej energii. Jego osobowość zawsze przerastała życie. Shane w dzieciństwie trzymał z ojcem, ale w szkole średniej się to zmieniło.

Zsiadł z motocykla, kiedy jego siostra Kara zaparkowała samochód przed domem. Wysiadła i wydała z siebie teatralny jęk. Dźwigała nie tylko ciężarny brzuch, ale i wielki prezent.

Podszedł, żeby wyjąć go jej z rąk.

– Co to takiego? Chcesz mnie prześcignąć?

– A czy to takie trudne? Zdaje się, że przyjechałeś z pustymi rękami.

Uśmiechnął się.

– Czy mogę podpisać się pod tym prezentem?

– Oczywiście tak, jeśli chcesz dorzucić czterdzieści baksów.

– Kupiłaś mu prezent za osiemdziesiąt dolców? Bardzo hojnie. Co to takiego?

– Nowe radio. Nie za osiemdziesiąt, ale za sto dwadzieścia. Kupiliśmy je razem z Dee, ale chętnie przyjmę od ciebie kasę i włączę do grona ofiarodawców. Cieszę się, że przyszedłeś. Nie sądziłam, że się zjawisz.

– Przecież to urodziny staruszka – rzekł.

– A nie opuściłeś ostatnich dwunastu? Czemu tu stoisz? Martwią cię te wszystkie pytania o Lauren i Abby?

– Między innymi.

Kara obrzuciła go zamyślonym spojrzeniem.

– Co się dzieje między tobą a rodzicami? Jesteście dla siebie przesadnie grzeczni, ale pod spodem czuje się jakieś napięcie. Najpierw myślałam, że chodzi o twoją długą nieobecność i o to, że powrót był dla ciebie niezręczny, ale teraz już jakiś czas jesteś w domu.

– Wszystko w porządku – zapewnił. – Nie martw się o mnie.

Spojrzała na dom.

– Właściwie ja też niechętnie tam idę. Już i tak niedobrze, że jutro mam bociankowe. Będę musiała oglądać wszystkich dwa razy. Nie mam nic przeciwko ich pytaniom, ale te spojrzenia pełne współczucia, smutku, że żyję w urojonym świecie. – Odwróciła się do niego plecami. – Wiem, co myślą. Nie jestem idiotką.

– Nikt ci tego nie powiedział głośno.

– Mówią to za plecami. Ale wszyscy jeszcze zobaczą. Zobaczą, kiedy Colin się obudzi. – Westchnęła. – No cóż, im szybciej tam wejdziemy, tym szybciej wyjdziemy. – Wyprostowała się i podążyła ścieżką do drzwi.

Przywitały ich uściski i całusy wszystkich członków rodziny i przyjaciół. Shane uciekł czym prędzej. Postawił prezent na stole, po czym skierował się do kuchni, gdzie urządzono bar. Nalał sobie Jacka Daniel'sa i wychylił jednym haustem. Lubił być w Zatoce Aniołów, ale przebywanie w rodzinnym domu to była zupełnie inna historia. Za każdym razem, kiedy przestępował próg, spadały na niego ciosy bolesnych wspomnień.

Nadal pamiętał dzień, w którym odmieniło się całe jego życie. Miał piętnaście lat. Wrócił do domu wcześniej z treningu futbolowego z potłuczonym kolanem. Pokuśtykał do kuchni, żeby wziąć torebkę z lodem, i podsłuchał niepokojącą rozmowę.

Nalał sobie kolejnego drinka i szybko odstawił na widok wchodzącego ojca.

Oczy Johna Murraya zalśniły z radości.

– Shane. Cieszę się, że cię widzę, synu. – Klepnął go w plecy. – Dobrze, że się zjawiłeś.

– Wszystkiego najlepszego, tato. – Starał się, żeby jego twarz nie wyrażała żadnych uczuć. To był jedyny znany mu sposób radzenia sobie z rodzicami.

– Poczęstuj się pysznościami. Dzisiaj matka przeszła sama siebie.

– Zjem coś – obiecał, lecz kiedy ojciec wyszedł, nalał sobie jeszcze jednego drinka. Zobaczył dwie kobiety obserwujące go z drugiego końca pomieszczenia oburzonym, oskarżycielskim wzrokiem – Nancy Whittaker i Michelle Holmes, przyjaciółki matki. Podniósł szklankę w ich stronę. Michelle skrzywiła się jeszcze bardziej, szepnęła coś Nancy, po czym obie odeszły.

Shane odstawił kielaszek i poszedł na drugą stronę domu na podwórze, gdzie było ciemno i cicho. Szeroki wielki trawnik ciągnął się przed jego oczami aż do rzędu kilku wysokich drzew wyznaczającego granicę ich działki. Na jednym z nich był drewniany domek, który zbudował razem z ojcem i starszym bratem, Patrickiem. Potrzebowali miejsca, by się odseparować od młodszego rodzeństwa, zwłaszcza od natrętnej Kary, która zawsze wchodziła im w paradę. Domek na drzewie wcale jej od tego nie powstrzymał. W gruncie rzeczy stał się miejscem spotkań całej dzieciarni z sąsiedztwa.

Przeszedł przez trawnik i sprawdził, czy deski nadal są dobrze wbite w drzewo. Nie wiedział, czy stare schodki utrzymają jego obecną wagę, ale czuł nieodpartą potrzebę, by to sprawdzić. Wspiął się między gałęzie i wczołgał przez otwór drzwiowy. W domku leżało parę nowych zabawek, zapewne pozostawionych przez dzieci Patricka. Kryjówka służyła już drugiemu pokoleniu. Usiadł na podłodze i popatrzył w górę na dach. Były w nim duże uchylone klapy, przez które widać było księżyc i gwiazdy.

Widział miliony razy nocne niebo. Na środkowym oceanie był to widok zupełnie niezwykły, lecz widok nieba z domku przeniósł go w przeszłość do czasów szkolnych, do innej nocy wiele lat wcześniej.

Miał kiepski dzień, bójka i mieszkanie w tym domu to było zbyt wiele, więc przyszedł tutaj, żeby przed wszystkim uciec. Pewnego dnia wyjedzie z Zatoki Aniołów. Musi tylko zebrać dość pieniędzy i wtedy już go tutaj nikt nie zobaczy.

– Shane, jesteś tutaj? – Słodki głos Lauren owiał go niczym gorąca pieszczota.

Starał się jej unikać przez cały dzień. W ogóle nigdy nie powinien się był z nią zadawać. Przez nią zaczynał myśleć o pozostaniu tutaj, a przecież nie mógł.

– Wchodzę – oznajmiła.

Przyglądał się jej, jak w jednej ręce niosła plastikowy pojemnik, a drugą trzymała się, wspinając po drabinie. Miała na sobie dżinsy i bluzkę z długim rękawem, która ciasno opinała jej biust. Długie falujące brązowe włosy wiły się wokół twarzy, której cerę rozświetlało światło księżyca. Boże, była taka ładna. Piękna, bez jednej skazy, niewinna, i taką należało ją zostawić.

– Nie powinnaś tu przychodzić – powiedział nieuprzejmie.

Usiadła naprzeciwko z zatroskanym spojrzeniem.

– Co się stało? Dzwoniłam cały dzień. Dlaczego nie oddzwoniłeś?

– Nie chciało mi się z tobą gadać.

Zdawała się zaskoczona tak bezpośrednią odpowiedzią, lecz natychmiast potrząsnęła głową.

– Nie wierzę.

– To jesteś głupia.

– A ty kłamiesz. Co się z tobą dzieje? Dlaczego pobiłeś się z Martym? To twój najlepszy przyjaciel.

– Po prostu miałem ochotę się pobić.

Lauren wyciągnęła w jego stronę plastikowy pojemnik, który ze sobą przyniosła.

– Upiekłam dla ciebie ciasteczka czekoladowe z orzechami. Czekolada zawsze poprawia mi humor.

Miał ochotę nawrzeszczeć na nią, że chyba odebrało jej mózg, skoro myśli, że jakieś ciasteczka mogą poprawić mu humor. Ale łagodna troska w jej oczach sprawiła, że nie mógł na nią naskoczyć. Niczemu nie była winna. Nie chciał robić jej krzywdy, ale czy, do diabła, nie mogła się sama domyślić?

– Shane – zaczęła.

– Jeśli masz zamiar zostać, to zróbmy z tym porządek. – Wyrwał jej z ręki pojemnik i postawił na podłodze. Potem wziął ją dłonią za kark i przyciągnął do siebie. Zobaczył w jej oczach zaskoczenie i czekał, aż pojawi się w nich lęk i złość. Nic z tego. Jedyne, co ujrzał, to była ufność. Zastygł w miejscu. Cóż on, do diabła, najlepszego robi? Puścił ją.

– A co się stało teraz? – zapytała, nie rozumiejąc.

– Możesz mi powiedzieć. Możesz mi wszystko powiedzieć. Nie będę cię osądzać.

– Idź do domu, Lauren.

– Przestań mnie straszyć. Znam cię, Shane.

– Nie wiesz wszystkiego – mruknął pod nosem.

– Pewnego dnia wszystko mi powiesz – powiedziała z przekonaniem. Położyła mu palce na ustach, kiedy chciał zaprotestować. – Nie mówmy już nic więcej. – Złożyła na jego wargach pocałunek i przycisnęła mu do piersi biust, wyrzucając z jego umysłu wszystko inne.

Shane otworzył oczy i wlepił wzrok w niebo. Lauren zawsze chciała widzieć w ludziach dobro, zwłaszcza w nim, ale od tamtej nocy bardzo wiele się zmieniło. Wydarzyło się dużo rzeczy, których nie można było cofnąć ani anulować. Przeszłość przeminęła, a on był o wiele za stary, aby ukrywać się w domku na drzewie.

Spuścił nogi i zsunął się z drzewa na ziemię. Myślał, że wkradnie się do domu niepostrzeżenie przez boczne drzwi, kiedy na schody wyszedł ojciec.

– Shane? Czy to ty? – zawołał, wpatrując się w ciemność.

– Tak. Idę już. – Podszedł przez trawnik na schodek.

– Ukrywasz się? – zapytał John z domyślnym błyskiem w oku. – Wiem, że robi się wokół ciebie gorąco, musisz jednak przez to wszystko przejść. Nie uciekniesz tym razem. Wyglądałoby to jak przyznanie się do winy, synu.

– Bo jestem winien. Nie zabiłem Abby, ale zostawiłem ją tamtej nocy samą pod szkołą. Powinienem był wpierw się upewnić, czy ktoś tam na nią czeka. – Nie mógł sobie tego nigdy darować. – Gdybym trochę zaczekał...

Ojciec położył mu rękę na ramieniu.

– Życie jest pełne takiego gdybania, Shane. Nie możesz niczego cofnąć, możesz tylko poruszać się do przodu. Nie ponosisz winy za to, co stało się z Abby. – John uśmiechnął się. – Kara powiedziała mi, że powinieneś to znowu usłyszeć.

– Kara powinna się ode mnie odczepić.

– Nie, ma rację. Chcę, żebyś wiedział, że zawsze będę po twojej stronie. A teraz wracaj na przyjęcie. Przestań myśleć o kłopotach.

– Dzięki, tato, ale pójdę już. Niektórzy goście nie są zadowoleni z mojego widoku tak jak ty.

– Nie zważaj na to. Jesteś moim synem i zawsze będziesz tutaj mile widziany. Kogo nie lubisz? Wyrzucę go natychmiast.

Shane uśmiechnął się na propozycję ojca.

– Dzięki, ale nie wyobrażam sobie, że wywalasz stąd na zbity pysk Nancy i Michelle.

– Oj, nie kuś. Te babska doprowadzają mnie do furii od trzydziestu lat.

– Johnie – przerwał im głos matki. Wychylała się przez okno i patrzyła na nich zagadkowo. – Co wy dwaj tu robicie? Mamy dom pełen gości.

– Rozmawiamy sobie – uspokoił ją ojciec.

Moira wyszła do nich.

– A o czym takim? Czy coś się stało, Shane?

Coś się stało, ale bardzo, bardzo dawno temu.

– Wszystko w porządku – rzekł. – Powinieneś pójść do gości, tato. Jesteś gwiazdą wieczoru.

– Jeszcze pogadamy – obiecał John.

– O czym pogadacie? – zapytała matka, kiedy ojciec przepuszczał ją przodem w drzwiach. Przez ramię rzuciła Shane'owi pełne żalu spojrzenie, które znał aż nadto dobrze. Będzie się starała powstrzymać go przed rozmową z ojcem tak długo, jak się tylko da.

Rozdział 9

Charlotte wślizgnęła się chyłkiem do kościoła przez boczne drzwi w środku wygłaszanego przez Andrew kazania. Spóźniła się, ale March, świeżo narodzona córeczka Donny, postanowiła przyjść na świat cały tydzień wcześniej. Charlotte nadal czuła się podekscytowana tym porodem. Niezależnie od tego, przy ilu już porodach asystowała, zawsze pierwszy krzyk dziecka i zachwycone spojrzenie rodziców były dla niej cudownym przeżyciem. Doświadczało się przy tym bowiem prawdziwego cudu życia.

Kiedy podniosła się z ławki, zobaczyła matkę i Annie w pierwszym rzędzie. Matka Andrew siedziała w pierwszej ławce z drugiej strony. W swoim czasie obie panie ze sobą rywalizowały i Charlotte pomyślała z przekąsem, że przyszła żona Andrew będzie musiała stoczyć prawdziwą walkę o siedzenie z przodu. Przypomniało jej to, że powinna naprawdę poważnie porozmawiać z Andrew i ustalić, że nie będzie się umawiać z nim na randki. Zabawnie było sobie poflirtować, no i zawsze miło, że się ktoś o nią stara, zwłaszcza że kiedyś, dawno temu, to ona się za nim uganiała.

Andrew istotnie bardzo dojrzał. Zdawał się autentycznie przejęty rolą pastora lokalnej społeczności i zdobywał coraz więcej zaufania jako duchowy przywódca. Chociaż niektórzy starsi członkowie Kościoła mamrotali pod nosem, że jest za młody, żeby wiedzieć, co jest dobre, wielu ludzi przychodziło na kazania. No i, rzecz jasna, kościół był pełen młodych samotnych kobiet. Przystojnemu pastorowi w aureoli niebios trudno się było oprzeć. To dlaczego ona się opierała?

Jej wzrok powędrował do człowieka siedzącego parę rzędów dalej, do Joego Silveiry. Joe z ciemnymi włosami i ciemnymi oczami był jak noc, podczas gdy Andrew – jak dzień. Szef policji był cielesny, surowy i szorstki, co zawsze z niego wychodziło, pomimo uprzejmego i profesjonalnego sposobu zachowania. Widziała go w akcji i poza służbą. Zdawał się jej bardziej niż trochę intrygujący, co było wielce niestosowne, ponieważ Joe był żonaty.

Żona siedziała w ławce obok niego. Rachel charakteryzowała krucha sztuczność mieszkanki Los Angeles przeszczepionej tutaj na siłę. Nie pasowała do Zatoki Aniołów, w przeciwieństwie do Joego, który zdawał się szczęśliwy, że zamienił pracę gliniarza w wielkim mieście na życie w malowniczym miasteczku na wybrzeżu. Rachel zdawała się mieć więcej wspólnego z człowiekiem, który siedział z drugiej strony, z Markiem Devlinem. On także miał ową powierzchowną gładkość mieszkańca Los Angeles i nie ufała mu ani trochę. Zostawił jej kilka wiadomości, że chce porozmawiać o wydarzeniach sprzed kilkunastu lat. Nie oddzwoniła. Nie wiedziała, kto zabił Abby, a na pewno nie chciała pomagać nikomu niszczyć Shane'a czy kogokolwiek ze swoich znajomych.

Kiedy zebrani wstali, ocknęła się. Było już po mszy, a ona nie usłyszała z niej ani słowa.

Kiedy wyszła z kościoła, zastała Andrew na stopniach, otoczonego kobietami. Posłał jej spojrzeniem nieme wezwanie o pomoc, ale ona się tylko uśmiechnęła. Nie chciała podsuwać innym myśli, że ona i Andrew mogliby być razem, a przynajmniej żadnych więcej plotek poza tymi, które już krążyły.

Andrew jednak nie miał zamiaru dać jej odejść tak łatwo.

– Charlotte! – zawołał. – Przepraszam panie, muszę porozmawiać z doktor Adams.

Kobiety popatrzyły na nią, jakby miały zamiar ją zastrzelić.

– Hej! – odezwał się na powitanie, kiedy do niej podszedł.

– Hej. Właśnie sprawiłeś, że te wszystkie kobiety pragną mojej śmierci.

Uśmiechnął się.

– Kiedyś ci się podobało, gdy cię wyróżniałem.

– Kiedyś podobało mi się wiele rzeczy, ale potem dorosłam.

– Nie jesteś już na mnie zła za komentarze na temat twoich piersi, prawda?

– Nie, ale jeśli nie przestaniesz się na nie tak gapić, to myślę, że Stwórca porazi cię piorunem.

Uśmiechnął się do niej szerzej.

– Uwielbiam z tobą rozmawiać, Charlie. Mogę być sobą. Nie muszę dorastać do czyichś oczekiwań.

Zmęczony tonu jego głosu wskazywał, że może nie wszystko szło mu tak gładko, jak sobie wyobrażała.

– Świetnie sobie radzisz. Nie martw się tak bardzo tym, co o tobie myślą ludzie.

– Ja cały czas odkrywam, co sam o sobie myślę – powiedział z ponurym wyrazem twarzy. – Przy okazji, moja matka wydaje dziś proszony lunch, na którym będzie co najmniej pięć kandydatek na moją żonę. Postanowiła, że skoro mam już stałą posadę, powinienem pomyśleć o małżeństwie i dzieciach.

– No cóż, nie stajesz się coraz młodszy – powiedziała lekkim tonem, zastanawiając się przy tym, kim są owe kandydatki. Wcale jej to nie obchodziło i najchętniej wmieszałaby się już w tłum.

– Chcę, żebyś przyszła i zgłosiła swoje roszczenia. – Obdarzył ją pełnym nadziei uśmiechem.

– Kiedy ja nie mam żadnych roszczeń.

– A właśnie, że masz. – Przysunął się bliżej. – Poważnie, Charlotte.

– Andrew, nie teraz. Inni czekają, żeby z tobą porozmawiać. – Kącikiem oka widziała kilkoro zaciekawionych gapiów niespuszczających z nich wzroku.

– Dlaczego tak mnie odpędzasz?

– Bo mnie nie interesujesz. – Wreszcie! Powiedziała to.

– Och!

– Sam zapytałeś. – Jej opór nie osłabł pod presją jego rozczarowania.

– Nie przyjmuję tego do wiadomości jako ostatecznej odpowiedzi. Teraz jednak odejdę. – Oddalił się i podszedł do starszej pary z wnukami.

Charlotte westchnęła ciężko. Nie miała zamiaru znów schodzić się z Andrew. Teraz, kiedy go zupełnie nie chciała, on pragnął jej jeszcze mocniej. Powinna była bardziej się starać, by go poznać w szkolnych czasach.

Odwróciła się, by poszukać matki, i wpadła prosto na Joego.

– Ostrożnie – powiedział i złapał ją za ramię, żeby nie upadła.

– Przepraszam, nie widziałam cię. – Jej ciało przeszył gorący dreszcz i musiała powstrzymać chęć, by się oprzeć na męskim ramieniu.

– Byłaś pochłonięta rozmową z pastorem – powiedział Joe i puścił ją. – Jesteście sobie bliscy, prawda?

W jego głosie pojawiła się jakaś dziwna nuta. Chciała umieć lepiej odczytywać wyraz jego twarzy, ale miał oczy ukryte za okularami słonecznymi.

– Razem dorastaliśmy – rzekła.

– Chłopak ze szkoły, tak?

– Jesteś na bieżąco z miejscowymi plotkami, ale to się działo bardzo dawno.

– On się nie zachowuje tak, jakby miał do czynienia ze starą znajomą.

– A jak się zachowuje?

– Jakby cię pragnął.

Głos Joego był ciepły i schrypnięty. Czuła, że się cała roztapia, dopóki nie zrozumiała, że Joe mówi o Andrew, a nie o sobie. Wyprostowała się. – To nie tak. Jesteśmy przyjaciółmi.

– Może powinnaś mu o tym powiedzieć.

– Powiedziałam. Dokąd poszła Rachel? Widziałam ją w kościele.

– Poszła z Devlinem na rozmowę z kimś tam – powiedział krótko.

Zmarszczyła brwi.

– Nie możesz się go pozbyć, Joe? Wygaduje mnóstwo głupot. Dziś rano w szpitalu ktoś mi powiedział, że Devlin uważa za prawdopodobne, iż to pan Jamison sam zabił swoją córkę. To nie w porządku. Przez niego wszyscy zaczną się nawzajem podejrzewać. Trzeba go powstrzymać.

– Mam wielką ochotę to uczynić, ale pan Devlin nie złamał prawa. – Joe przechylił głowę i popatrzył na nią z ciekawością. – Ty też wróciłaś do miasta. Kto, twoim zdaniem, zabił Abby?

– Nie mam pojęcia. Nie był to na pewno Shane. Miał kiepską opinię w szkole, bo był lekkomyślny i wybuchowy, ale miał bardzo dobre serce. Kiedyś pomógł mi wygrzebać się z trudnej sytuacji i wiem, że nie skrzywdził Abby.

– A co takiego ci się przytrafiło, Charlotte? To nie pierwszy raz, kiedy wspominasz o problemach w przeszłości.

– Nic ważnego. Wszyscy mamy jakiś bagaż doświadczeń. Jestem pewna, że ty też. Powinieneś iść poszukać żony.

– Tak, powinienem – rzekł, ciężko wzdychając. – Były czasy, kiedy nie musiałem jej szukać. Stare dobre czasy.

Kiedy Joe odszedł, Charlotte popatrzyła na Andrew. Był częścią jej starych dobrych czasów, ale także i tych złych wspomnień.

* * *

W niedzielne popołudnie Lauren z dreszczykiem oczekiwania otworzyła drzwi sklepu Pod Sercem Anioła. Jako nastolatka uwielbiała to miejsce. Weszła do środka, wciągnęła do płuc zapach tkanin i poczuła cudowne podniecenie. Nie było takie samo, jakie odczuwała, wchodząc do ciastkarni, ale podobne, zaraz na drugim miejscu.

Zatrzymała się żeby ogarnąć wzrokiem wnętrze: różnokolorowe bele materiału, wiszące patchworki na wszystkich ścianach, półki z nićmi, motkami, bibułami i książkami. Nie szyła od czasów szkolnych, ale nadal pamiętała dreszczyk emocji przy wybieraniu najlepszego materiału, wykończeniu pierwszego kwadratu, obserwowaniu, jak powstaje wzór. Wspólne szycie narzut było niczym gotowanie – z zaczynaniem od niczego i kończeniem z czymś nadzwyczajnym.

Za ladą siedziała kilkunastoletnia dziewczyna pogrążona w lekturze czasopisma, najpewniej znudzo-

~ 134 ~

na brakiem klientów. Wszyscy byli na górze, w dużym lofcie, gdzie miało się odbyć bociankowe dla Kary.

Zmierzając w stronę schodów, Lauren zatrzymała się, by popatrzeć na gablotę, gdzie znajdowała się pierwsza narzuta uszyta w Zatoce Aniołów. Wykonały ją dwadzieścia cztery kobiety, które uszły z życiem z zatopionego statku, aby uczcić pamięć rodzin i tych, którzy zginęli. Kwadrat zrobiony przez Leonorę znajdował się w prawym dolnym rogu. Wyszyte były na niej dwie złote obrączki i motyl w środku. Materiał pochodził z jasnobłękitnej sukni, którą nosiła w dniu ponownego spotkania z Thomasem. Obrączki symbolizowały połączenie ich serc, a motyl znalazł się tam dlatego, że tak pieszczotliwie zwracał się do niej Tommy.

Lauren uśmiechnęła się. Romantyczna opowieść zawsze ją urzekała i dlatego sama przy szyciu narzut odtwarzała ten kwadrat wiele razy. Czy ojciec nadal przechowywał je na strychu?

Odgłos śmiechów wyciągnął ją z przeszłości i z lekką obawą w sercu wspięła się na schody. Pomimo ciepłego przyjęcia przez Charlotte, Lauren nie była pewna, jak zostanie powitana przez inne koleżanki. Minęło dużo czasu, od kiedy się przyjaźniły, i była pewna, że niektóre będą jej miały za złe, że nie przyjeżdżała w odwiedziny do ojca.

Na samej górze zwolniła kroku. Było tam co najmniej ze trzydzieści kobiet. Na stołach, zazwyczaj zarzuconych szytymi patchworkami, leżały różowe obrusy i stały wazony z kwiatami. Maszyny do szycia zostały przesunięte pod ścianę, a w rogu piętrzył się wielki stos prezentów.

– Tak się cieszę, że przyszłaś – powiedziała na powitanie Charlotte, uśmiechając się. Miała na sobie ładną kwiecistą sukienkę i lekki sweterek, a blond włosy spływały jej luźno na ramiona. – Bałam się, że stchórzysz.

– Kusiło mnie, żeby stchórzyć. Tak nas tutaj dużo. Podobne imprezy jak bociankowe były obchodzone przez całą społeczność.

– Poszukajmy Kary – powiedziała Charlotte i wzięła Lauren za rękę.

Zrobiło się znajomo i ciepło jak wtedy, gdy były w przedszkolu. Wówczas Charlotte też wzięła ją za rękę i powiedziała, że wszystko będzie dobrze. I tak jak wówczas, Lauren pragnęła jej uwierzyć.

Kara na widok zbliżających się Charlotte i Lauren oderwała się od trójki kobiet. W brązowych oczach zabłysnęło coś, co wyglądało na szczery zachwyt.

– Lauren, przyszłaś! Charlotte mówiła, że cię zaprosiła, i tak bardzo się cieszę, że jesteś. – Uścisnęła Lauren.

Lauren poczuła się cokolwiek niezręcznie, odwzajemniając uścisk. Kiedy zaczęła się spotykać z Shane'em, zbliżyły się do siebie. Teraz, po tym wszystkim, co się zdarzyło, Lauren nie była pewna, co naprawdę Kara wobec niej czuła.

– Przyniosę ci ponczu, Lauren – rzekła Charlotte. – Mogę cię upić?

– Oczywiście. – Poczuła, że trochę alkoholu dobrze jej zrobi. Kiedy Charlotte odeszła, Lauren uśmiechnęła się do Kary. – Wyglądasz świetnie.

– Kłamczucha. Wyglądam koszmarnie – odparła Kara, kładąc ręce na ogromnym brzuchu. – Doceniam jednak komplement.

– Bardzo się zmartwiłam na wieść o Colinie.

Kara lekko skinęła głową.

– Dzięki. – Popatrzyła na torbę w ręku Lauren. – Nie musiałaś przynosić mi prezentu. Dopiero przyjechałaś do miasta.

Lauren wręczyła jej niewielkie pudełko przewiązane żółtą kokardą.

– To jest pozytywka, którą twoja matka podarowała mojej, kiedy była ze mną w ciąży, trzydzieści lat temu. Zawsze lubiłam przy niej zasypiać i pomyślałam, że może powinna wrócić do waszej rodziny.

Kara otworzyła pozytywkę, odsłaniając baletnicę wirującą w takt subtelnej muzyki.

– Jakie to słodkie. Mama kocha balet. Bardzo się rozczarowała, kiedy powiesiłam na kołku spódniczkę baletnicy. A Dee nie założyła jej nigdy. – Roześmiała się. – Może moja córeczka będzie tańczyć. – Uśmiechnęła się do Lauren. – Ten prezent bardzo się spodoba Colinowi. On uwielbia przedmioty, które mają związek z przeszłością, z kręgiem przyjaciół i z rodziną. Nie mogę się doczekać, żeby mu to pokazać.

– Cieszę się, że ci się podoba.

– Bardzo podoba. Czy wszystkich tutaj znasz?

Lauren popatrzyła na babski tłumek, który rzucał w jej stronę zaciekawione spojrzenia.

– Widzę sporo znajomych twarzy, ale kilka to zdecydowanie nowe osoby. Zdaje się, że to ja zamiast ciebie jestem w centrum uwagi. Nie powinnam chyba tu zostawać.

– Chyba żartujesz. Wcale nie tęskniłam, żeby być w centrum uwagi. Już trzy miesiące wszystko, co robię, jest nieustannie śledzone i komentowane. Teraz nareszcie wszyscy będą mówić o tobie, a nie o mnie. To ulga, na którą długo czekałam.

– Cieszę się, że mogę pomóc – powiedziała oschle Lauren. – Niemniej jestem pewna, że nikt cię nie osądza.

– Ludzie, którzy wierzą, że Colin się obudzi, żądają ode mnie, bym była silna i myślała pozytywnie, a ci, którzy uważają, że jestem stuknięta, bo jeszcze wierzę w przebudzenie Colina, żądają ode mnie oznak załamania. Prawda jest taka, że czasem ogarnia mnie optymizm, a czasem dopada zwątpienie. Wtedy czuję się winna, bo nie wolno mi tracić wiary. – Przerwała i wzięła głęboki oddech. – Dziś jednak będą rozmawiać o tobie i szczerze mówiąc, Lauren, to najlepszy prezent, jaki mogłaś mi dać. Trochę mi nawet ciebie żal, naprawdę.

– No cóż, wierzę.

Kara uśmiechnęła się.

– A zanim wszystkie one rzucą się na nas, powiedz jeszcze szybko, co się dzieje między wami, tobą i Shane'em?

– Nic – odparła Lauren, próbując zdusić płomyk nadziei, który zabłysł w oczach Kary.

– Shane powiedział mi, że się z tobą spotkał. Stare duchy wciąż pokutują?

– A mówił, że jakieś są? – Od razu pożałowała, że zadała takie pytanie. Poczuła się tak, jakby wróciła do szkoły.

– Shane nie mówi dużo, ale ja wiem, że wiele dla niego znaczyłaś.

– To było kiedyś, a teraz niczego między nami nie ma. – Próbowała zapomnieć, że o mało nie zaczęli się kochać wczoraj na plaży.

– To niedobrze. Zawsze myślałam, że jesteście dla siebie stworzeni. Ty mu łagodziłaś charakter, a on cię wyciągnął ze skorupy. – Kara obrzuciła Lauren badawczym spojrzeniem. – Może powinnaś mu dać jeszcze jedną szansę? Los połączył was znowu, a przecież oboje jesteście wolni, prawda?

– Ja jestem – przyznała. – Tyle że nie los mnie tu ściągnął. Przyjechałam pomóc ojcu. – Lauren poczuła ulgę, kiedy wróciła Charlotte z ponczem i przerwała tę rozmowę. Towarzyszyła jej smukła brunetka, której Lauren nie poznawała.

– To Jenna Davies – przedstawiła kobietę Charlotte i wręczyła Lauren szklankę z ponczem. – Jenna mieszka w Zatoce Aniołów dopiero od kilku miesięcy, ale jest spokrewniona z Gabriellą, dziewczynką z zatopionego statku.

– Naprawdę? – zakrzyknęła zdumiona Lauren.

– To znaczy, że jesteś krewną Rose Littleton, córki Gabrielli.

– To była moja babcia – odparła Jenna. – Niestety, nigdy jej nie poznałam. Zmarła, zanim przeprowadziłam się do Zatoki Aniołów. Wiesz, Rose oddała moją matkę do adopcji i dlatego nie wiedziałam wcześniej nic o jej istnieniu. Pomału uczę się historii Zatoki i bardzo się cieszę, że jestem spokrewniona z jedną z założycielek tego miasteczka.

– Pamiętam, jak Rose i ojciec ślęczeli nad starymi rodzinnymi dziennikami – powiedziała Lauren. – Moja prapraprababka Leonora była na tym statku, a ojciec miał obsesję na punkcie rodzinnej historii.

– Zamierzamy nauczyć Jennę wyszywać kwadrat, jaki zrobiła Gabriella, żeby mogła przejąć to zadanie jako oficjalna spadkobierczyni tradycji – wtrąciła Charlotte.

Lauren się uśmiechnęła. Należało do zwyczaju, że przy każdej możliwej okazji potomkinie ocalałych szyły patchworkową narzutę odtwarzającą historię Zatoki Aniołów.

– Wspaniale. Umiesz szyć, Jenno?

– Ani trochę. Wzięłam dopiero dwie lekcje i nadal mi to nie wychodzi. – Przerwała na dźwięk dzwonka komórki. – Przepraszam, muszę odebrać. Porozmawiamy jeszcze.

Lauren pociągnęła łyk ponczu i poczuła smak bourbona. Spojrzała w śmiejące się oczy Charlotte.

– Jesteś okropna, Charlie.

– Potem mi podziękujesz. – Charlotte odwróciła się od Lauren, kiedy dwie starsze kobiety wciągnęły ją i Karę do rozmowy.

Lauren rozejrzała się po sali i rozpoznała Dinę z kafejki, jej córkę, Liz, panią Stevens i panią Hooper, które były koleżankami matki, córkę Morta, Leslie i... serce jej podskoczyło na widok Lisy Delaney.

Lisa miała kasztanowe włosy i ciemne oczy, które kontrastowały z bladą, upstrzoną piegami cerą. Ubrana była na czarno, co podkreślało szczupłość jej ciała i bruzdy wokół oczu i ust. Wyglądała znacznie starzej i była niepodobna do tamtej dziewczyny, która godzinami przesiadywała na łóżku Abby i którą Lauren traktowała jak drugą młodszą siostrę.

Rodzice Lisy rozeszli się, gdy dziewczynka miała pięć lat. Została z matką, która bardziej interesowała się znalezieniem sobie drugiego męża niż opieką nad córką. Dlatego Lisa większość czasu spędzała z Abby.

Lisa podniosła wzrok i napotkała spojrzenie Lauren. Uśmiech jej znikł i wyglądała na nieco zakłopotaną. Wypadało jej się przywitać, a nie miała na to ochoty. Lauren rozumiała jej rozterkę. Po śmierci Abby Lauren i jej rodzice odtrącili Lisę, bo przypominała im o dziecku, które stracili. To nie było w porządku, ale tak się stało.

Lisa wyprostowała się, przeprosiła swoje rozmówczynie i skierowała się w stronę Lauren.

– Słyszałam już, że wróciłaś. Co u ciebie?

– Wszystko w porządku. A co u ciebie? – zapytała Lauren.

– Świetnie. Jak się czuje ojciec?

– Traci pomału zdrowie, jak zapewne wiesz.

– Tak, bardzo mi przykro.

Ton Lisy bynajmniej nie wskazywał, że było jej przykro. Wskazywał za to, że czuła się niezręcznie i najchętniej robiłaby zupełnie coś innego, niż prowadziła tę rozmowę.

– Cieszę się, że cię spotkałam – rzekła Lauren. – Przeglądałam wczoraj wieczorem rzeczy Abby i przypomniało mi się, ile czasu spędzałaś u nas w domu. Pomyślałam, że może chciałabyś coś na pamiątkę...

– Nie chcę rozmawiać o Abby – przerwała Lisa. – To ciągle za bardzo boli. Codziennie za nią tęsknię. Była dla mnie jak siostra.

– Wiem. – Lauren zawahała się, czy powinna teraz wspominać o podejrzeniach Devlina, ale nie wiedziała, jak długo pozostanie w mieście i czy będzie miała jeszcze okazję rozmawiać z Lisą. – Mark Devlin mówił mi o swoim filmie na temat zabójstwa Abby. Powiedział mi coś, co pewnie nie ma znaczenia, ale wzbudziło moją ciekawość.

– Ten człowiek wymyśla same kłamstwa – odparła szybko Lisa. – Nie powinnaś wierzyć w to, co on mówi, Lauren.

– Nie mam zamiaru mu wierzyć, ale powiedział, że byłyście widziane razem z Abby, jak siedziałyście w samochodzie przed domem trenera Sorensena. To było w sobotę wieczorem przed śmiercią Abby. Dla mnie to nie ma żadnego sensu, bo powiedziałaś policji, że tamtego wieczoru byłyście z Abby u ciebie. A jeślibyście tam były, to ciekawe, w czyim samochodzie, bo przecież żadna z was nie miała prawa jazdy.

Lisa zawahała się, skrzyżowała ręce i zaczęła przestępować z nogi na nogę.

– Byłyśmy w samochodzie Jasona Marlowa. Nikogo nie śledziłyśmy, tylko tak po prostu przejechałyśmy się po mieście. Nie wiem w ogóle, o czym mówiła tamta kobieta.

– Jason Marlow? – Słabo pamiętała tego chłopaka. Był od niej o rok młodszy i trzymał się z Colinem i Karą. – Nie pamiętam, żebyś kiedyś wspominała jego nazwisko.

– Naprawdę? Ja jestem zupełnie pewna, że podałam policji nazwiska wszystkich chłopców, z którymi choć raz rozmawiałyśmy.

Czy to była prawda? Od śledztwa minęło sporo czasu, a Lauren z pewnością nie znała wszystkich szczegółów.

– Nic nie powiedziałaś, że wyjeżdżałyście z Abby z domu tamtego wieczoru.

Lisa wzruszyła ramionami.

– Bo to nie miało żadnego znaczenia.

– A jesteś tego pewna?

– Ależ masz zmartwienie, Lauren. Dlaczego mnie tak maglujesz?

– Tylko próbuję zrozumieć, co się wtedy działo.

W oczach Lisy pojawił się błysk gniewu.

– Nic się nie działo. Obiecałam mamie, że będziemy cały wieczór siedzieć w domu, a tymczasem wymknęłyśmy się stamtąd na trochę. Nic wtedy o tym nie mówiłam, bo nie chciałam mieć kłopotów. To było dwa dni przed śmiercią Abby. Nie miało z nią zupełnie nic wspólnego.

Słowa Lisy przypomniały Lauren o tym, co powiedział Shane, kiedy twierdził, że jego potajemna wizyta w kancelarii prawniczej też nie miała znaczenia. A kobieta, która rozmawiała z Devlinem, ujawniła się dopiero teraz, bo była już po rozwodzie i mogła swobodnie o tym rozmawiać.

Ilu ludzi ukryło wtedy informacje, które zdawały się im nieistotne? A ilu w ogóle się nie ujawniło w obawie, że to, co widzieli, mogłoby oznaczać dla nich osobiste kłopoty? Czy to możliwe, że film Marka Devlina naprawdę wyciągał na światło dzienne nowe dowody?

– Powinnaś była to powiedzieć policji, Liso. Przynajmniej teraz powinnaś to powiedzieć.

– A dlaczego? Jason Marlow jest policjantem. Wie doskonale, co robiłyśmy tamtego wieczoru.

Lauren była zdziwiona.

– Jason Marlow jest gliną w tym mieście?

– Już od wielu lat. Devlin tylko mąci wodę, Lauren. Nie śledziłyśmy trenera. Dlaczego miałybyśmy to robić? Jeździłyśmy sobie po mieście, tak samo jak wiele razy przedtem, jak robiliście to ty i Shane, i wszystkie inne tutejsze nastolatki. Nie wiem, dlaczego to teraz wyciągać.

– Nie zdawałam sobie dotąd sprawy, że o czymś nie wiedziałam.

– Abby była naprawdę porządną dziewczyną, Lauren. Nie piłyśmy. Nie brałyśmy dragów, ani nie wieszałyśmy się na pierwszych lepszych chłopakach. Ona nie miała takich kłopotów, jakich ty sobie narobiłaś, kiedy wskoczyłaś na motocykl Shane'a. Ja nadal myślę, że Shane jest najbardziej podejrzany. Wiem, że nie chcesz tego słuchać, ale tak uważa większość.

Lauren pokręciła głową.

– On tego nie zrobił.

– Zaproponował Abby, że ją podrzuci do szkoły na motorze, ale nie zabrał jej tam. Zawiózł ją do domu Ramsayów. Próbował na nią wskoczyć, ale ona odmówiła, bo chciała być wobec ciebie lojalna. Shane się wściekł i ją zabił. Wszyscy znali go z tej strony. Zawsze wdawał się w szkole w bójki. Oto, co się stało, Lauren. Shane Murray zabił Abby. I dawno już powinien był za to zapłacić.

Po plecach Lauren przeszły ciarki. Taki dokładnie scenariusz naszkicowała przed lata policja i to sprawiło, że zwątpiła w Shane'a. A przecież znała go lepiej niż ktokolwiek inny. Nie powinna nigdy w niego zwątpić.

– Shane nie zabił mojej siostry – powiedziała zdecydowanym tonem. – Jest niewinny, zawsze był niewinny. Już dawno powinnam to była powiedzieć głośno wszem wobec.

Kiedy Lauren skończyła, spostrzegła, że po sali przeszedł szmer. Znalazły się z Lisą w centrum uwagi.

– Liso, powinnaś wyjść – odezwała się Kara. Wraz z nią podeszły inne kobiety Murrayów, a ich spojrzenia ciskały gromy. Nie miały zamiaru dopuścić do tego, by ktokolwiek w ich obecności źle mówił o członku ich rodziny.

W oczach Lisy pojawiła się skrucha.

– Naprawdę mi przykro, że to usłyszałaś, Karo. Chlapnęłam bez zastanowienia. – Odstawiła szklankę z ponczem i wyszła.

– Może ja też powinnam wyjść – powiedziała Lauren.

– Nic podobnego, ty zostajesz! – odparła zdecydowanym tonem Kara. Spojrzała na matkę i babkę. – Chyba pora rozpakować prezenty. Co wy na to?

Rozległ się pomruk aprobaty i kobiety wróciły do rozmowy. Matka i babka Kary podeszły do stołu z prezentami.

Kara zwróciła się do Lauren. Jej spojrzenie wyrażało wdzięczność.

– Dziękuję za to, co powiedziałaś o moim bracie.

– To była prawda. Należała się od dawna.

Kiedy Kara poszła odpakować podarunki, obok Lauren stanęła Charlotte.

– Wygląda na to, że stałaś się gwiazdą wieczoru.

– Mówiłam ci, że nie trzeba mnie było zapraszać.

– Każde takie spotkanie musi ożywić jakieś przedstawienie. Nie mogę uwierzyć, że Lisa powiedziała ci coś takiego na temat Shane'a. Naprawdę się zdenerwowała.

– Myślała, że ją atakuję, bo zapytałam, co robiły z Abby w sobotę wieczorem.

– A po co pytałaś?

– Ten producent filmowy powiedział mi o swoich podejrzeniach i chciałam je wyjaśnić. Pamiętasz trenera Sorensena?

– Pewnie. Połowa dziewcząt w szkole się w nim podkochiwała. A dlaczego pytasz?

Lauren wzruszyła ramionami, nie chcąc podrzucać nowych domysłów.

– Wzbudziłaś moją ciekawość – powiedziała Charlotte.

– Czy pan Sorensen nadal uczy w szkole?

– Tak. We wtorki prowadzę wykład o zdrowiu w jego klasie biologicznej. Nadal jest przystojny, ale żonaty. Erica cztery miesiące temu urodziła trzecie dziecko. – Charlotte przerwała. – Wciąga cię przeszłość, prawda? Czy na pewno jesteś gotowa zmierzyć się jeszcze raz z tym wszystkim?

– Nie mam wyboru. Boję się tylko...

– Czego?

– Odkrycia, że w ogóle nie znałam Abby.

– Znałaś swoją siostrę. Nie pozwól, żeby czyjekolwiek wątpliwości stały się twoimi.

– To trudne. Pogodziłam się z tym, że nigdy nie znajdziemy odpowiedzi. Teraz zaś wszystko się zmieniło. Muszę wiedzieć, co się stało.

– To może okazać się niemożliwe, Lauren. Sprawa stanęła w miejscu, bo nie było żadnych śladów.

– Tak myślałam, dopóki Mark Devlin nie wyskoczył z czymś, o czym nie wiedziała policja. Teraz zastanawiam się, co jeszcze przegapiono. Jakie jeszcze tajemnice ludzie ukrywają.

– To przyłącz się do nas – powiedziała Charlotte. – Jedyną rzeczą, jaką kobiety w tym mieście robią dobrze, jest plotkowanie o nie swoich sprawach.

Rozdział 10

Na przyjęciu nie odkryła jednak nowych tajemnic, co dla Lauren stanowiło ulgę, ponieważ wciąż próbowała wchłonąć informacje już uzyskane. Cieszyła się spotkaniem ze starymi przyjaciółkami i tym, że znów stała się częścią miejscowej społeczności. Zdumiało ją, jak łatwo się do niej znowu dopasowała.

Po powrocie do domu spędziła kilka godzin na sprzątaniu kuchni ojca, na układaniu rzeczy w szafkach i wyrzucaniu przeterminowanej żywności. Umyła podłogę, wyszorowała w środku lodówkę i przygotowała dobry obiad. Ojcu zdawał się smakować pieczony halibut, zielona sałata i warzywa. Nauczył ją czyścić i przyrządzać ryby, kiedy była jeszcze mała, i teraz z jakiegoś niezdrowego powodu pragnęła wywrzeć na nim wrażenie swoimi umiejętnościami kulinarnymi.

Rzecz jasna, najlepszym daniem obiadu była tarta ze świeżymi owocami z kremem cytrynowym lekko oprószonym cukrem. Wyglądała ślicznie jak z obrazka.

Uśmiechając się do siebie Lauren włączyła zmywarkę, po czym poszła do salonu. Ojciec podśpiewywał do wtóru z włoską operą na płycie kompaktowej i wydawało się, że jest w doskonałym humorze. Postanowiła rozmowę na temat jego zdrowia i sytuacji życiowej odłożyć na inny wieczór i była to właściwa decyzja. Przyjemnie było spędzić z nim czas nareszcie bez żadnej sprzeczki.

Wzięła niedzielną gazetę i ułożyła na stoliku do kawy. Salon także wymagał gruntownego sprzątnięcia. Może uda jej się wysprzątać codziennie po jednym pomieszczeniu, żeby w domu zaczęło błyszczeć i żeby wszystko znalazło się na swoim miejscu. Wtedy zamówi kogoś do sprzątania, żeby utrzymał tu porządek, i kogoś do gotowania ojcu posiłków.

Poszła do przedpokoju do szafy z bielizną pościelową i wyjęła prześcieradło i poszwy. Miała dość spania na rozsuwanej kanapie. Nadszedł czas, by zmierzyć się ze wspomnieniami i pościelić swoje łóżko.

Wejście do starej sypialni znów ściągnęło na nią wspomnienia. Rzuciła pościel na materac i zaczęła myśleć o przeszłości.

Usiadła na łóżku i przypomniała sobie o wszystkich wieczorach, które przegadały z Abby po zgaszeniu światła. Mówiły szeptem, w nadziei, że rodzice nic nie usłyszą. Z czasem jednak zawsze któraś z nich powiedziała coś śmiesznego i zaczynały chichotać. Wtedy przychodziła matka i kazała im być cicho. Cisza trwała zazwyczaj przez pięć minut po zamknięciu drzwi i znów wybuchały śmiechem.

Kiedy Abby czegoś się bała, wślizgiwała się do łóżka Lauren. Ogarnęła ją fala smutku, kiedy przypomniała sobie, ile razy powtarzała siostrze, że wszystko będzie dobrze. Że nic ma żadnych potworów ani żadnych złoczyńców. Że są bezpieczne. Wszystko miało być dobrze. Abby jej wierzyła. Lauren jednak się myliła, jeśli szło o potwory.

Pod jakim względem jeszcze się myliła?

Lisa zapewniła ją, że Abby niczego szczególnego nie planowała, ale możliwe, że i Lisa nie wiedziała o wszystkim.

Jeśli Abby miała jakąś tajemnicę, zapewne napisała o niej w pamiętniku – tym, którego nikt nigdy nie odnalazł. Czy tamtego dnia miała go w plecaku? Czy może schowała go, jak czyniła to wiele razy przedtem? Po tym, jak Abby przyłapała Lauren na zaglądaniu do pamiętnika, zaczęła chować go w różnych miejscach w domu. Na dnie pojemnika na brudne ubrania albo w głębi szafy z bielizną pościelową, pod łóżkiem rodziców, na półce w garażu.

Gdyby jednak Abby go gdzieś schowała, to czy ojciec nie zdołałby go znaleźć przez trzynaście lat?

Nie ruszył przecież niczego w tym pokoju, a reszta pokoi była zarzucona różnymi śmieciami. Czy pamiętnik mógł nadal być gdzieś w domu?

Lauren podeszła do biurka Abby i przejrzała zawartość szuflad, po czym wzięła się za komodę. Rodzice z policją przeszukali pokój po morderstwie, a więc śmieszne było oczekiwanie Lauren, że mogłaby teraz coś w nim znaleźć. Czuła jednak potrzebę zrobienia czegoś w tym kierunku. Po przeszukaniu miejsc oczywistych złapała się na oglądaniu fotografii, czytaniu kart urodzinowych i świadectw.

Po raz pierwszy zaczęła przypominać sobie dobre chwile, które razem spędziły. Abby była nie tylko tragiczną ofiarą.

Lauren wzięła z półki szkolny rocznik. Otworzyła go. Pierwsze strony były czyste, co ją zdziwiło. Gdzie się podziały wpisy od przyjaciół? Wtedy zrozumiała, że rocznik ukazał się już po śmierci Abby. A był to ten, który Abby najbardziej chciała zobaczyć, ponieważ cały rok robiła do niego zdjęcia.

Zaczęła go przeglądać, zastanawiając się, które zdjęcia robiła jej siostra. Nie były podpisane nazwiskiem autora, ale Lauren wiedziała, że z każdego wydarzenia

Abby robiła setki fotografii, mając nadzieję, że jedna lub dwie okażą się naprawdę dobre.

Setki fotografii... Myśl ta powracała. Abby i jeszcze dwie inne pasjami łapały ludzi w obiektyw w szczerych, często żenujących chwilach. To była szkoła średnia, więc im bardziej upokarzające zdjęcie, tym więcej było śmiechu.

Co się stało z tymi wszystkimi fotografiami? Opowiedziałyby historię ostatniego roku życia Abby. Jeśli miała jakiś sekret, chłopaka, o którym nikt nic nie wiedział, czy było możliwe, że uwieczniła go na kliszy? Policja mogła przejrzeć roczniki, ale czy obejrzała każde zdjęcie, które do nich zostało zrobione?

Jutro mogłaby pójść do szkoły i zapytać, czy są w niej jakieś archiwa. To było błądzenie po omacku, ale uwagi Marka Devlina ją rozstroiły, a wyjaśnienia Lisy dały jej jeszcze więcej do myślenia.

Wróciła do rozdziału o pierwszej klasie i przejrzała klasowe fotografie, aż natrafiła na Jasona Marlowa. Jego twarz uruchomiła w niej jakiś alarm. Był zdecydowanie pociągający z jasnobrązowymi falującymi włosami, brązowymi oczami i flirciarskim uśmiechem. Siostra mogła coś do niego czuć, a on nadal mieszkał w mieście. Może powinna złożyć mu wizytę. Była głupia, jeśli sądziła wcześniej, że wróci do domu, do niezakończonych spraw, i nie będzie chciała doprowadzić ich do końca.

Zamknęła rocznik i pokręciła szyją, próbując rozluźnić napięte mięśnie. Robiło się późno; może spędzi jeszcze jedną noc na kanapie. Wchłonęła w siebie dość przeszłości jak na jeden dzień.

Wyszła z pokoju i zamknęła drzwi. Muzyka operowa ucichła; usłyszała, że ojciec krząta się w kuchni.

Kiedy tam weszła, ogarnęła ją zgroza na widok panującego nieładu. Ojciec stał przy kuchence i ubijał jajka na patelni. Na blacie rozstawionych było mnóstwo misek, mleko, mąka, masło i jajka. Z tostera wystawały kromki chleba. W czajniku gotowała się woda. Ojciec podszedł do zlewu, wziął szklankę i napełnił ją wodą, po czym wstawił do szafki.

– Tato, co robisz? – zapytała.

– Pora na obiad. Jestem głodny.

– Zjedliśmy obiad dwie godziny temu. Zrobiłam ci halibuta.

Ojciec się roześmiał.

– Nie przyrządziłaś ryby od lat. Założę się, że nie wiesz już, jak to się robi.

– Dzisiaj zrobiłam – przypomniała. – Powiedziałeś, że ci smakuje.

– Jakie chcesz jajka? Jajecznicę czy omlet? – Wrócił do kuchenki i zaczął znów ubijać jajka. – Znasz sposób na najlepszą jajecznicę?

– Jaki?

– Dodaje się wody, nie mleka.

Odłożył mikser, po czym wyszedł z kuchni. Czekała chwilę, po czym dokończyła smażenie jajecznicy. Kiedy nie wracał, wyłączyła gaz i poszła go szukać. Był w sypialni i założył już piżamę. Przerzucał kanały telewizyjne.

– Tato, nie zjesz jajecznicy? – zapytała, czując ciężar w sercu.

Popatrzył na nią zmieszany.

– Kim jesteś? Co robisz w moim domu? – Skoczył na równe nogi i cofnął się pod ścianę. Otworzył szeroko oczy ze strachu.

– Jestem Lauren, twoja córka.

– Lauren nie mieszka już tutaj. Nienawidzi mnie. Nie przyjedzie do domu.

– Tato, to ja, Lauren – powtórzyła z rozpaczą, zdecydowana ściągnąć go z powrotem do rzeczywistości.

– Odejdź. Idź stąd. Wezwę policję.

Było widać, że naprawdę nie miał pojęcia, kim ona jest. Bał się jej, a ona była przerażona tym, co się z nim działo.

– Tato – powiedziała. – Proszę, popatrz na moją twarz. Chcę, żebyś przypomniał sobie, kim jestem. Jestem twoją córką. Lauren. Przyjechałam do domu, żeby się tobą zaopiekować.

Ojciec przyglądał się jej przez dłuższą chwilę. Raptownie zamrugał i przycisnął dłoń do skroni, jakby strasznie rozbolała go głowa.

– Tato? Dobrze się czujesz? Chcesz, żebym wezwała doktora?

– Doktora – powtórzył. – O czym mówisz, kochanie? Co tutaj robisz? Potrzeba ci czegoś? Właśnie miałem położyć się do łóżka.

Czy „kochanie" oznaczało ją, Abby, czy matkę? Któż to mógł wiedzieć. Łzy rozczarowania zalśniły w jej oczach.

– Lauren? – odezwał się pytająco.

Prawda o jego stanie mocno w nią uderzyła. Pomimo okresów jasności umysłu wciąż jej umykał. Nadejdzie dzień, kiedy nie wróci. Dzień, w którym nie będzie już wiedział, kim jest. Dzień, w którym ona utraci ojca na zawsze.

Całe lata powtarzała sobie, że ojciec jest jej niepotrzebny. Przestała zalewać się łzami, kiedy nie zadzwonił na jej urodziny ani na Boże Narodzenie, i udawała, że nic się nie stało. Dotąd jednak żył i był zdrowy. Gdyby naprawdę chciała, mogła zawsze pojechać i go zobaczyć. A teraz znikał, stojąc przed nią, i była to najbardziej przerażająca rzecz, jaką w życiu widziała.

– Zgaś światło, kiedy będziesz wychodzić, Lauren – powiedział ojciec, kładąc się do łóżka. – Zobaczymy się rano.

Patrzyła, jak układał sobie poduszki, po czym nacisnęła wyłącznik światła i zamknęła drzwi.

Poszła do kuchni, wzięła patelnię i wyrzuciła jajecznicę do kosza. Włożyła mleko, masło i pozostałe jajka do lodówki. Rozglądając się wokół, zobaczyła nie tylko bałagan w kuchni, ale także bałagan w swoim życiu. Jej doskonale kontrolowana egzystencja znalazła się w całkowitym chaosie. Nie miała pomysłu, jak poukładać ją z powrotem.

Nie mogła zostać dłużej w tym domu. Potrzebowała powietrza. Potrzebowała spaceru, by dać ujście nagromadzonej w ciele adrenalinie. Potrzebowała czegokolwiek.

Złapała płaszcz z wieszaka i skierowała się do tylnego wyjścia.

* * *

Shane tyle czasu spędził na morzu, że przyzwyczaił się do fal kłębiących się pod stopami, do podmuchów wiatru uderzających o łódź, do zapachu soli w powietrzu i światła księżyca tańczącego na oceanie. Usiadł na ławce na pokładzie i otworzył piwo. Wyciągnął nogi i oparł o burtę. Widział stąd łódź Neda Jamisona, pustą i ciemną. Czy Lauren przekonała już ojca do opuszczenia miasteczka?

Pił piwo, delektując się chłodem płynu spływającego w dół przełyku. Cały dzień myślał o Lauren. Czy poszła na policję powiedzieć, że się włamał do kancelarii tego wieczoru, kiedy została zamordowana Abby? Nie wiedział, dlaczego jej to w ogóle zdradził, skoro tyle lat utrzymał rzecz w tajemnicy. Może z powodu smutku w jej oczach, kiedy mówiła o Abby, albo lęku, który słyszał w jej głosie, czy razem z Abby nie znalazł się czasami w opresji.

A może od początku chciał jej to powiedzieć.

Zawsze chciał jej coś powiedzieć. Nie tylko o tym, ale o wszystkim, co do tego momentu doprowadziło. Jednak dał słowo, a gdyby go nie dotrzymał, wielu ludzi mogłoby ucierpieć.

Wyznanie prawdy zaś niczego nie przynosiło. Już za późno, żeby odwrócić ból, którego jej przysporzył. Niczego to nie zmieni.

Na dźwięk kroków spojrzał do góry. Przez chwilę myślał, że to Lauren, ale potem rozpoznał kobietę, która zbliżała się do łodzi. To była jego matka. Skoczył na równe nogi. Moira Murray nigdy nie przychodziła na przystań. Zawsze można ją było znaleźć w domu, w sklepie z narzutami albo na plotkach z przyjaciółkami w kafejce u Diny. Ruda fryzura zalśniła w świetle; matka rzuciła mu nerwowy uśmiech i zapytała, czy może wejść.

Podał jej rękę, a ona weszła chwiejnym krokiem. W wieku sześćdziesięciu trzech lat nadal była piękna i miała figurę znacznie młodszej osoby. Moira zawsze była siłą napędową rodziny. Radziła sobie ze wszystkimi: z mężem, pięciorgiem dzieci, domem i wszystkim, w co zechciała się zaangażować. Większość ludzi darzyła ją wielkim szacunkiem. Nie każdy znał ją tak dobrze jak Shane.

Od powrotu do Zatoki Aniołów odbywali tylko rozmowy w zasięgu uszu innych członków rodziny. To mu odpowiadało. Matka i on mieli wspólną historię, która nie nadawała się do publicznej wiadomości.

Moira usiadła na ławce.

– Byłam dzisiaj na bociankowym twojej siostry.

– Ach, tak? – Shane też usiadł. Może wizyta ma związek z Karą. Z tym sobie poradzi.

– Była tam Lauren Jamison.

Zesztywniał.

– Wdała się w gorącą sprzeczkę z Lisą Delaney na temat śmierci Abby. Lisa powiedziała o tobie jakieś złe rzeczy.

Wzruszył ramionami.

– Nie pierwsza i pewnie nie ostatnia.

Matka mocno zacisnęła wargi, a jej wzrok zdradzał, że w jej duszy toczyła się bitwa. Cokolwiek miała do powiedzenia, nie przychodziło jej łatwo, co utwierdziło go w przekonaniu, że nie chce tego usłyszeć.

– Lauren wzięła twoją stronę – odezwała się wreszcie matka. – Powiedziała głośno, żeby każda z nas ją usłyszała, że byłeś niewinny, że nie zabiłeś jej siostry. Jak dla mnie, za mało i za późno. Powinna stać po twojej stronie od samego początku.

– Miała siedemnaście lat. Zamordowano jej siostrę. Była zdruzgotana.

– I z chęcią pozwoliłaby, byś poszedł do więzienia. Nie zapominaj o tym. Tylko dlatego, że teraz cię broni, nie oznacza, że znów nie rzuci cię wilkom na pożarcie, zwłaszcza jeśli dojdzie do skutku ten cały film. – Moira wstała. – Martwię się, Shane. Znów są zadawane pytania. Typuje się podejrzanych. Nie wiem, do czego to prowadzi, ale nie sądzę, żeby się to dobrze skończyło. Boję się o ciebie.

– Nie zabiłem Abby. Mark Devlin nie będzie w stanie tego udowodnić.

– Zrobi z tego swoją historię, która może być dla ciebie niekorzystna.

– A nie chodzi ci czasem o to, że będzie niekorzystna dla ciebie? – zapytał cynicznie.

Nie zwróciła na to uwagi.

– Może powinieneś znów na jakiś czas wyjechać. Jeśli zostaniesz, znowu będziesz przesłuchiwany. Nie chcę, żeby ktokolwiek łapał cię za słowa. Pomyśl o tym. Muszę wracać, zanim ojciec się zorientuje, że wyszłam.

– Nie powiedziałaś mu, że się do mnie wybierasz? – zapytał, chociaż dobrze znał odpowiedź.

– On by nie chciał twojego wyjazdu. Ja zaś myślę o naszej całej rodzinie. Tak jak robię to zawsze.

Jego matka nigdy się nie troszczyła o niego, a on miał serdecznie dosyć, że był poniekąd jej wspólnikiem w przestępstwie.

– Powiedziałem Lauren, że Abby wpuściła mnie do kancelarii tamtego wieczoru – rzucił znienacka.

Twarz pobielała jej ze strachu.

– Och, Shane, jak mogłeś?

– Lauren myślała, że coś łączyło mnie z Abby i że ją zdradziłem. Nie zasłużyła na to, żeby żyć z tym przez resztę swojego życia.

– A powiedziałeś jej, dlaczego tam poszedłeś?

– Nie.

– Ona zacznie teraz zadawać pytania, skoro wie aż tyle. Musisz wyjechać, Shane. Podnieś kotwicę i wypłyń z tej zatoki. Nie wracaj, póki wszystko nie ucichnie. Wiem, że uważasz, iż martwię się tylko o siebie, ale to nieprawda. Mąż Kary jest w śpiączce. Czy nie mamy dość zmartwień? Obiecaj mi, że nie powiesz Lauren nic więcej.

Siedział w milczeniu.

– Shane?

– Nie wiem.

Rzuciła mu pełne rozczarowania spojrzenie.

– Nie myślisz poważnie o zejściu się z Lauren, prawda? Powiedziała wszystkim dzisiaj, że tutaj nie zostanie. Nie możesz cofnąć się w czasie i odtworzyć tego, co miałeś wcześniej.

– Powinnaś iść do domu. Tata pewnie się martwi, gdzie jesteś.

– Dobrze, Idę. – Wstała, po czym znieruchomiała. – Ranię cię, Shane, a nigdy nie miałam zamiaru. Sprawy zwyczajnie wymknęły się spod kontroli.

– Wiem. Stałem się po prostu stratą uboczną – powiedział pragmatycznie.

– Znaczyłeś dla mnie o wiele więcej. Byłeś moim synem i bardzo cię kochałam Nadal cię kocham. – Wciągnęła głęboko powietrze. – Dobranoc, Shane.

Podniósł piwo do ust i osuszył butelkę. Przez całe lata nie mówiła, że go kocha. Bez wątpienia zagrała teraz tą kartą, żeby zyskać jego milczenie.

Miłość – dziwaczny ideał, któremu mało kto potrafi sprostać, iluzja, w którą wierzą tylko głupcy. Dowiedział się o tym już dawno temu.

Przez jakiś czas ogarnęło go szaleństwo, bo myślał, że pokona przeciwności i że z Lauren może będzie inaczej. Jednak zniszczył ten związek. Jaka matka, taki syn. Jej kłamstwa stały się jego kłamstwami, a teraz nic już tego nie zmieni.

Rozdział 11

Lauren wiedziała, że jej spacer kończy się w porcie, gdzie kotwiczyła łódź Shane'a. Była prawie jedenasta, za późno, by mogła udawać, że tak po prostu przechodziła. Nie mogła nawet powiedzieć, że szuka ojca. Nadal obmyślała dobrą wymówkę, kiedy Shane wspiął się z dolnego pokładu i ją zobaczył. Był bosy, miał na sobie dżinsy i koszulę z dwoma rozpiętymi guzikami na górze. W brzuchu zatańczyły jej motyle.

Shane się nastroszył.

– Czego tu szukasz?

Nie wyglądał na ucieszonego jej widokiem. To była jej pierwsza myśl. Mógł mieć w kajucie kobietę i dlatego poczuł się zażenowany.

– Nie powinnam była przychodzić – powiedziała szybko.

– Pewnie nie, ale już tu przyszłaś.

– Jesteś sam?

– Chwilowo.

– Spodziewasz się kogoś?

– Lauren, wejdź na pokład albo idź do domu.

Wahała się chwilę, po czym weszła na łódź.

– Nie byłam pewna, czy mieszkasz na łodzi, czy też u rodziców w domu. A może masz jakiś inny dom?

– Mieszkam na łodzi.

– Zawsze czułeś się lepiej na wodzie niż na lądzie, prawda?

Skrzyżował ręce na piersi.

– Dlaczego przyszłaś, Lauren? Chyba nie na pogawędkę o moich warunkach mieszkaniowych.

Minęły lata, od kiedy przybiegała do niego ze wszystkim, lata od kiedy był jej dostatecznie bliski. Teraz jednak też się tu zjawiła.

– Potrzebuję przyjaciela.

– Przyjaciela – powtórzył zaskoczony. – I przyszłaś do mnie?

– Kiedyś byłeś moim najlepszym przyjacielem.

– Dobrze. Mogę być przyjacielem, jak sądzę – powiedział cokolwiek ponuro. – Co takiego cię gnębi?

– Nic nie idzie po mojej myśli. Ojciec. Film. Nie wiem, jak to wszystko poukładać.

– A kto powiedział, że to ty masz wszystko poukładać?

– Nikogo innego nie ma. Ugotowałam dziś obiad ojcu. Zjedliśmy razem i zachowywał się normalnie. Rozmawialiśmy, złapaliśmy ze sobą kontakt jak dawniej. Myślałam już, że się uda, że wystarczy mu załatwić do domu pomoc na przychodne w ciągu dnia. A tymczasem po dwóch godzinach on znów był w kuchni i robił sobie jajecznicę twierdząc przy tym, że nic nie jadł. Patrzył na mnie i mnie nie poznawał. Zasłonił się nawet rękami, jakbym go chciała uderzyć. Nigdy jeszcze na jego twarzy nie widziałam takiego strachu. – Pokręciła głową z rozpaczą.

– Oszukiwałam siebie, Shane. Ojciec potrzebuje profesjonalnej, prawdziwej pomocy. Odchodzi ode mnie, a ja nie wiem, co robić. Powiedz, co mam robić.

Przeczesał palcami włosy, a na jego twarzy pojawił się wyraz zatroskania.

– Nie wiem, Lauren. Nie wiem, czy ktokolwiek to wie.

– Nie mogę się tutaj przeprowadzić, bo to już nie jest mój dom. Wszystkim to powtarzam, ale nikt mi nie wierzy.

– Może tylko ty w to nie wierzysz.

– W tym mieście przeżyłam za dużo bólu i za dużo smutku. Gdzie tylko spojrzę, czają się wspomnienia. W San Francisco nie widzę odbicia Abby w oknie, ani jej sylwetki na końcu ulicy. Nie widzę ciebie ani też nikogo. – Przyznała się prawie, że część jej wspomnień dotyczy jego.

– To się z czasem zmieni. Kiedyś kochałaś Zatokę Aniołów, Lauren. Wstawałaś o piątej do pracy w ciastkarni Marty. Zabierałem cię stamtąd do szkoły, a ty miałaś mąkę na twarzy i najszczęśliwszy uśmiech, jaki kiedykolwiek widziałem.

– Te dni dawno minęły.

– A jednak cię ciągnie.

– Nie chcę tego. – Nie ciągnęło jej do miasta, ale do niego. Podszedł i położył jej ręce na ramionach. Napięła się, a potem rozluźniła, kiedy zaczął masować zesztywniałe mięśnie w jej karku. To było jak spacer po linie, ale nie zamierzała z niego rezygnować.

– Kiedy byliśmy młodzi, zawsze pachniałaś cynamonem – zażartował Shane. – Podniecałem się już, kiedy wąchałem twoje włosy.

– A ja myślałam, że to ja cię tak podniecam.

Uśmiechnął się, a jej serce zabiło mocniej.

Światło księżyca zatańczyło na jego twarzy, zalśniło w jego pięknych oczach, na mocnej szczęce i wydatnych ustach. Zdecydowanie nie powinna była tutaj przychodzić. Nie umiała nigdy odmówić Shane'owi.

Założył jej pasmo włosów za ucho i musnął palcem twarz w delikatnej pieszczocie.

– Zawsze to byłaś ty, Lauren. Zalazłaś mi głęboko za skórę i nigdy nie udało mi się ciebie stamtąd przepędzić.

Położyła mu rękę na piersi, kiedy przysunął się bliżej.

– Tylko pocałunek.

– Jeśli ty wchodzisz w grę, to nigdy nie jest tylko pocałunek. – Oblizała wargi i zobaczyła, że jego wzrok zawisł na jej ustach.

– Teraz to ty nie grasz uczciwie.

Nie miała ochoty grać uczciwie ani być odpowiedzialna czy rozsądna. Miała piekielny dzień, który wystarczał za tydzień, a nawet za całych trzynaście lat, jaki upłynęły od nocy, w czasie której musiała nagle dorosnąć. Próbowała zapomnieć o Shanie i utrzymać w ryzach wspomnienia, teraz jednak dobijały się, by wyjść na powierzchnię.

Może musiała wyprowadzić go poza swój świat, żeby zmierzyć się z przeszłością.

– Do licha z tym wszystkim. – Przycisnęła usta do jego ust. Gorąco jego warg przyśpieszyło jej tętno. Zawsze tak było. Żadnego budowania nastroju. Jedno dotknięcie i stawała w płomieniach.

Powiodła rękami wzdłuż jego ramion, czując silne bicepsy. Był większy i silniejszy, niż zapamiętała, i taki cudownie męski. Owinęła ramionami jego szyję i przyciągnęła go jeszcze bliżej. Uwielbiała, jak ją całował. Uwielbiała smak soli i piwa i sposób, w jaki jej ciało pragnęło stopić się z jego ciałem. Czuła się napięta, pulsująca bólem, rozpaczliwie go pragnąca, pragnąca jego rąk głaszczących ją, jego nagiej skóry ocierającej się o jej ciało. Zmęczyło ją opieranie się temu.

Dłonie Shane'a wślizgnęły się pod jej bluzę, a palce zaczęły flirtować ze spodem jej piersi. Miał tak gorący dotyk, że zadrżała.

Odsunął się, dysząc ciężko.

– Jeśli planujesz mi odmówić, to może zechcesz to zrobić teraz.

Powinna mu odmówić. Powinna stąd wiać jak najdalej. Tylko nogi jakoś nie chciały się ruszyć z miejsca. Ta chwila zbliżała się, od kiedy wjechała do tego miasta. Była nieuchronna. Pragnęła Shane'a ten jeden, ostatni raz...

– A może pokażesz mi kajutę? – zaproponowała.

Wyciągnął rękę i jego palce mocno ścisnęły jej palce, jakby się bał, że mogła zmienić zdanie. Potem sprowadził ją w dół schodów.

Kajuta była intymna i nastrojowo oświetlona jedną małą lampką przy łóżku. Przechodziło się najpierw przez kambuz, a za nim było podwójne łóżko wciśnięte między ściany.

– Przytulna.

– Chcesz się czegoś napić?

Potrząsnęła głową przecząco, widząc w jego oczach pytanie. Dawał jej czas, żeby to odwołała. Była to jednak ostatnia rzecz, na którą miała ochotę. Zdjęła bluzę i rzuciła na ławkę, a potem ściągnęła przez głowę obcisły top. Wzrok Shane'a z twarzy skierował się na jej piersi słabo okryte koronkowym stanikiem. Zarumieniła się lekko na myśl, co sobie teraz o niej pomyślał. Nie była już nastolatką i miała więcej krągłości, niż zapamiętał.

– Jaka jesteś piękna – westchnął.

Serce jej podskoczyło. Podeszła i odpięła guziki jego koszuli, po czym pomogła mu ją zdjąć. Powiodła rękami po jego dobrze zbudowanym ciele. Było twarde i opalone. Uwielbiała odrobinę ciemnych włosów na jego piersi, prężące się mięśnie brzucha, siłę w jego ramionach. Shane pachniał mydłem i morzem, mieszanką, od której kręciło jej się w głowie. Stanęła na palcach, szukając ustami jego ust.

Dłonie Shane'a zsunęły się z jej ramion i zaczęły gładzić nagą skórę pleców. Jednym szybkim ruchem odpięła biustonosz i zsunęła z ciała. Zamknął w dłoniach jej piersi i poczuła ogień od biustu po uda. Ustami powędrował od jej warg, przez policzek do obojczyka, gdzie wysunął język i opuścił się niżej, aż do sutków, wokół których zaczął wodzić kolistymi ruchami, aż zakrzyknęła z rozkoszy.

Zaczęła rozpinać mu dżinsy, a on odwzajemnił przysługę. Energicznymi ruchami nóg uwolnili się ze spodni i przywarli do siebie, skóra do skóry z radosną beztroską.

Dłońmi wodził po jej plecach, w górę i w dół, ściskał pośladki, przysuwając bliżej stwardniały członek.

– Lauren – wychrypiał szeptem, z ustami bardzo blisko jej ust. – Chciałbym się nie śpieszyć, ale chyba mi nie wyjdzie.

W niej płonął podobnie gorący ogień.

– Nie będziemy się śpieszyć następnym razem.

Te słowa wyzwoliły namiętną furię. Jego pocałunek stał się pełen żaru, brutalny, pożądliwy. Był to pocałunek mężczyzny, a nie chłopca. A ona nie była już nieśmiałą, wahającą się dziewczyną, ale kobietą, która wie, czego chce.

Pociągnęła go w dół na łóżko, czując pulsujący żar wszędzie tam, gdzie stykały się ich ciała. Ustami przesunął po jej piersiach i w dół brzucha. Wsunął rękę między jej nogi, sprawiając, że zaczęła drżeć. Potem dostał się tam ustami i wysłał ją poza wszelkie granice. Wykrzyknęła głośno jego imię i zacisnęła palce w jego włosach, kiedy ją całował. Nie miała jeszcze dość, chciała być jeszcze bliżej niego, pragnęła połączenia, za którym tęskniła od tak dawna.

Kiedy Shane sięgnął do szuflady przy łóżku po prezerwatywę, pomogła mu ją odpakować.

A potem znalazł się na Lauren i w niej w środku, poruszając się w sposób, który pamiętała, ale o wiele, wiele lepiej. Nie było już wywołującej ból przeszłości, nie było przyszłości, o którą się martwiła, była tylko chwila obecna. Ona miała Shane'a, a on miał ją, i nie chciała, by się to kończyło.

* * *

Shane długo nie mógł złapać oddechu. Minęło sporo czasu, nim uspokoiło mu się tętno i nim wchłonął wreszcie prawdę o tym, co się tu w ogóle, u diabła, stało. Pomyślałby, że to sen, gdyby głowa Lauren nie spoczywała na jego piersi, jej ramię nie owijało go w pasie, a jej noga nie była wsunięta między jego uda. To działo się naprawdę, cudownie naprawdę. Wciągnął zapach jej włosów i mocniej objął ją ramieniem.

Kiedy miała siedemnaście lat, była ładna, ale teraz była piękna. Podobała mu się dojrzalsza i bardziej niezależna. Chciał spędzać niekończące się miesiące na badaniu każdego centymetra jej ciała i pokazywaniu jej tego, czego nie mógł wyrazić w słowach.

Tylko że Lauren nie zamierzała tutaj zostać. To nie będzie początek niczego. Do licha, to może jest nawet koniec. Może Lauren chciała tylko tego ostatniego wspomnienia, aby raz na zawsze z nim skończyć.

– Bardzo szybko bije ci serce – odezwała się, palcami przeczesując mu zarost na piersi.

– To dlatego, że omal nie dostałem przez ciebie zawału.

Podniosła głowę i uśmiechnęła się. Oczy miała koloru głębokiego ciemnego błękitu, leniwe, wyrażające słodkie spełnienie.

– Mogę to samo powiedzieć o tobie. Było nawet lepiej, niż zapamiętałam. – Odwróciła się na bok i podłożyła sobie poduszkę pod głowę. – Nauczyłeś się paru rzeczy.

Przewrócił się na bok, żeby móc patrzeć jej w twarz.

– Ty też.

– Byliśmy tacy młodzi. Wiesz, że pierwszy raz robimy to w łóżku? Za pierwszym razem kochaliśmy się na plaży, a potem zrobiliśmy to w domku na drzewie, a potem wróciliśmy na plażę wieczorem przed...

– Przerwała i uśmiech jej zbladł. – Nie możemy zrobić tego znowu, wiesz.

– Czemu nie? – Jego palce ześlizgnęły się po jej ramieniu, zostawiając za sobą gęsią skórkę.

– Ponieważ to dla nas ślepa uliczka. Ja tu nie zostanę... a kto wie, jakie są twoje plany. Chciałam tylko się dowiedzieć, jak by to było z tobą teraz.

– Ja też chciałem się dowiedzieć – wyznał. – I było świetnie.

– Jest między nami taka chemia, jakiej z nikim innym nie doświadczyłam.

– Z nikim innym? – zapytał zdziwiony. Lauren nie umiała go okłamywać. Zawsze szczerze mówiła o swoich uczuciach i nigdy nie prowadziła przed nim żadnych gierek. Była to jedna z wielu rzeczy, które mu się u niej podobały.

– Z nikim – potwierdziła, nie wyglądając na szczęśliwą, że się do tego przyznała. – Jednak jeszcze nie przestałam szukać.

Chciał, żeby przestała szukać. Chciał, żeby została z nim, co go piekielnie przerażało. Nie byli już dziećmi marzącymi o niekończącym się szczęściu. A on nigdy nie wierzył w jedną kobietę życia, w długie małżeństwo, życie domowe za białym parkanem. Przynajmniej tak sobie kiedyś powiedział. Prawda zaś była taka, iż Lauren wywoływała w nim zawsze pragnienie rzeczy, które były niemożliwe do spełnienia.

Przewrócił się na plecy i wbił wzrok w sufit.

– Co takiego powiedziałam? – zapytała z oczami wypełnionymi powagą. Uniosła się i podparła na łokciu. – Znowu zaszyłeś się w tym swoim mrocznym zakamarku.

– Jestem tylko zmęczony.

– Nic sądzę. Już widziałam wcześniej to spojrzenie, Shane. Kiedy byłam młoda, myślałam, że się na mnie wściekasz, ale teraz myślę, że jesteś zły na siebie, a ja nie wiem dlaczego.

– Nie jestem na nikogo zły. Nie wiem, dlaczego kobiety zawsze muszą tak analizować każdy gest swoich mężczyzn.

– To nasze powołanie – odparła lekko. – Nie zamierzasz mi powiedzieć, o czym myślisz, prawda?

– Nie.

– To ja będę mówić. Byłam u Joego Silveiry wczoraj, po rozstaniu z tobą.

Napiął się, czekając na dalszy ciąg.

– Nie powiedziałam mu, że byłeś z Abby w kancelarii, chociaż nadal mogę to zrobić. Zależy to od tego, co się jeszcze okaże.

– To zależy od ciebie.

– Byłoby łatwiej, gdybyś mi po prostu powiedział, po co tam poszedłeś, czego szukałeś i kogo osłaniasz.

– Nie mogę, Lauren.

Wydała z siebie pełne frustracji westchnienie.

– Dlaczego nie chcesz mi zaufać?

– Tu nie chodzi o ciebie.

– Ta tajemnica, którą ukrywasz… To od niej tak pochmurnieje ci spojrzenie, prawda?

– Jesteś bardziej pewna siebie niż zwykle – burknął, pragnąc, by zboczyła z tematu.

– Kiedy byłam młodsza, twoje łajanie sprawiało, że się denerwowałam. A teraz jestem po prostu ciekawa. – Przerwała. – A czy kiedyś dopuścisz mnie do tej swojej tajemnicy?

– A po co jest ci to potrzebne? Powiedziałaś mi właśnie, że to romans jednej nocy.

Skrzywiła się.

– Nie cierpię, kiedy masz rację.

Uśmiechnął się.

– W takim razie musisz mnie bardzo nie cierpieć.

Uszczypnęła go w ramię.

– Oj, to boli!

– I dobrze! Zatem, skoro nie będziemy rozmawiać i dzielić się tym, co czujemy – dodała z łobuzerskim uśmiechem – mam inny pomysł.

– Jaki? – zapytał, po czym odwrócił się, by dostrzec grzeszny błysk w jej oczach.

– Możemy zrobić którąś z tych rzeczy, których nie robiliśmy jako nastolatki.

– Naprawdę? Chcesz mi pokazać?

– Oczywiście.

Przełożyła mu nogę przez pas i dosiadła go. Jej bujne włosy wiły się między pięknymi piersiami, a on zatracił się raz jeszcze.

* * *

Lauren obudziło światło wczesnego brzasku. Słyszała łodzie wypływające na poranny połów. Był poniedziałek, początek pracowitego tygodnia, i zastanawiała się, czy Shane musi też wypłynąć na ryby. Nie przejawiał żadnych oznak pośpiechu, by wstać. Zwinął się w kłębek za nią z twarzą ukrytą przy jej szyi, a jedną nogą przyciskał ją do materaca. Był cudownie ciepły, a kiedy pogłaskał ją po brzuchu, poczuła takie samo porażenie prądem, które połowę poprzedniej nocy trzymało ich bez snu. Powiedziała sobie, że przynajmniej się nim nasyci, a po wszystkim zaspokoi także swoją ciekawość.

Ha! Teraz przypomniała sobie dokładnie, jak dobrze pasowały do siebie ich ciała, jak bardzo kochała jego dotyk i jak bardzo kochała jego... Zaciągnęła hamulec dla tych myśli. To nie była miłość. To tylko pożądanie. Nie mogło przecież być nic więcej. Nawet gdyby nie wyjeżdżała, jakże mogła być z człowiekiem, który miał swoje tajemnice i je przed nią ukrywał. Z człowiekiem, który zawsze jedną nogą był poza domem.

– Przestań rozmyślać. Napinasz się – mruknął Shane.

– Muszę iść. – Zsunęła się z łóżka, żeby nie zmienić zdania, i ubrała się bardzo szybko, cały czas świadoma, że Shane z wyrzutem się jej przygląda. Rzuciła mu krótkie spojrzenie i zaraz tego pożałowała. Wyglądał nieodparcie przystojnie z ciemnym zarostem na szczęce, z rozczochraną seksownie czupryną, pełnymi wargami i niewiarygodnie pięknym konturem ust. Przełknęła z trudem. Dlaczego, do licha, musiał być taki przystojny?

– Do czego tak się śpieszysz? – zapytał Shane. – Nie ma jeszcze szóstej.

– Chcę znaleźć się w domu, zanim wstanie ojciec. – Naciągnęła bluzę. – Poza tym na pewno musisz zająć się swoim dniem. Nie masz ryb do łowienia czy czegoś w tym rodzaju? – W świetle księżyca było łatwiej zagubić się w fikcji na temat jej i Shane'a. Poranne słońce przypominało, że ta fikcja nie istnieje.

Shane wstał z łóżka, włożył bokserki i dżinsy, po czym podszedł do niej.

– Nie musisz uciekać, Lauren. Pozwól, że zrobię ci kawę.

– Napiję się już w domu.

– Boisz się, że coś powiem?

Bardziej bała się tego, co sama mogła powiedzieć.

– Ja... Nie za dobrze odnajduję się w porannej konwersacji po seksie. Oboje wiemy, że wczorajsza noc to było tylko wspomnienie starych czasów.

– Pewna jesteś, że tylko tyle?

– Tak. Przecież zamknęliśmy przeszłość. Zraniliśmy się nawzajem. A teraz pragniemy innych rzeczy, mamy inny styl życia.

– Pewna jesteś, że wiesz, czego chcesz, Lauren?

– Jestem. Na pewno nie ciebie – rzuciła, po czym wybiegła.

Rozdział 12

Do najpiękniejszej dziewczyny na świecie:
te kwiaty przypominają mi Ciebie. Zadzwoń.
Andrew

Charlotte odłożyła bilecik i przyjrzała się bukietowi żółtych stokrotek, które Andrew przysłał jej do biura. Ten człowiek uparcie starał się, żeby ją odzyskać. Żeby ją zdobyć po raz pierwszy, nie musiał aż tak mocno się starać. Czy głupio zrobiła, upierając się przy tym, żeby go odepchnąć? Matka pewnie powiedziałaby, że tak, ale matka nie znała całej historii jej przygód miłosnych.

Wzięła do ręki słuchawkę, ale zawahała się i ją odłożyła. Dziś nie było na to czasu. Miała pełen grafik przyjęć pacjentów, zwłaszcza że jej koleżanka Harriet Landon właśnie poszła do domu ze zwolnieniem na cały dzień.

Wepchnęła kartkę do szuflady i wyszła na korytarz do pierwszego pokoju badań. Zdjęła z drzwi kartę, zastukała, po czym weszła do środka. Kobieta siedząca na krawędzi stołu w wiskozowym fartuchu okazała się nikim innym jak Ericą Sorensen, żoną trenera. Erica była atrakcyjną, ale zmęczoną kobietą, grubo już po trzydziestce. Parę miesięcy temu urodziła trzecie dziecko. Formalnie była pacjentką Harriet Landon i Charlotte widziała ją tylko raz w czasie mierzenia ciśnienia krwi.

Erica nie wydawała się zadowolona jej widokiem.

– Gdzie jest doktor Landon?

– Poszła do domu, bo źle się czuje.

– W takim razie powinnam się zapisać na inny termin – skrzywiła się Erica.

– Z przyjemnością panią zbadam, jeśli sobie pani życzy. Czy coś szczególnego się dzieje, czy to tylko badanie kontrolne?

– Nie mogę z panią rozmawiać. Zna pani za dużo ludzi.

– Zapewniam, że wszystko, o czym rozmawia się w tym pokoju, jest poufne – rzekła Charlotte.

Erica popatrzyła na nią przeciągle i surowo. Wreszcie powiedziała:

– Boję się, że mam chorobę weneryczną.

– Jakie pani odczuwa objawy?

– Nie mam pewności. To jakoś... Byłam w ciąży, potem urodziło się dziecko i nie mogłam się porządnie wyspać. Dlatego nie miałam ochoty na seks i boję się, że mąż mógł skoczyć na bok.

Charlotte zachowała spokój, chociaż w środku chciało się jej śmiać.

– Cóż, sprawdzimy. – Umyła ręce i założyła rękawiczki. – Proszę się położyć na plecach.

Erica nie poruszyła się.

– Wiem, że ta dziewczyna, Annie, mieszka z panią. Sprzątała nam dom. Miała przychodzić raz w tygodniu, kiedy mąż i ja byliśmy w pracy. Raz wróciłam wcześniej, a oni rozmawiali. Pili herbatę. Zrobił jej herbatę! Mnie nigdy nie robi.

Charlotte wyczuła, dokąd zmierza Erica, ale nie miała zamiaru jej pomagać, więc milczała.

– Czy Annie powiedziała, kim jest ojciec jej dziecka? – spytała Erica.

– Nie mogę odpowiedzieć na takie pytanie.

– Wielu mężczyznom trudno było się jej oprzeć, zwłaszcza jeśli nie mieli pod ręką żon. Trudno żonie rywalizować z piękną młodą dziewczyną, która ma doskonałą figurę i nie ma dzieci, nie musi zajmować się domem, pracą i małżeństwem. Wie pani, jak jest ciężko? Nie, pani nie jest mężatką. Na pewno pani nie rozumie.

Charlotte zaczęła za to rozumieć, że Erica jest na skraju wyczerpania psychicznego. Była podenerwowana, pobudzona i za mocno błyszczały jej oczy. Kiedy Erica paplała, Charlotte przeczytała notatki doktor Landon z poprzedniej wizyty. Doktor Landon wysunęła diagnozę depresji poporodowej, ale Erica nie zgodziła się na wizytę u psychiatry, twierdząc, że nic jej nie jest, że jest tylko przepracowana, zmęczona i czuje się przegrana.

– Boję się, że ojcem dziecka Annie może być mój mąż – dokończyła raptownie Erica.

– Zapytała pani o to męża? – spytała spokojnie Charlotte.

– Oczywiście, że nie. Jakżebym mogła? – Erica zsunęła się ze stołu. – Chcę poczekać z badaniem na doktor Landon. Nic pani nie powie, prawda? Nie powinnam z panią rozmawiać. Byłam głupia.

Oddech pacjentki stał się szybki i urywany. Oparła się ręką o biurko, żeby utrzymać równowagę.

– Proszę oddychać – poleciła Charlotte i pomogła Erice przejść do krzesła. – Kręci się pani w głowie?

– Ja się tylko boję – odparła Erica. – Nie wiem, jak sobie z tym wszystkim poradzić.

Charlotte kucnęła przed nią.

– Powinna pani porozmawiać z psychiatrą. Doktor Raymond jest świetną specjalistką, może pani bardzo pomóc.

– Pani myśli, że jestem wariatką.

– Myślę, że żyje pani w za dużym stresie. Niedawno urodziła pani dziecko i poziom hormonów dopiero dochodzi do normy. Nie sypia pani. Kiedy czujemy się rozbici, czasami problemy wydają się większe niż są w rzeczywistości.

– Jestem po prostu zmęczona. To zapewne wszystko. Tim jest dobrym mężem. Troszczy się o nas. Mam tylko poczucie winy, że ostatnio nie sprawdzałam się jako żona. Pomyślę nad wizytą u doktor Raymond, ale teraz chcę już iść do domu.

– Oczywiście. I proszę nie przejmować się tym, że pani ze mną rozmawiała. Nasza rozmowa jest objęta tajemnicą lekarską.

– Dziękuję.

– Jeśli będzie pani czuła, że powinna się pani poddać badaniom, proszę nie zwlekać zbyt długo z wizytą u doktor Landon. – Charlotte zdjęła rękawiczki i wyszła z pokoju. Na korytarzu przystanęła, żeby złapać oddech. Czy Tim Sorensen był istotnie ojcem dziecka Annie? Czyż Erica nie zasugerowała właśnie, że jej mąż ma pociąg do młodych dziewcząt?

Lauren pytała ją też o trenera Sorensena na spotkaniu u Kary, o coś, co miało związek z Abby. Czy do Abby też czuł pociąg? Czy może ona wyciąga teraz szalone wnioski? Tak czy inaczej, nie wolno jej było nic w tej sprawie powiedzieć ani tym bardziej zrobić.

* * *

Jedynym sposobem na pokonanie frustracji i gniewu, jaki znała Lauren, było zabrać się do pieczenia.

Koło pierwszej po południu Lauren zrozumiała, że posunęła się za daleko. Zaczęła od upieczenia paru ciasteczek, a wyszło z tego ciasto bananowe, mufinki z jagodami i dwie tarty truskawkowe. Na blacie piętrzyły się teraz desery, a jej nie przychodził do głowy żaden pomysł na ich wykorzystanie.

Rozległ się brzęczyk. Wyjęła z piekarnika ostatnią tacę ciasteczek i wyłączyła gaz. Poczuła powiew chłodnego powietrza na rozgrzanej twarzy, kiedy ojciec wszedł przez kuchenne drzwi.

– Co my tutaj mamy? – zapytał w zdumieniu.

– Pomyślałam, że mógłbyś zanieść ciastka i mufinki do Morta i innych przyjaciół w rewanżu za zapiekanki, które od nich dostajesz.

– To bardzo miło z twojej strony. Nie wiem tylko, czy mam dość przyjaciół, żeby dali radę to wszystko zjeść – powiedział z uśmiechem.

Ojciec wydawał się w dobrym humorze, nie zdradzając najlżejszych oznak utraty pamięci, która dotknęła go poprzedniego wieczoru. To był podstawowy problem tej choroby. Łatwo było dać się zwieść pozorom, że ojciec nie jest w takim złym stanie, ponieważ pomiędzy epizodami choroby zachowywał się normalnie.

– Byłeś cały czas w kawiarni? – Rozkład dnia ojca obejmował wypad do kafejki Diny na śniadanie i partyjkę kart z kolegami.

– Zaszedłem do swojego dawnego sklepu. Wnuk Waltera Brady'ego położy ten interes, jeśli będzie tak nierozważny. Sprzedaje towar za pół ceny bez żadnego powodu. – Ned przerwał, słysząc pukanie do drzwi kuchennych. – Otworzysz? Muszę iść do łazienki.

Lauren otworzyła drzwi i ze zdumieniem ujrzała za nimi Shane'a. Przeszył ją lekki dreszcz, a kiedy spojrzenie ciemnych oczu przylepiło się do jej ciała, poczuła budzący się w ciele żar. Jedno spojrzenie i przypomniała sobie wszystko. To, jak ją całował, jak dotykał i poruszał się w jej wnętrzu. Wciągnęła głęboko powietrze.

– Co ty tutaj robisz?

– Przyjechałem po twojego ojca – powiedział sucho. – Poprosił, żebym go wziął na morze na parę godzin. Nie martw się, nie przyszedłem zobaczyć się z tobą.

– Nie martwiłam się. – Nie podobała jej się obecna chłodna sztywność między nimi, nie mogła jednak winić za nią Shane'a. To ona zaledwie parę godzin temu powiedziała mu wprost, że nie życzy go sobie w swoim życiu.

Shane otworzył szeroko usta, kiedy wszedł do kuchni.

– Szykujesz się do sprzedaży wypieków?

– Pomyślałam, że zrewanżuję się paru osobom, które są tak dobre, że podrzucają od czasu do czasu jedzenie ojcu. Kiedy zdążyliście się umówić na łódkę? Rano nic nie powiedziałeś.

– Natknąłem się na niego godzinę temu. Tak jakoś wyszło przy powitaniu. Wiem, że lubi sobie popływać, a wolę go zabrać, niż go potem ścigać.

– To bardzo szlachetnie z twojej strony.

– To nie jest żadne poświęcenie. Lubię twojego ojca.

– Masz z nim więcej wspólnego niż ja – powiedziała, uświadamiając sobie, że dużo w tym jest prawdy.

Shane wzruszył ramionami i złapał z talerza ciasteczko z masłem orzechowym. Włożył je do ust i pochłonął w dwóch kęsach.

– Wspaniałe. Zapomniałem, jak świetnie piekłaś.

– To żadna sztuka.

– Cóż to za nagła skromność? Zawsze rozpowiadałaś, że będziesz robiła najlepsze wypieki w tym mieście.

– To przecież nie było zbyt ambitne, prawda?

– Co to znaczy? – Zmrużył oczy.

– To przecież nie jest zbawianie świata ani też inne ważne zadanie. Zapomniałam ci wczoraj powiedzieć, że odkryłam, iż ojciec odłożył dla Abby trochę pieniędzy. Chciał sfinansować jej marzenie o zostaniu biologiem morskim.

– Czasami twój ojciec zachowuje się jak dupek.

– Właśnie mówiłeś, że go lubisz.

– Na pewno nie powiedział ci, że dał Abby pieniądze.

– Nie on, a szef policji. Jednorazowa wpłata w dniu śmierci Abby wydała mu się interesująca.

Oczy Shane'a dziwnie błysnęły.

– W dniu jej śmierci twój ojciec wpłacił na konto pieniądze?

– Na studia. Nie chciał, żeby wiedziała o tym mama.

– Data wpłaty jest nieco dziwna.

– Myślę, że to zbieg okoliczności. Tak czy inaczej postąpił sensownie. Tato i Abby byli sobie nadzwyczajnie bliscy. Kochali te same rzeczy, a on chciał, żeby Abby zdobyła wykształcenie, na które nie mogli pozwolić sobie jego rodzice. A ona na to zasługiwała. Na pogrzebie każda zabierająca głos osoba mówiła o tym, jaka Abby była obiecująca i jakie to tragiczne, że ktoś z takimi możliwościami umiera tak młodo. Nadal myślę, że wszyscy oni mieli słuszność. To nie powinna być Abby.

– Jeśli chcesz przez to powiedzieć, że to powinnaś być ty...

– Nie zamierzałam aż tak się zapędzać, ale Abby była wyjątkowa i uważam, że jej nie doceniałam. Była moją młodszą siostrą, często uprzykrzoną, z którą musiałam dzielić się pokojem, która korzystała z moich rzeczy i zużywała rano całą ciepłą wodę w łazience.

– To też była prawda. Ludzie nie są jednowymiarowi. Abby miała wady.

– Trudno je sobie teraz przypomnieć. – Przerwała.

– Ani szef policji, ani Mark Devlin nie wierzą, że Abby zabił ktoś bawiący tu przejazdem. Są przekonani, że zrobił to ktoś miejscowy, ktoś, kto ją znał. – Pokręciła głową. – Nie umiem sobie wyobrazić, kto mógłby to być.

– Słyszałem, co o mnie powiedziałaś wczoraj na przyjęciu Kary – powiedział Shane. – Matka mi przekazała, że wstawiłaś się za mną.

– O wiele za późno.

– Niemniej jestem wdzięczny.

Do kuchni wszedł ojciec, bardzo uradowany. Zapał w oczach odmłodził go o dziesięć lat.

– Jestem gotów.

– Powinniśmy wziąć na drogę jakieś ciasteczka. – Shane skierował na Lauren pełne nadziei spojrzenie.

– Zapakuję w plastikowy pojemnik – zgodziła się.

– Może wybierzesz się z nami, Lauren? – zaproponował ojciec. – Założę się, że cały ten czas nie wsiadłaś na łódź.

Wsiadła tego wieczoru, kiedy tu przyjechała i go poszukiwała, ale nie miała zamiaru psuć mu teraz humoru.

– Nie jestem wam potrzebna. – Spojrzała na Shane'a ciekawa, co on myśli o tym zaproszeniu.

– Możesz płynąć, jeśli masz ochotę – rzekł Shane, jakby nic go to nie obchodziło.

– Płyń z nami – naciskał ojciec. – Dobrze ci zrobi, jeśli łykniesz trochę świeżego powietrza.

Zaledwie parę godzin temu postanowiła, że nie zobaczy się więcej z Shane'em, a teraz proszę, zastanawiała się nad kolejnym zaproszeniem. Jednak miał być z nimi jej ojciec i może dobrze byłoby spędzić z nim trochę czasu w jego żywiole.

– Dobrze – powiedziała. – Zrobię tylko porządek z jedzeniem i jestem gotowa.

* * *

To wspaniały dzień na morską wycieczkę, pomyślała Lauren. Świeciło słońce, wiatr ucichł, a fale były łagodne. Ojciec usiadł na ławce ze wzrokiem utkwionym w horyzont. Na jego twarzy malowała się niezmącona radość. Kiedy wystawił twarz do słońca, zamknął oczy i głęboko oddychał, czuł, że żyje w zgodzie ze światem.

– Dzięki tobie ma wspaniały dzień – powiedziała Shane'owi, który stał za sterem.

– Cieszę się, że mogłem pomóc.

– Brałeś go już na łódź, prawda?

– Parę razy – odparł ze zwykłym u siebie wzruszeniem ramion. – Złowiliśmy razem trochę ryb po moim powrocie do Zatoki Aniołów.

– Mówił coś o mnie?

Uśmiechnął się leniwie.

– Rozmawialiśmy głównie o wędkowaniu i przynętach, których należy używać – fascynujące tematy.

Wśliznęła się na stołek obok niego. Opływali właśnie cypel i nie mogła nie zauważyć dziwnych oznakowań na skalnej ścianie i grupy obserwujących coś ludzi na górze.

– Co się dzieje na klifie?

– Parę miesięcy temu wnuk Henry'ego Miltona nagrał kamerą coś, co wyglądało jak anioły latające wokół cypla i rzeźbiące jakieś znaki, rodzaj mapy na skale. Od tamtej pory przychodzą tutaj ludzie, żeby zobaczyć anioły, pomodlić się albo odgadnąć, czy przypadkiem skały nie mają im coś do powiedzenia.

Odchyliła głowę, przyglądając się pilnie skale.

– Widzę kobietę z długimi włosami rozwianymi na wietrze. – W myśli ukazała się jej twarz Abby, ale to nie Abby była tu wyrzeźbiona. – Pewnie teraz wycieczki do aniołów staną się miejscową atrakcją.

– Nie wierzę w anioły – powiedział Shane.

– I w wiele jeszcze innych rzeczy. – Shane był cynikiem, od kiedy go znała. – To niesamowite, jacy jesteście różni z Karą. Ona wydaje się bezgranicznie wierząca.

Shane nie odpowiedział, ale nie spodziewała się odpowiedzi. Był skłonny dzielić się z nią ciałem, ale nie sercem ani duszą, zdecydowanie nie.

Skierowała wzrok na horyzont, kiedy odbili bardziej od brzegu. Płynęli prawie dziesięć minut bez słowa. Fale urosły nieco i wyciągnęła rękę, żeby utrzymać równowagę. Zamiast na poręczy, położyła dłoń na ramieniu Shane'a, ale szybko ją cofnęła.

– Przepraszam.

– Nie musisz przepraszać za to, że mnie dotykasz – powiedział i wyciągnął do niej rękę.

Chciała stawić mu opór, ale ścisnął mocniej jej palce w ośmielającym geście. Jego ciepły uśmiech pieścił jej twarz. Nie była w stanie wyrwać dłoni.

– Czuję się jak ryba – powiedziała nagle. – Twój uśmiech, twoja ręka, twój dotyk… To przynęta, a ja nadal się na nią łapię i nadal się wkręcam.

– Nie tak znowu łatwo. Staczasz przedtem godną walkę.

– Jeśliby tak było, nie znalazłabym się przy tobie tak szybko po porannej deklaracji niepodległości. – Przerwała i spojrzała mu w oczy. – Nie sądzę jednak, że naprawdę chcesz mnie złapać.

– Dlaczego to mówisz?

– Ponieważ długie intymne związki śmiertelnie cię przerażają.

– To zbyt ogólnikowe stwierdzenie.

– Czy w ciągu dziesięciu ostatnich lat byłeś w jakimś dłuższym związku?

– Ciężko by było, bo nie zabawiałem nigdzie dłużej niż parę miesięcy.

– Zmieniałeś miejsca pobytu z wyboru. Jeślibyś chciał żyć inaczej, tobyś żył. – Przyjrzała mu się w zamyśleniu. – Naprawdę zostaniesz teraz w Zatoce Aniołów? Czy to możliwe, żeby Zatoka ci wystarczyła?

– Może nie wystarczy – rzekł krótko. – Moje plany są nieustalone.

– A zatem zostawiasz sobie więcej możliwości. To mnie nie dziwi. – Shanc nigdy nie lubił się do niczego zobowiązywać. Mogłaby oddać mu wszystko, czego by chciał, a on i tak mógłby wyjechać. Wiedziała to już jako siedemnastolatka. Wyjęła dłoń z jego dłoni.

– Usiądę teraz przy tacie.

Poszła na rufę i usiadła na ławce obok ojca.

Otworzył oczy i spojrzał na nią uradowany.

– Nie ma nic lepszego od tego, Lauren.

– Jest przyjemnie – zgodziła się. – Realny świat wydaje się odległy o milion kilometrów.

– Gdybym mógł wybrać sobie sposób odejścia z tego świata, to chciałbym wsiąść na łódkę i wyruszyć na pełne morze. Znalazłbym doskonałą, błękitną wodę, daleko od lądu, gdzie ryby same wyskakiwałyby na powierzchnię. Tam bym został, dryfując do końca.

Było to przyjemne marzenie, ale nie sądziła, żeby się udało wcielić je w życie.

– Musiałbyś walczyć ze sztormem, chorobą, brakiem wody i jedzenia. Byłbyś także samotny.

– Na morzu nie czuję się samotny. Towarzystwa dostarcza natura – ptaki, ryby, wiatr, chmury, a nawet deszcz.

Nie mogła sobie wyobrazić samotnego rejsu po morzu. Umarłaby ze strachu.

– W porządku, Lauren. – Poklepał ją po ramieniu. – Nie musisz tego rozumieć. Masz duszę swojej matki. Jej zawsze było lepiej na lądzie. Za to Shane, on rozumie. Ma morze w duszy. – Wskazał głową Shane'a, który stał do nich obrócony plecami.

– Dlaczego teraz go lubisz? – spytała Lauren. – Kiedyś myślałeś, że ma coś wspólnego ze śmiercią Abby. Co się zmieniło?

– Oślepiał mnie gniew. Żałuję tego.

– A zatem nie wierzysz, że mógł skrzywdzić Abby?

– Nie. Za bardzo cię kochał – powiedział Ned i popatrzył jej w oczy.

– Byliśmy wtedy dziećmi. Nie wiedzieliśmy w ogóle, co to jest miłość – odparła, lekceważąc jego słowa.

– A teraz? – zapytał cicho jej ojciec. – Już nie jesteście dziećmi. A skoro macie kolejną szansę na miłość, powinniście z niej skorzystać. Pomyśl o Leonorze i Tommym.

Uśmiechnęła się.

– To taka romantyczna historia.

Odwzajemnił uśmiech.

– To cała ty, zatopiona w historiach z przeszłości. Abby nie lubiła czytać starych pamiętników. Nie miała zamiłowania do historii.

– To prawda – potwierdziła Lauren. Może ona i ojciec mieli ze sobą jednak coś wspólnego.

Shane zawołał ją, przerywając rozmowę. Wróciła do sterówki. Zwolnił i pokazał jej kilka delfinów, które z wdziękiem i dużą szybkością ślizgały się po wodzie.

– Jakie piękne – westchnęła.

– Tak – przytaknął uśmiechnięty. Nie patrzył jednak na delfiny, tylko na nią.

I tym swoim uśmiechem zapadł jej w serce jeszcze trochę głębiej.

Rozdział 13

Była piąta, kiedy Lauren z ojcem wrócili do domu. Ojciec jednak nie został długo. Lauren zaczęła zdawać sobie sprawę, że pomimo pogarszającego się stanu umysłu prowadził ożywione życie towarzyskie. Miał krąg przyjaciół, w większości owdowiałych albo po rozwodzie, którzy mnóstwo czasu spędzali razem. Tego wieczoru planował się spotkać ze swoją paczką w barze Murraya na obiedzie, a potem mieli napić się piwa i obejrzeć mecz futbolowy na dużym ekranie.

Ona, przeciwnie, stała na straconej pozycji. Musiała zająć czymś czas, żeby nie wyjść z domu w poszukiwaniu Shane'a. Zanim ojciec się wybrał, poruszyła zatem trudny temat.

– Tato, pomyślałam, że może ci tutaj posprzątam i poukładam – powiedziała. – Mogłabym popakować twoje stare ubrania i oddać dla biednych. Trzeba by było także przejrzeć rzeczy Abby.

Uśmiech szczęścia na twarzy ojca znikł.

– Pomyślałaś, że możesz je wyrzucić, prawda?

– Tylko ubrania i buty, nic osobistego, żadnych pamiątek. W którymś momencie będzie to trzeba zrobić. Kto to zrobi, kiedy mnie tu nie będzie? Nie lepiej, żebym teraz zrobiła choć trochę? Niczego nie zmienię w pokoju. Zrobię tylko porządek w szafie.

Ojciec wahał się dłuższą chwilę.

– Zgoda, ale nie dotykaj łóżka ani biurka.

– Dobrze. – Poczuła się lżej po swym małym zwycięstwie. Kiedy ojciec poszedł do pokoju dziennego wyjęła z szafki rolkę toreb na śmieci i poszła do korytarzyka.

Po paru minutach rozległ się dzwonek do drzwi. Usłyszała głos ojca wołający, że otworzy, ale zaraz wychodzi.

Złowiła uszami dźwięk kobiecego głosu, po czym rozbrzmiały w korytarzyku kroki. Spodziewała się Charlotte albo Kary i dlatego zaskoczył ją widok Lisy Delaney stojącej w drzwiach. Ostatnia ich rozmowa nie była szczególnie przyjacielska.

Lisa wkroczyła do pokoju i krew odpłynęła jej z twarzy. Oparła rękę o ścianę, żeby nie upaść.

– O mój Boże! Nie wiedziałam, że pokój ciągle wygląda tak samo. Myślałam, że twoi rodzice dawno temu go uprzątnęli. Jest zupełnie taki, jakby Abby ciągle tu była. – Skierowała wzrok na łóżko Abby. Dolna warga jej zadrżała, a oczy zwilgotniały. – Prawie widzę siedzącą tutaj Abby z tym głupim królikiem w objęciach, wyrzucającą z siebie tysiąc słów na minutę. – Lisa podeszła do korkowej tablicy i dotknęła przypiętych szpilką biletów na koncert. – Miałyśmy razem iść na ten koncert. – Odwróciła się i popatrzyła na Lauren i na worki do śmieci w jej rękach. – Sprzątasz pokój?

– Zamierzam zacząć od szafy.

– Mogę porozmawiać z tobą gdzie indziej? Tu dłużej nie dam rady.

– Oczywiście. – Lauren poszła za Lisą do salonu. – Dobrze się czujesz?

– Niezupełnie. Jak możesz wytrzymywać w tym pokoju?

– Przyzwyczajam się. Chcesz usiąść?

– Nie, chcę tylko przeprosić za swoje wczorajsze impulsywne zachowanie i za to, co powiedziałam na temat Shane'a, chociaż nadal uważam, że mówiłam prawdę. Nie miałam jednak zamiaru cię atakować, kiedy zapytałaś mnie o tamten sobotni wieczór. – Lisa spojrzała w stronę korytarza, jakby obawiała się, że może się w nim pojawić duch Abby. – Może mogłybyśmy porozmawiać na ganku.

Lauren otworzyła drzwi frontowe i wypuściła Lisę na zewnątrz.

– Lepiej? – Czuła teraz dla Lisy dużo większe współczucie niż poprzedniego dnia. Stała przed nią tamta dziewczyna, taka, jaką ją zapamiętała, ta, która była najlepszą przyjaciółką Abby i która wylała wiadra łez, kiedy Abby zginęła.

– Tak, dzięki. Nie spodziewałam się, że pokój Abby wygląda dokładnie tak samo, jak przed laty. Zupełnie jakby wyszła na spacer i zaraz miała wrócić.

– To mną też wstrząsnęło – przyznała Lauren. – Ojciec nie potrafił pozbyć się jej rzeczy. Próbuję zaprowadzić w nich jakiś ład, póki tu jestem.

– Jak długo będziesz?

– Jeszcze nie wiem na pewno. – Lauren oparła się o balustradę ganku. – Nigdy nie myślałam, że ty tutaj zostaniesz, Liso. Zawsze mówiłaś, że to miasteczko jest dla ciebie za małe.

– Nadal tak jest, ale jestem zbyt leniwa na wprowadzanie w życiu dużych zmian. Mama przeprowadziła się parę lat temu i zostawiła mi dom. Pracuję w Błękitnym Pelikanie i mam faceta. Prowadzi bar. Zamierzamy wziąć ślub.

– To wspaniale, bardzo się cieszę.

– Dzięki. Wracając do rzeczy, chciałam tylko, żebyś wiedziała, że Abby nie zrobiła przed śmiercią niczego niestosownego. Wiem, że ten filmowiec chce, żeby wyglądało to tak, że Abby miała jakąś mroczną tajemnicę, ale tak nie było.

– Bardzo się cieszę, że to mówisz. – Lauren zawahała się, niepewna, czy powinna zapytać, ale mogła to być jej jedyna okazja.

– A czy Abby czuła do kogoś miętę?

– Czuła miętę do wielu chłopaków. Miała piętnaście lat. Każdego tygodnia pojawiał się nowy. Pamiętasz szkolne czasy, prawda?

– A nie wiesz przypadkiem, z kim uprawiała seks? – To pytanie nie dawało jej spokoju, od kiedy Joe Silveira powiedział jej, że Abby nie była dziewicą.

Lisa otworzyła szeroko oczy ze zdziwienia.

– Skąd możesz wiedzieć, czy uprawiała seks?

– W czasie autopsji szukano też śladów napaści seksualnej. Nie znaleziono ich, ale wyszło na jaw, że nie była dziewicą.

– Naprawdę? To pewne? – Lisa była zaskoczona. – Nie wierzę, że Abby nic mi nie powiedziała. Z kim mogła spać?

– A Jason Marlow? Jakie relacje łączyły was obie z Jasonem?

– Jednego wieczoru jeździliśmy tylko w kółko po mieście i wypiliśmy po drinku. Był w porządku, ale czuł coś do Kary Murray.

Lauren zmarszczyła brwi.

– Przecież Jason był najlepszym przyjacielem Colina.

Lisa wzruszyła ramionami.

– Dalej coś do niej czuje.

– To dziwne, że kobieta, która was wtedy widziała, nie zauważyła w aucie chłopaka.

– A czy to pewne, że w ogóle nas widziała? Może po prostu chciała załapać się do filmu. – Lisa przerwała. – Umówmy się na drinka przed twoim wyjazdem. Byłaś dla mnie zawsze kimś w rodzaju starszej siostry i miło byłoby utrzymać kontakt. – Westchnęła głęboko. – Będzie to trudne, ale jeśli chcesz, żebym pomogła ci w sprzątaniu pokoju Abby, to pomogę.

Lauren uniosła brwi.

– Poważnie? Omal tam nie umarłaś.

– No cóż, tobie musi tam być jeszcze trudniej.

– Dziękuję za pomoc, ale dam sobie radę.

– To dobrze – powiedziała Lisa z wyrazem ulgi na twarzy. – Chciałabym ci bardziej pomóc, Lauren, lecz jak widać, nie wiedziałam o Abby wszystkiego, bo nie miałam pojęcia, że nie była dziewicą. – Jej twarz stężała. – Myślę, że nigdy nie zna się nikogo tak dobrze, jak się sądzi.

* * *

– Nie muszę dzisiaj tam iść – powiedziała Jasonowi Kara, kiedy odprowadził ją aż na schody centrum medycznego Redwood. Zajęcia z naturalnego porodu miały się zacząć za pięć minut, ale to Colin miał być jej partnerem i nie do pomyślenia było, żeby ktokolwiek inny miał jej pomagać w czasie porodu.

– Musisz. Będziesz rodzić za dwa tygodnie – przypomniał Jason.

– Ale jeśli to naturalny poród, to dlaczego muszę chodzić na zajęcia? Czy wszystko nie przyjdzie samo, naturalnie?

Uśmiechnął się.

– Nie wiem, to nie moja działka.

– To dlaczego mnie tu zaciągnąłeś?

– Bo zachorowała twoja matka, a ty potrzebujesz partnera.

Skrzywiła się. Wcale nie chciała iść na zajęcia z matką, ale samo tak wyszło. A kiedy matka zadzwoniła, by zakomunikować, że źle się czuje, Kara miała wrażenie, jakby dostała zawieszenie wyroku. Na nieszczęście rozmowę podsłuchał Jason i uparł się, że pójdzie z nią na zajęcia.

Otworzył przed nią drzwi. Weszła z ociąganiem. Kiedy razem kierowali się do windy, poczuła się winna swoich mieszanych uczuć. Nie czekała z radością na tę lekcję ani też na narodziny córeczki. Pragnęła tego dziecka od zawsze, ale nie tak, nie bez męża.

Weszli do środka salki, w której tłoczyło się sześć kobiet wraz z mężami. Wszystkie wyglądały na szczęśliwe i promieniejące, a ich mężczyźni na troskliwych i opiekuńczych. Kara poczuła mdłości.

– No chodź! – Jason wziął ją za rękę i wciągnął przez drzwi.

Zobaczyła, że jeden z mężów głaskał ciężarny brzuch żony. Potem pochylił się i pocałował ją w usta, a jego ręka nadal spoczywała na dziecku.

– Nie mogę – szepnęła. – Jest za ciężko.

– Karo, pomogę ci.

Wiedziała, że chciał pomóc. Mogła dostrzec zmartwienie w jego oczach i najszczerszą determinację.

– Nie tak miało być, Jasonie.

– Ale jest – powiedział poważnie. – Dziecko przyjdzie na świat, a ty musisz się na to jak najlepiej przygotować.

– Przyjdę na następną lekcję. W sklepie jest wieczór szycia. Mam pomóc babci. Przyjedzie też ktoś z prezentacją.

– Prezentacja nie rozpocznie się przed ósmą. Będziesz miała dość czasu, żeby zdążyć.

Kara zmarszczyła brwi.

– A skąd ty wiesz, kiedy rozpoczynają się wieczory szycia? Rozmawiałeś z moją mamą? Założę się teraz, że dlatego byłeś u mnie, kiedy zadzwoniła. – Dała ci wskazówki.

– Ktoś musi ci dać kopa w tyłek. Wiem, że wierzysz w przebudzenie i powrót Colina i w to, że będzie przy tobie w czasie porodu. Ja mam ogromną nadzieję, że tak się stanie. Jeżeli jednak nie, też musisz być przygotowana.

Przerwała im instruktorka z ciepłym zapraszającym uśmiechem.

– Dzień dobry, Deborah Cummings – przedstawiła się. – Jestem dyplomowaną położną i poprowadzę dzisiejszą lekcję. Państwo są...

– Kara Lynch – burknęła. – A to Jason Marlow, mój partner. Mąż nie mógł dzisiaj tu przyjść.

– W porządku – powiedziała gładko Deborah. – Proszę wejść i zająć wygodne miejsce. Za chwilę zaczniemy.

Kara znała jeszcze dwie kobiety, które obdarowała słabym uśmiechem, po czym usiadła na macie na podłodze. Jason kucnął przy niej. Instruktorka zajęła się rozmową z inną ciężarną.

– Myślałam, że pracujesz wieczorem we wszystkie poniedziałki – powiedziała Kara, żeby oderwać się od widoku innej szczęśliwej pary.

– Tym razem mam nocną zmianę.

– I tak chcesz spędzać swój wolny czas?

– No, może wolałbym być gdzie indziej.

Uśmiechnęła się na widok jego nie najszczęśliwszej miny. Prowadząc ją tutaj, czuł się bardzo pewnie, ale teraz, w otoczeniu ciężarnych brzuchów, zdawał się trochę roztrzęsiony.

– Zaczekaj, aż zobaczysz film o porodzie. Podobno to warte obejrzenia widowisko.

– Super.

– Sam chciałeś tu przyjść – wytknęła.

– Dla ciebie wszystko, Karo.

Wiedziała, że mówił poważnie i wzruszała ją jego przyjaźń. Czuła się też z lekka zawstydzona.

– Przepraszam, że taka ze mnie jędza. Jesteś niesamowity, Jasonie. Robisz dużo więcej, niż nakazuje poczucie obowiązku.

– Zasługujesz na jeszcze więcej... ty i Colin.

– Czuję się niezręcznie, że zabieram ci tyle czasu. Co się stało z dziewczyną, z którą spotykałeś się dwa miesiące temu?

Wzruszył ramionami.

– Nie pamiętam.

– Co takiego? Tyle jest kobiet w twoim życiu, że ich nawet nie pamiętasz? – Podniosła brwi zdziwiona.

– Przychodzą i odchodzą – powiedział lekkim tonem.

To była prawda. Rzadko spotykała Jasona z jedną kobietą więcej niż raz. Chciała, żeby znalazł sobie kogoś, na kim naprawdę będzie mu zależeć i żeby założył rodzinę, nie wiedziała jednak, czy to kiedyś dojdzie do skutku. Jason nie pozwalał nikomu się do siebie zbliżyć. Ona i Colin byli wyjątkiem. Odkąd pamiętała, prowadzali się we trójkę niczym muszkieterowie.

Czasami myślała, że Jason wykorzystywał ich jako wymówkę, żeby nie wypłynąć na szersze wody i nie założyć własnej rodziny. Z Colinem zaprzyjaźnił się, kiedy byli jeszcze mali. Obaj pochodzili z rozbitych rodzin i w sobie odnaleźli braci. Jason prawdopodobnie czuł się tak samo zagubiony bez Colina jak ona. Możliwe, że dlatego spędzał z nią tyle czasu.

– Musisz znaleźć kobietę, która będzie chciała zostać – rzekła. – Jesteś przyzwoitym facetem. Każda powinna uważać się za szczęściarę, że cię ma.

– Wątpię. Zwłaszcza teraz.

Słysząc nutę gniewu w jego głosie, popatrzyła na niego w zamyśleniu.

– Co to ma znaczyć?

– Ten scenarzysta hollywoodzki był parę dni temu na posterunku. Chciał się dowiedzieć, czy w szkole umawiałem się z Abby na randki. Sugerował, że coś nas wtedy łączyło. Nie zdziwię się, jeśli to ja skończę w tym filmie jako morderca wskutek kaprysu jego wyobraźni.

– To idiotyczne. Skąd mu przyszło do głowy, że cokolwiek łączyło cię z Abby?

– Lisa Delaney rozpowiada bzdury.

Teraz Karę ogarnęła ciekawość. Podczas bociankowego nie usłyszała rozmowy Lisy i Lauren, ale to oczywiste, że spierały się o morderstwo.

– A co Lisa rozpowiada?

– Nie przejmuj się tym.

– Czy kiedykolwiek umówiłeś się z Abby? – zapytała, wyczuwając, że nie o wszystkim ma ochotę jej powiedzieć.

– Lekcja się zaczyna.

To nie była odpowiedź.

– Jasonie, jeśli łączyło cię coś z Abby, to dlaczego nigdy nic o tym nie powiedziałeś?

– Nic takiego się nie stało. Trochę się przytulaliśmy na paru imprezkach, ale to wszystko.

Nie patrzył jej prosto w oczy, co ją zastanowiło.

– A czemu tak się wkurzasz?

– Nie wkurzam się.

– Nie zachowujesz się spokojnie.

– Ćwicz oddech, Karo. Teraz tylko o to masz się martwić.

Chciała, żeby to była prawda. Jednak ćwiczenie oddechu było najmniejszym z jej zmartwień i prawdopodobnie najmniejszym z jego zmartwień.

Rozdział 14

Lauren wypchała dwa wielkie plastikowe worki ubraniami i butami Abby, które następnego dnia miała zamiar oddać potrzebującym. W szafie nie pozostało nic poza drucianymi pustymi wieszakami na drążku ze starego drewna. Założyła za ucho kosmyk zapoconych włosów i wpatrzyła się w tę pustkę. Niełatwo było przeglądać rzeczy Abby. Cały czas miała przed oczami siostrę – a to ubraną w ulubiony T-shirt albo w wytarte dżinsy, albo też w wielkich kapciach z króliczymi pyszczkami, które dostała na Boże Narodzenie. Wśród ubrań siostry znalazła też swój sweter i przypomniała sobie, że Abby wzięła go bez pytania. Tak właśnie postępują siostry. Dzielą się rzeczami, tylko nie wszystkim innym.

Kiedy przeglądała ubrania Abby, przeszukała każdą kieszeń w nadziei, że znajdzie coś, co mogłoby stanowić ślad, ale niczego nie znalazła. Nadal nie wiedziała, kogo Abby lubiła i z kim mogła uprawiać seks.

Zawsze obiecywały, że opowiedzą sobie o swoim pierwszym razie, ale musiała przyznać, że sama też nie wtajemniczyła siostry we własne pierwsze doświadczenie. Może z czasem powiedziałaby jej o tym, ale wtedy to było zbyt świeże. Poza tym w tygodniach poprzedzających śmierć Abby mało się widywały. Chodziły innymi drogami, w zupełnie innych kierunkach. Gdyby poświęciła więcej uwagi siostrze, może powstrzymałaby ją przed pójściem do domu Ramsaya. Może jej siostra nadal by żyła.

Wzdychając ciężko, zawiązała worek i przyciągnęła pod ścianę. Sięgnęła, żeby wyłączyć światło, ale cofnęła rękę. Wiedziona impulsem powiodła dłonią po deskach podłogi, żeby sprawdzić, czy któraś nie jest obluzowana, czy pod którąś nie ma przypadkiem skrytki. Ściany były otynkowane, a półka na górze pusta. W szafie z pewnością nie było pamiętnika. Zgasiła światło. Wychodząc z pokoju, pomyślała, że w domu jest bardzo cicho. Kiedy dorastała, zawsze było w nim wiele osób: jej rodzice, brat i siostra, sąsiedzi, koleżanki i koledzy. Teraz straszył pustką. Możliwe, że dlatego ojciec większość czasu spędzał poza domem. Nie mógł się stąd wyprowadzić, ale nie mógł też wytrzymać w pustych ścianach.

Wchodząc do kuchni, usłyszała huk, a potem szczekanie psa sąsiadów. Wyjrzała przez okno, ale nie zobaczyła niczego poza zwykłym obrazem podwórza, nad którym zapadał zmierzch. Gwałtowniejszy podmuch wiatru przedarł się przez drzewa i poruszył krzewy róż wzdłuż płotu. Coś musiało się przewrócić na sąsiednim podwórzu.

Oderwała się od okna, kiedy zadzwonił dzwonek przy drzwiach. Drgnęła nerwowo. Czemu była taka rozstrojona? Zapewne dlatego, że pół nocy spędziła, rozmyślając o morderstwie, zastanawiając się, czy odpowiedzialna za nie osoba nadal mieszka w Zatoce Aniołów.

Kiedy wyjrzała przez dziurkę od klucza na zewnątrz, jej napięcie zelżało na widok Charlotte na ganku. Otworzyła drzwi z ulgą.

– Porywam cię – oznajmiła Charlotte. – Weź torebkę i płaszcz.

– Przepraszam?

– Słyszysz przecież. Nie przyjmuję do wiadomości odmowy. Wiem, że ojciec jest w barze, a Mort zapewnił mnie, że dopilnuje, by wrócił bezpiecznie do domu. Nie dostrzegłam też nigdzie w pobliżu czatującego Shane'a, przypuszczam więc, że jesteś sama.

– Nie jestem ubrana do wyjścia – zaprotestowała Lauren. – Sprzątałam.

– Dżinsy świetnie się nadają na nasze wyjście – Charlotte postukała w zegarek. – Czekam.

– Jesteś jak mój szef.

Charlotte uśmiechnęła się.

– Musiałam przecież coś przejąć od matki.

Lauren złapała płaszcz i torebkę, po czym wyszła na ganek i zamknęła za sobą drzwi. Była wdzięczna, że Charlotte jej przerwała. Głucha cisza w domu grała jej na nerwach.

– Dlaczego nie możesz mi powiedzieć, gdzie idziemy? – zapytała, kiedy szły ulicą.

– Bo mi odmówisz. Obiecuję, że dobrze się zabawisz. – Charlotte uśmiechnęła się do Lauren wesoło. – Czuję się jak za dawnych lat. Ty i ja znów razem. Cieszę się, że postanowiłaś zostać tu przez parę dni. Jak się mają sprawy z ojcem?

– Zmiennie. W jednej chwili czuje się świetnie, w następnej nie wie zupełnie, kim jest.

– Powinnaś porozmawiać z lekarzem ojca. Czy nadal chodzi do Harry'ego Meyersa?

– Tak. Dzwoniłam do doktora Meyersa, ale odpowiedział, że dopóki ojciec nie wyrazi na to zgody, nic może ze mną rozmawiać o jego stanie zdrowia.

– A czy ojciec nie pozwoli ci rozmawiać z lekarzem?

– Nie w tej chwili. Boi się, że dowiem się, jak poważny jest jego stan, i wtedy przycisnę go o pełnomocnictwo i zmuszę do wyjazdu. Chce tu mieszkać do śmierci. Nie wiem, co robić.

– Choroba Alzheimera jest trudniejsza dla rodziny niż dla samego pacjenta. W którymś momencie ojciec nie będzie miał w ogóle pojęcia o swoim stanie ani o otoczeniu, a ty będziesz miała. Będzie to dla ciebie trudne.

– Wiem. Nigdzie nie widzę dobrego scenariusza. Jeśli go stąd zabiorę, to wiem, że gdzieś w głowie zostanie mu nienawiść za to, że zmusiłam go do wyjazdu z jedynego domu, jaki znał. Jaka jest jednak alternatywa? Tylko nie mów, że to ja powinnam się tu przeprowadzić – wtrąciła szybko. – Przypuszczam, że mogłabyś mi to doradzić, bo ty się tu sprowadziłaś dla matki. Może jestem samolubna, że stawiam własne życie ponad życie ojca.

– Moja sytuacja jest zupełnie inna i niekoniecznie niezmienna. Poza tym nie mam takich złych wspomnień związanych z tym miastem jak ty. Ja nie przeszłam przez koszmar utraty siostry, oskarżenia mojego chłopca o morderstwo, patrzenia, jak rozlatuje się moja rodzina. Tobie ciężej tu zamieszkać niż mnie. Nigdy nie będę ci miała za złe twojej decyzji, Lauren.

– Dzięki. To wiele dla mnie znaczy.

Przeszły kilka przecznic w milczeniu. Kiedy w zasięgu wzroku znalazła się przystań, Charlotte zapytała:

– A jak miewa się Shane?

– Nie chcę o nim rozmawiać.

Charlotte się roześmiała.

– Może później. Wieczór dopiero się zaczął.

Lauren wyrwał się jęk, kiedy skręciły i stało się jasne, dokąd zmierzają.

– Tylko nie do sklepu z narzutami. Czy wczoraj nie spotkałam już dość znajomych?

– To wieczór szycia. Zawsze je uwielbiałaś, pamiętasz? Nie martw się, już się kończy. Mają dzisiaj instruktorkę, kobietę z Los Angeles, która jest mistrzynią aplikacji.

– Nie wierzę, że to ty akurat zabierasz mnie na wieczór szycia narzut. Czy to nie ty zadawałaś zawsze pytanie, ile narzut potrzebuje człowiek? – zażartowała z niej Lauren.

– Jednak się cieszę, że wzięłam parę lekcji. Techniki szycia przydały mi się na studiach medycznych. Teraz umiem zszywać ludzi. – Roześmiała się na widok miny Lauren. – To dobra zabawa.

– Brzmi obrzydliwie – powiedziała Lauren i wzdrygnęła się. – Jak można wbić komuś igłę w ciało!

– Wierz mi, że robię jeszcze obrzydliwsze rzeczy – odparła ze śmiechem Charlotte. – Ale to najlepsze zajęcie pod słońcem. Uwielbiam być lekarzem.

– Zawsze lubiłaś opiekować się ludźmi i zwierzętami, wszystkimi cierpiącymi. To też przejęłaś od matki.

– O, proszę, nie mów tak.

Lauren uśmiechnęła się.

– Czy twoja mama też tam będzie?

– Nie, złapała przeziębienie i dziś została w domu.

– A ta dziewczyna w ciąży, która z wami mieszka? Zajrzała do mnie pani Jenkins z zapiekanką i nie mogła się powstrzymać, żeby mi nie opowiedzieć o Annie i tajemnicy ojcostwa jej dziecka. Usłyszałam, że pierwszy w rankingu jest sam burmistrz.

– Kto wie? – rzekła Charlotte.

W jej głosie zabrzmiała dziwna nuta. Lauren przystanęła.

– Ty coś wiesz. Czy to jest burmistrz?

– Nie mam pojęcia – odparła Charlotte. – Annie nic mi nie powie. Nie wiem, dlaczego tak chroni ojca swojego dziecka. Czy się boi, czy też uważa, że zrujnuje mu życie. Myślę, że powinien się włączyć, albo przynajmniej się dowiedzieć, ale nie mogę do niczego zmusić Annie. – Lauren miała przeczucie, że Charlotte wiedziała znacznie więcej, niż chciała powiedzieć. O ile jednak zawsze uwielbiała plotkować o rzeczach błahych, ważne tajemnice można było jej powierzyć bez wahania. – Chciałabym, żeby ludzie przestali już o tym mówić – kontynuowała Charlotte. – To tylko zagubiona nastolatka, która miała okropne dzieciństwo. Jej ojciec doznał psychicznego urazu na wojnie i jako inwalida prowadzi swoją osobistą walkę gdzieś na odludziu w górach. Poza nim dziewczyna nie ma żadnej rodziny. Ktoś musiał się wtrącić i jej pomóc, więc to zrobiłam.

Oto cała Charlotte, pomyślała Lauren, zawsze gotowa wkroczyć z pomocą. Nawet teraz wyciągnęła mnie z domu, chcąc sprawić, bym poczuła się znów częścią tego miasteczka.

Po chwili weszły do sklepu. Na parterze siedziały przy szyciu młode dziewczęta. Reszta zajęć odbywała się jednak na pierwszym piętrze. Pomieszczenie było dziś zaaranżowane jak szkolna sala. Stoły i maszyny do szycia stały na środku, a na ścianie wyświetlał się ekran. Stanęły w końcu sali, żeby posłuchać.

Nina Stamish, brunetka w średnim wieku ubrana w jasnozieloną sukienkę i kolorowo wyhaftowaną kamizelkę, omawiała najnowsze techniki haftu za pomocą programu komputerowego.

– Jak widać na ekranie – powiedziała, wskazując za siebie – ten program pomoże wam zaprojektować haft, zanim weźmiecie w ręce materiał. Zaznacza miejsca aplikacji, w które wstawia się wzór haftu. Kiedy już efekt będzie zadowalający, można projekt zapisać na USB albo podłączyć komputer bezpośrednio do maszyny do szycia. Program wtedy sam nią pokieruje, jakiego ściegu ma użyć.

– Ojej, dużo się zmieniło, od kiedy nauczyłyśmy się szyć ręcznie – szepnęła do Charlotte Lauren. Narzuta, którą tworzyła Nina, była prawdziwym dziełem sztuki.

Kiedy Nina skończyła prezentację, Fiona Murray, osiemdziesięciopięcioletnia właścicielka sklepu i babka Shane'a, wyszła na środek. Nadal nosiła ogniście rudą fryzurę z okresu swojej młodości i była wielką damą szycia i haftu w Zatoce Aniołów.

– Nina zostanie, by odpowiedzieć na pytania – powiedziała. – Te panie, które zechcą pracować nad narzutą Zatoki Aniołów, niech się zbiorą wokół stołu z tyłu. Resztę zapraszam za tydzień.

– Kto szyje narzutę Zatoki Aniołów? – zapytała podejrzliwie Lauren. – Nie mów, że my.

– Nie my, tylko ty – odparła z uśmiechem Charlotte. – Ja nie jestem spokrewniona z dwudziestoma czterema założycielkami.

– Nie szyłam od lat. Nie pamiętam już, jak się to robi.

– Na pewno pamiętasz. – Charlotte skierowała się do stołu, gdzie zebrało się kilkanaście kobiet. Kawałki tkaniny w różnych etapach wykończenia były już rozłożone na blacie. Wszystkie stanowiły repliki oryginalnej narzuty z historią Zatoki Aniołów.

– Nie wierzę, że Charlotte cię tutaj ściągnęła. – W oczach Kary pojawiło się niedowierzanie. – Byłam pewna, że odmówisz.

– Nie powiedziała, gdzie idziemy, ani też, że będziemy szyć – odparła Lauren.

Kara wskazała krzesło obok.

– Siadaj. Możesz zająć się kawałkiem Jamisonów. – Popchnęła w stronę Lauren fragment tkaniny.

Lauren wpatrzyła się we wzór. Wykonywała go setki razy, zazwyczaj pomagając matce. Razem z motylem przelatującym przez dwie obrączki widniały na nim splecione ze sobą litery L i T oznaczające Leonorę i Tommy'ego oraz ich wieczną miłość. W przeszłości lubiła haftować, wyobrażając sobie przy tym, jak wyglądał ich związek.

Miała dużo słabości do tej romantycznej historii i chciała przechować ją jako rodzinną tradycję. Abby pracowała przy narzucie zaledwie parę razy, zawsze pod presją matki.

– Będziesz się dobrze bawić, Lauren – zapewniła zachęcająco Charlotte.

Kara spojrzała na nią ze współczuciem.

– Nie musisz tego robić, jeśli nie chcesz, Lauren.

– Na pewno chce – przerwała Fiona Murray. Matrona rodziny Murrayów miała żelazną wolę, której nikt nie był w stanie skruszyć. W jej błękitnych oczach pojawił się stalowy błysk, kiedy popatrzyła na Lauren.

– To twój obowiązek, moja droga. Musisz podtrzymać rodzinną tradycję. Twój ojciec będzie z ciebie bardzo dumny.

– Nie jestem pewna, czy pamiętam, jak to się robi – wykręcała się, wiedząc, że jej starania są daremne.

– Przypomnisz sobie, jak tylko weźmiesz do ręki igłę – rzekła Fiona. Wzrok jej złagodniał. – Jak się czuje twoja matka, moja droga? Tęsknimy tutaj za nią.

– Ma się dobrze.

– Jest szczęśliwa?

– Tak – zapewniła Lauren.

– Zasługuje na szczęście po tym strasznym nieszczęściu, które spadło na twoją rodzinę. Miło jest mieć cię znowu. Ojciec czuł się bardzo samotny.

– Z wyboru – odparła krótko Lauren, nie chcąc pozwolić, żeby z jej ojca robiono ofiarę.

– Z wyboru, którego, jak sądzę, żałuje – rzekła Fiona.

– Nie jestem taka pewna. Tak czy inaczej, stało się.

– O tak, możemy tylko patrzeć w przód, a nie do tyłu. – Fiona westchnęła głęboko i spojrzała na swoje zgromadzenie pracownic. – Dobrze, moje panie, zabierajmy się do roboty.

– Co będziesz robić? – zapytała Lauren Charlotte, która oparła się o sąsiedni blat.

– Napiję się. – Wyjęła z torebki butelkę wina. – I będę nadzorować.

– Charlotte, odstaw to wino – rozkazała ostro Fiona Murray. Przed jej sokolim wzrokiem nic nie mogło się ukryć. – Żadnych kolorowych płynów w pobliżu narzuty. Możesz pomóc Jennie wyszywać jej kwadrat. Przy tym stole żadne ręce nie będą próżnować.

Charlotte schowała wino.

– Tak, proszę pani – powiedziała pokornie.

Lauren uśmiechnęła się. Wszystkie miały po trzydzieści lat, ale Fiona traktowała je, jakby były uczennicami. Charlotte usiadła przy Jennie Davies i wkrótce wszystkie pochłonęła robótka.

Lauren była zdziwiona, jak szybko wróciła dawna umiejętność. Opanowanie nowszego typu maszyny zajęło trochę czasu, ale po kilku chwilach doszła do wprawy. Wraz z szyciem narzuty powracał spokój, pojawiła się jakaś wspólna rozmowa. Lauren odprężyła się, czerpiąc przyjemność z szycia i ciesząc się poczuciem wspólnoty przy pracy nad jednym projektem.

Narzuta gromadziła przy sobie potomkinie założycieli, tych, co przeżyli zatonięcie statku, dawała im sposobność połączenia się, przeżycia smutku tamtej tragedii, nowego początku i poprzez pracę opowiedzenia historii bliskich i ich okaleczonych rodzin. Szycie narzuty pomagało żyć dalej, a dzisiaj, sto pięćdziesiąt lat po uszyciu pierwszej, pomagało Lauren ule-

czyć duszę. Odwróciła się plecami do Zatoki Aniołów, od wszystkiego i wszystkich z tym miejscem związanych. Przepełniała ją taka nienawiść i złość, że nie
widziała w Zatoce niczego dobrego, a przecież było
tutaj dużo dobrych rzeczy. Zawsze było.

Skończyła ostatnia.

– Czy bardzo źle to wygląda? – zapytała Karę.
– Czy przyniosłam wstyd kobietom rodu Jamisonów,
które szyły ją przede mną?

Kara przyjrzała się kwadratowi.

– Wyszło świetnie. Ściegi są równe. Wykonałaś ka-
wał dobrej roboty. Nie zapomniałaś o żadnym szcze-
góle.

– Mam nadzieję, że przejdzie przez kontrolę twojej
babki. Ona wymaga perfekcji.

– Tak naprawdę, jeśli idzie o szycie narzut, moja
babka przedkłada szycie ręczne i dużo serca włożone-
go w pracę nad szycie maszynowe. Sprowadza
do miasta nowe techniki, bo interes musi się rozwijać,
ale dla niej liczy się tylko to, że to ty, córka Jamisona,
zrobiłaś ten kwadrat.

– No to teraz możemy świętować – powiedziała
Charlotte i nalała Lauren kieliszek wina. Wszystkie już
wyszły, łącznie z Fioną, która poleciła Karze zamknię-
cie sklepu, kiedy już skończą. – Zazdroszczę wam – powiedziała Kara z pożądliwym spojrzeniem. – Nie mogę
pić. A przy okazji, Charlotte, jestem na ciebie zła.

– Co takiego zrobiłam? – zapytała zaskoczona Charlotte.

– Nie powiedziałaś mi, jaki okropny jest poród.
Dzisiaj byłam na lekcji rodzenia i obejrzałam tam
film, który otworzył mi oczy. Nie chcę już rodzić
dziecka.

Charlotte się uśmiechnęła.

– Za późno na takie myśli.

– To było przerażające. Myślałam, że Jason stamtąd ucieknie.

– Jason? – wtrąciła się Lauren zdziwiona, że usłyszała znowu to imię. – Jason Marlow?

– Tak, był tam ze mną zamiast mojej matki. Miała tam ze mną chodzić, dopóki Colin się nie obudzi. Poczuła się chora, więc nie miałam zamiaru tam dzisiaj iść, ale Jason mnie wyciągnął – wyjaśniła Kara.

– Pewnie tego teraz żałuje. Muszę przyznać, żc poród to coś obrzydliwego.

– Poczekaj, aż włożą ci w ramiona ślicznego dzidziusia – powiedziała Charlotte. – Wtedy zobaczysz, że było warto.

– Musisz tak mówić, bo jesteś lekarzem.

– Ty i Jason przyjaźnicie się od dawna, prawda? – zapytała Lauren.

Kara potaknęła.

– To był najlepszy przyjaciel Colina. I mój też. – Jej brwi połączyły się w grymasie zastanowienia. – Jason powiedział mi, że zaczęły krążyć jakieś plotki o nim i Abby.

– Czy coś go łączyło z moją siostrą? – zapytała Lauren.

– Twierdzi, że byli po prostu przyjaciółmi. Czy Abby nie powiedziałaby ci, gdyby jej się podobał? Byłyście sobie bliskie. Mieszkałyście w jednym pokoju.

– Nie byłyśmy specjalnie blisko w miesiącach poprzedzających jej śmierć. Ja myślałam o egzaminach i przeżywałam swoją pierwszą miłość. Nie poświęcałam Abby zbyt wiele uwagi. Ona zawsze prowadzała się z Lisą. Były dwa lata młodsze. Miały swój krąg przyjaciół. – Lauren pokręciła głową. – Nie wiecie nawet, ile razy żałowałam, że nie zachowywałam się wtedy inaczej.

– Wiem, że obwiniasz siebie, ale nie powinnaś – rzekła cicho Kara. – Czasami nieszczęścia po prostu się zdarzają.

Lauren wiedziała, że Kara mówi nie tylko o Abby, ale też o Colinie. Poczuła się niezręcznie, że całkiem pochłonęły ją własne kłopoty.

– Masz słuszność, pewnie. A powiedz, jak się teraz czujesz?

Kara westchnęła.

– Jestem zmęczona, ale cieszę się, że spędziłam czas ze starymi przyjaciółkami. Przez lekcję rodzenia było ciężko dziś przebrnąć nie tylko z powodu filmu. Będąc tam z Jasonem, a nie z Colinem, czułam się fatalnie. Było to tylko przedstawienie, a nie prawdziwy poród. Kiedy nasze dziecko będzie się rodzić, Colin będzie już przy mnie. Na pewno. – Chrząknęła. – Wracając do Jasona, to myślę, że gdyby związał się z Abby, toby mi wtedy o tym powiedział. Chociaż muszę przyznać, że cała moja uwaga była wtedy skierowana na Colina.

– Na pewno. Chodziliście wtedy jak przyklejeni.

– W oczach Charlotte pojawił się łobuzerski błysk, kiedy ponownie napełniła kieliszek Lauren i swój.

– Powstaje pytanie, Karo, skoro już wędrujemy po wspomnieniach. Kochaliście się z Colinem w szkole?

– No nie, to zbyt osobiste! – zaprotestowała Kara.

– A ja już się trochę urżnęłam, więc możesz śmiało powiedzieć.

Kara rozejrzała się po sali, jakby się bała, że gdzieś może się czaić jej matka lub babka. Były jednak same.

– Czy to naprawdę jest teraz taka wielka tajemnica? – zapytała Charlotte. – Mamy prawie po trzydzieści lat, a ty wyszłaś za mąż za tego faceta.

– Ty pierwsza, Charlie – rzekła Kara. – Ty i Andrew. Robiliście to ze sobą?

Charlotte uśmiechnęła się szeroko.

– Tak, ale tylko raz. Trzy dni później Andrew zrobił to z Pamelą, klasową zdzirą, na plaży, na imprezie, na której ja też byłam.

– Chyba ich na tym nie przyłapałaś – przerwała Lauren.

– Przyłapałam na grze wstępnej.

– Ależ paskudnie – powiedziała Kara. – Nie wiedziałam, że taki był z niego cymbał.

– Był nastolatkiem – poprawiła Charlotte. – Bardzo napalonym. Szalałam za nim.

– A teraz jest pastorem – wtrąciła Lauren. – I kto by pomyślał.

– Na pewno nie ja – rzekła Charlotte. – Do tego jest dobrym pastorem. Myślę, że znalazł swoje powołanie.

Lauren zastanowiła się, czy Charlotte nadal podoba się Andrew. Z pierwszej miłości trudno się było otrząsnąć, wiedziała o tym aż za dobrze.

– Teraz mówisz o tym lekko, ale przecież musiało bardzo boleć, kiedy Andrew tak cię oszukał.

– Byłam zdruzgotana – przyznała Charlotte. – Tamta impreza na plaży to zamazana, bolesna plama w mojej głowie. Upiłam się. Byłam wściekła. Byłam głupia.

– Co to znaczy? – zapytała z ciekawością Kara. – Czyżby zdarzyło się coś jeszczce?

– Żebym to pamiętała. Dostałam amnezji od tequili.

– A co teraz? – zapytała Lauren. – Dasz Andrew następną szansę? Na pewno oczyścił się już po tym występku.

– Nie sądzę, i to nie z powodu Pameli. Są inne powody.

– Jakie na przykład? – dopytywała Lauren.

– No właśnie, jakie? – zawtórowała jej Kara.

Charlotte zmarszczyła brwi.

– Nie widzę siebie w roli narzeczonej czy żony pastora. Chociaż to nie wszystko. Starania Andrew mi pochlebiają, ale to pewnie dlatego, że jestem łatwa. Przerwała szybko. – Niezręcznie to wyszło. Miałam na myśli to, że jemu byłoby ze mną łatwo być, bo znam jego przeszłość. Przy mnie czuje się bezpiecznie. W głębi duszy nadal niezbyt pewnie odgrywa rolę duchowego przewodnika w mieście, gdzie pamiętają go jako chłopca. Ze mną nie musi niczego udawać, może być sobą.

– To wszystko brzmi jak materiał do gruntownego przemyślenia – wtrąciła się Kara. – Czy nadal ci się podoba?

Charlotte powiodła palcem po krawędzi kieliszka. Na jej twarzy malowało się zamyślenie.

– Lubię go, ale nie jestem pewna.

– Może powinnaś sprawdzić – podsunęła jej Lauren. – Nie skreślaj go, dopóki nie dasz mu następnej szansy.

– A ty też tak zrobisz, Lauren? – zapytała Charlotte, patrząc na przyjaciółkę. – Dasz drugą szansę chłopakowi ze szkolnych lat?

– O nie, sama w to wdepnęłam – odparła Lauren. – Bez komentarza.

– Nie ma mowy, tak łatwo się nie wykręcisz – upierała się Charlotte.

– Co myślisz, Lauren? – zapytała Kara z ciekawością i lekką troską w oczach. – Shane jest moim bratem i go kocham. Nie chcę, żebyście cierpieli.

– Wiem, że spałaś z Shane'em w szkole – wtrąciła Charlotte. – Nie ma mowy, żebyś nie spała. Był zbyt gorący, żeby mu się oprzeć. Te ciemne oczy, często ponure, to umięśnione ciało…

– Możliwe – przyznała Lauren, myśląc, że łatwiej się przyznać do seksu sprzed trzynastu lat niż do seksu z ubiegłej nocy.

Kara syknęła i zatkała sobie uszy rękami.

– Proszę, nie chcę słyszeć żadnych szczegółów. Rozmawiamy o moim bracie.

– Nie martw się, nie zamierzam podawać detali – uspokoiła ją Lauren, czując, że na twarz wypłynął jej rumieniec.

– Możesz się nimi ze mną podzielić w drodze do domu – rzekła ze śmiechem Charlotte, po czym zwróciła się do Kary. – Teraz twoja kolej. Czy wszystkie byłyśmy niegrzeczne w szkole? Czy tylko ja i Lauren?

Kara zawahała się, po czym uśmiechnęła się nieśmiało.

– Colin i ja nie uprawialiśmy w szkole seksu. Robiliśmy to i owo, ale z tym czekaliśmy, aż skończymy dwadzieścia jeden lat.

– Czyżby? – mruknęła Charlotte.

– Ciekawe – powiedziała Lauren.

– To nie było łatwe, ale cieszę się, że wytrzymaliśmy. Myślę, że nasz związek mógłby się rozlecieć, gdybyśmy zaczęli uprawiać seks za wcześnie.

– Całkiem możliwe – powiedziała z zamyśleniem Charlotte.

– Możliwe – zawtórowała Lauren.

Kara popatrzyła na jedną i na drugą, po czym wybuchnęła śmiechem.

– Obie wyglądacie, jak wezwane do dyrektora szkoły na dywanik. Uwierzcie mi, bawiłyście się w szkole znacznie lepiej niż ja. A kto wie, co się jeszcze może wydarzyć? Wasi mężczyźni są nadal samotni i do wzięcia. I obaj są w tym mieście.

Na chwilę zapadła cisza.

– Wczorajszej nocy spałam z Shane'em – oświadczyła znienacka Lauren wcale nieprzekonana, że chciała to wyznać, ale już się stało. – Nie powinnam była i zupełnie nie wiem, dlaczego to zrobiłam. To do niczego nie prowadzi. – Zerknęła na Charlotte, która zdawała się mieć problem z utrzymaniem obojętnego wyrazu twarzy. – No, co?

– Lauren, musisz przestać udawać, że Shane nic dla ciebie nie znaczy.

– Wiele znaczył, ale wtedy byliśmy jeszcze dziećmi.

– Wczoraj w nocy nie byliście dziećmi – przypomniała Charlotte.

– Czułam się, jakbym była – wyznała Lauren. – Młoda, lekkomyślna i dzika, zupełnie jak dziewczyna, która wskakiwała przed laty na motocykl z Shane'em i wszelką ostrożność porzucała z wiatrem. Lecz to już skończone. To był tylko taki skok we wspomnienia z dawnych czasów. Nie będę już z nim więcej sypiać.

– Tak było okropnie? – zapytała Charlotte.

Lauren skrzywiła się.

– Nie, bo było niesamowicie, a ja nie mogę sobie pozwolić, żeby się znowu w nim zakochać. Każde z nas ma swoje życie. – Popatrzyła na Karę, która przyglądała się jej w zamyśleniu. – Przepraszam, pewnie nie chcesz tego wszystkiego wysłuchiwać.

– Bądź ostrożna, Lauren. Nie chcę, żebyście cierpieli. Shane zachowuje się jak twardziel i ciężko jest dotrzeć do tego, co myśli lub czuje, ale w szkole bardzo mu na tobie zależało i myślę, że nadal mu zależy.

– Czy on wie, że to był tylko jeden raz? – zapytała Charlotte.

– Powiedziałam mu – rzekła Lauren i wychyliła resztę wina. – Nie jestem jednak pewna, czy uwierzył.

– Dlaczego? – dopytywała się Charlotte.

– Bo ciężko mi było utrzymać ręce z dala od niego.

– Brzmi to tak, że lepiej będzie, jak odprowadzę cię do samego domu, żebyś nigdzie po drodze nie skręciła – powiedziała Charlotte.

– Dobry pomysł – potaknęła Lauren, kiedy Charlotte pomagała Karze wstać.

Umyły kieliszki, pogasiły światła i wyszły ze sklepu, zamykając za sobą drzwi na klucz. Ulice były ciche, z odległego baru dobiegały tylko słabe dźwięki muzyki. Zatoka Aniołów bardzo się rozrosła, odkąd Lauren się z niej wyprowadziła, nadal jednak miała klimat małego miasteczka. Rozstały się z Karą przy jej samochodzie, po czym ruszyły na piechotę do domu Lauren.

– A co z tobą, Charlie? – zapytała Lauren, kiedy skręciły w ulicę, przy której stał jej dom. – Kto cię odprowadzi?

– Dam sobie radę, to tylko trzy przecznice. A poza tym nie grozi mi, że się zabłąkam do przystani i wyląduję na łodzi jakiegoś seksownego faceta.

Lauren skrzywiła się.

– Panuję nad sobą.

– W takim razie idź do domu i w nim zostań – powiedziała z uśmiechem Charlotte. – Dobrze się bawiłam dziś wieczór, Cieszę się, że byłaś ze mną. Jak za dawnych czasów.

– O, tak. – Miała w San Francisco przyjaciółki, ale żadna nie znała jej od dziecka. Z Charlotte, a nawet z Karą, mogły być ze sobą szczere, tak jak z nikim innym. To była jej wina. Zamknęła przed obecnymi przyjaciółkami swoją przeszłość. Chciała je od niej odseparować, a za to przychodziło zapłacić jakąś cenę.

– Wygląda na to, że tato jest w domu – powiedziała Charlotte. – Światło się świeci. To może oznaczać wiele, ale mam nadzieję, że leży bezpiecznie w łóżku.

– Chcesz, żebym zaczekała na wypadek, gdybyś musiała go szukać?

– Nie, na pewno wszystko w porządku. – Przerwała, kiedy jej wzrok padł na stos cegieł ustawionych przy oknie z boku, które było teraz otwarte i w którym kołysała się zasłonka. – To dziwne – szepnęła.

– Co? – zapytała Charlotte, idąc za nią.

– Wygląda na to, że ktoś ułożył te cegły, żeby dostać się do okna.

– Myślisz, że ktoś włamał się do domu?

– Nie wiem. – Przypomniała sobie ujadanie psa i hałas dochodzący z boku. – Możliwe, że cegły od dawna tu były. Nie pamiętam tylko, żeby okno było otwarte, kiedy wychodziłam. Ojciec musiał je otworzyć. Albo też zapomniał kluczy i wchodził tędy. – Wciągnęła powietrze i je wypuściła. – Dziękuję, że mnie odprowadziłaś do domu.

– Nie tak szybko. Wejdźmy lepiej razem i sprawdźmy, czy wszystko jest w porządku.

Weszły na ganek, gdzie Lauren włożyła w zamek klucz i przekręciła. Drzwi ustąpiły. Otwarte okno było tuż obok, w jadalni. Podeszła, żeby je zamknąć. Nic nie wyglądało inaczej niż zwykle.

– Abby? To ty? – Ojciec wyszedł z sypialni. Miał na sobie żółty sztormiak i długie buty. – Czas na ryby. Zanosi się na sztorm, lepiej weź coś od deszczu.

Lauren i Charlotte spojrzały na siebie porozumiewawczo.

– Nie pada, tato.

– Kim jest twoja przyjaciółka? – zapytał Ned i przyjrzał się Charlotte. – Wybiera się z nami?

– Nie, idzie do domu – powiedziała Lauren. – Jest za późno na ryby.

– Dobrze, w takim razie, lepiej będzie, jak się przebiorę. – Zniknął za drzwiami sypialni.

Charlotte spojrzała na nią ze współczuciem.

– Musi ci być ciężko, kiedy nazywa cię Abby.

Lauren wzruszyła ramionami.

– To już nie robi na mnie wrażenia. Myślę, że Abby stale siedzi mu w głowie. Od kiedy wróciłam, też wciąż o niej myślę. Potrzebne jest nam zakończenie. Potrzebne są odpowiedzi. – Przerwała. – Rozmyślałam o tym, czym zajmowała się Abby w tygodniach przed śmiercią, i przypomniałam sobie, że robiła dużo zdjęć do rocznika. Musiała być na każdej imprezie.

– Do czego zmierzasz?

– Może na fotografiach jest jakiś trop.

– Przeglądałaś rocznik?

– Bardziej interesują mnie te zdjęcia, których nie opublikowano. Czy sądzisz, że szkoła je zachowuje?

– Pani Weinstein będzie to wiedzieć. Kicrowała zespołem wydającym rocznik przez ostatnie dwadzieścia lat i nadal pracuje w szkole.

Lauren pokiwała głową.

– A zatem wiem już, co będę robić jutro.

– Jeśli przyjdziesz do szkoły koło trzeciej, to będę kończyć wykład z biologii w klasie trenera Sorensena.

– Naprawdę? To może się spotkamy.

Charlotte uśmiechnęła się, lecz zaraz w jej oczach pojawiło się zatroskanie.

– Uważaj, Laurcn.

– Na co mam uważać?

– Nic wiem, ale mam niedobre przeczucia. Jeśli morderca Abby nadal mieszka w Zatoce Aniołów, możesz ściągnąć na siebie niebezpieczeństwo.

– Albo nareszcic się dowiedzieć, kim jest, i doprowadzić do tego, żeby zapłacił.

Rozdział 15

Lauren czuła, że znów ma szesnaście lat, kiedy we wtorkowe popołudnie koło trzeciej otwierała drzwi szkoły. Przemknęła koło sekretariatu i gabinetu dyrektora, po czym zagłębiła się w znajome korytarze. Przez otwarte drzwi słyszała głosy wykładających nauczycieli i rozmowy uczniów. Lekcje miały się zaraz skończyć i wyobrażała sobie zniecierpliwienie dzieciaków, które nie mogły się doczekać ostatniego dzwonka. Ona zawsze czekała na ostatni dzwonek. Jej dawna szafka znajdowała się koło toalety dla dziewcząt na pierwszym piętrze. Mijając ją, uśmiechnęła się i przypomniała sobie pierwszą klasę, kiedy pełna obawy i niepewności siłowała się z zamkiem. Przez większość czasu w szkole walczyła ze swoją nieśmiałością. Nigdy nie miała pewności siebie swojej siostry. To się zmieniło dopiero pod koniec drugiej klasy i wtedy właśnie poznała Shane'a.

Był o rok starszy i chociaż słyszała o nim i widywała go przez lata, nigdy ze sobą nie rozmawiali. Zaczęli dopiero na miesiąc przed skończeniem przez niego szkoły. Poznali się poza szkołą na jakiejś imprezie. Przyjechał na motorze. Szukała wtedy wrażeń i znalazła chłopaka z niepoprawnym charakterem. Jej matka była przerażona, kiedy Lauren zaczęła chodzić z Shane'em. Przyjaciele, którzy w większości byli spokojni i dobrze się uczyli, nie wiedzieli, co o tym myśleć. Ona jednak była kompletnie zauroczona i przestała stąpać po ziemi aż do czasu, kiedy wszystko się zawaliło, rok później.

Podążyła dalej korytarzem, obejrzała gablotę z pucharami i tablicę ogłoszeń, która teraz była monitorem z elektronicznie generowanym kalendarzem. Wspinając się na schody na pierwsze piętro, przystanęła na widok szefa policji Silveiry czekającego pod salą trenera Sorensena. Serce zaczęło jej bić szybciej. Co on tutaj robi?

Joe wyglądał na podobnie zaskoczonego jej widokiem.

– Panno Jamison – odezwał się cicho – co panią tutaj sprowadza?

– Miałam zamiar zapytać o to samo. – Przez jego ramię widziała wnętrze sali. Tim Sorensen siedział przy biurku, a Charlotte stała z przodu. Teraz, grubo po trzydziestce, trener był jeszcze bardziej pociągający, niż go zapamiętała. Z jasnobrązowymi włosami i brązowymi, przyjaźnie patrzącymi oczami wyglądał przystępnie, zupełnie nie jak morderca.

– Jaką ma pani sprawę do pana Sorensena? – nalegał na odpowiedź Silveira.

Odsunęła się od drzwi.

– Zapewne tę samą co pan. Pan Devlin podzielił się ze mną swoimi podejrzeniami na temat możliwego związku między moją siostrą a jej trenerem siatkówki.

– I co pani o tym myśli?

– Nie mogę sobie wyobrazić, żeby Abby wdała się w romans z nauczycielem. – Lauren wolałaby, żeby w jej głosie brzmiała większa pewność, ale z każdym mijającym dniem zaczynała wątpić w to, że dobrze znała swoją młodszą siostrę.

– To dlaczego pani tu przyszła? – spytał.

– Pomyślałam, że mogłabym z nim przynajmniej porozmawiać, ale nie jestem pewna, o co go zapytać – wyznała.

– Dlaczego nie zostawi pani tego mnie?

Ulżyło jej, że szef policji prowadził dochodzenie, chociaż fakt, że tu był, nadawał wiarygodności podejrzeniom Marka Devlina.

– Ma pan więcej informacji o nim i mojej siostrze poza spekulacjami pana Devlina?

– Nie, nie mam. Niemniej rozmawiam ze wszystkimi, którzy obecni byli w życiu Abby w ciągu ostatnich kilku tygodni. Pan Sorensen jest na tej liście jako jej nauczyciel i trener.

– Zespół jeździł na mecze i zawsze towarzyszyli mu rodzice. Trener nigdy nie zostawał sam z dziewczętami, ale istotnie, był bliżej nich niż każdy inny nauczyciel. Nie uważam, żeby to oznaczało, iż jest winny. Nadal nie wierzę, że moja siostra mogła się zaangażować w związek z żonatym mężczyzną, kiedy miała zaledwie piętnaście lat. – Przerwała. – Czy poinformuje mnie pan o dotychczasowych wynikach dochodzenia? Wolałabym, żeby rozmawiał pan ze mną, nie z moim ojcem. On co rusz odrywa się od rzeczywistości i martwię się, że każda nowa wiadomość o Abby, a zwłaszcza jakikolwiek fakt, który rzucałby cień na jej reputację, mógłby mu zaszkodzić.

– Rozumiem.

– Dziękuję. – Poszła korytarzem porozmawiać z panią Weinstein i dowiedzieć się, czy uda jej się dotrzeć do fotografii robionych do rocznika.

* * *

Joe byłby zadowolony, gdyby Lauren Jamison wyjechała. Wystarczyło, że kręcił się po mieście Mark Devlin i plótł różne bzdury, to jeszcze brakowało w centrum wydarzeń siostry ofiary. Jeśli mordercy Abby przez trzynaście lat udało się uniknąć oskarżenia, to każdy, kto teraz wchodził mu w drogę, mógł także zostać pozbawiony życia.

Spojrzał na zegarek. Do dzwonka zostały tylko dwie minuty. Charlotte odpowiadała na pytania. Wyglądała ślicznie w spódnicy w kwiaty i jasnoniebieskim swetrze, z blond włosami zaczesanymi w koński ogon. Na widok jej szerokiego uśmiechu ściskało go we wnętrznościach. Gotów był się założyć, że nastoletnim chłopcom w klasie Charlotte podobała się nie mniej niż jej prezentacja o seksie. Podobał mu się sposób, w jaki nawiązywała kontakt z dzieciakami. Umiała nie tylko doskonale mówić, ale też słuchać.

Charlotte miała pełen zestaw – urodę, umysł i urok serdecznego ciepła. Nic dziwnego, że nowy pastor się za nią uganiał. Ona jednak zdawała się opierać ponownemu wzniecaniu ognia starej szkolnej miłości i Joe zadawał sobie pytanie dlaczego. Nie żeby to była jego sprawa. Miał co robić we własnym związku.

Myślał, że kiedy będzie miał Rachel na miejscu, będą spędzać wspólnie więcej czasu, a tymczasem ona najczęściej spędzała czas w towarzystwie Marka. Oficjalnie po to, by odszukać miejsca do kręcenia filmu i nieruchomości do sprzedania. Zgłosiła się ze swoją licencją do jednej z miejscowych firm obrotu nieruchomościami, ale jak dotąd nie miała na liście żadnych nieruchomości ani też nie sfinalizowała żadnej sprzedaży. Kiedy zadawał pytania na temat perspektyw w jej pracy, zbywała go machnięciem ręki i stwierdzeniem, że bada możliwości, cokolwiek to miało znaczyć. Myślał, że dobrze zna swoją żonę, tymczasem ona codziennie stawała się coraz głębszą tajemnicą.

Zadźwięczał dzwonek, wyrywając go z zamyślenia. Joe cofnął się, kiedy dzieciaki rzuciły się szturmem na drzwi, nie mogąc się doczekać wyjścia ze szkoły. Miał wejść do środka, gdy w drzwiach ukazała się Charlotte. Telefon komórkowy do tego stopnia pochłonął jej uwagę, że zderzyła się z Joem.

– Przepraszam – powiedziała i otworzyła szeroko oczy, kiedy go poznała. – Joe. Ciągle na ciebie wpadam. Co tu robisz? To nie twój rejon.

– Chodzę tam, gdzie jest akcja.

Uniosła brwi wysoko.

– Ominęła mnie jakaś akcja?

Uśmiechnął się.

– Muszę porozmawiać z panem Sorensenem.

– Naprawdę? – zapytała i odchyliła w zamyśleniu głowę. – Powiesz mi dlaczego?

– Nie. Dobrze ci poszło.

Zaróżowiły jej się policzki.

– Podsłuchiwałeś?

– Tylko koniec. Jesteś szczera wobec dzieciaków. Na pewno to im się podoba.

– Może się nie spodobać rodzicom. Podaję podstawowe wiadomości, ale zdaję sobie sprawę, że niektórzy i z tym mogą mieć problem. Najlepiej by było, gdyby nastolatki mogły się uczyć od rodziców, ale się nie uczą, a lepiej, żeby wiedziały coś o tych sprawach. Jako ginekolog położnik widzę, co się dzieje, kiedy nic nie wiedzą.

– Ja też – rzekł Joe. – Może nie tutaj, ale w Los Angeles, i owszem.

– Nie byłabym taka pewna. To może jest małe miasto, ale hormony nastolatków buzują równie mocno.

– Słuszna uwaga. Czy dobrze znasz pana Sorensena? Uczył cię?

Rzuciła szybkie spojrzenie przez ramię. Tim Sorensen rozmawiał ze swoim uczniem.

– Uczył mnie biologii w drugiej klasie. Od mojego powrotu do miasta rozmawialiśmy parę razy i mogę powiedzieć, że to bardzo miły i inteligentny człowiek. – Ściszyła głos do szeptu. – Przyszedłeś tutaj, bo myślisz, że on może mieć coś wspólnego ze śmiercią Abby?

– Tak sądzisz?

– Nie wiem. Lauren wspomniała, że ten facet od filmu sugerował, jakoby pomiędzy Timem i Abby coś było. Moim zdaniem to zupełnie niemożliwe. Czy gdyby był winien, to cały ten czas by tutaj siedział? Czy ktokolwiek mógłby tutaj mieszkać po dokonaniu takiej zbrodni?

Wzruszył ramionami.

– W sprawie całkiem już wygasłej żadnej możliwości nie można wykluczyć.

Zmarszczyła czoło.

– Mówisz wymijająco, wiesz? Odpowiadasz pytaniem na pytanie albo jakimś ogólnikiem.

– Przepraszam, to należy do mojej pracy.

– Mogłabym pomóc – zasugerowała Charlotte z błyskiem w oczach. – Znam w mieście wielu ludzi. Możesz mnie wykorzystać.

Jej słowa wymalowały w jego wyobraźni obraz, który nie miał nic wspólnego z udzielaniem informacji. Przełknął i odchrząknął.

– Chyba pan Sorensen kończy rozmowę. Muszę wejść do środka.

– Życzę szczęścia. Lauren należy do moich najlepszych przyjaciółek. Znałam też Abby. Naprawdę mam nadzieję, że uda ci się odnaleźć tego, kto ją zabił.

– Zamierzam celnie strzelać.

– Czuję, że jesteś bardzo dobry we wszystkim, co robisz. Zrozumiałeś, prawda? – Oderwał ją dźwięk komórki i sprawdziła wiadomość. – Muszę iść. Dziecko rodzi się przed czasem.

– Co miałem zrozumieć? – Nie mógł się powstrzymać przed pytaniem.

Uśmiechnęła się.

– Cokolwiek. Cokolwiek zrozumiałeś.

Zanim zdołał zapytać o dalsze wyjaśnienia, była już w połowie korytarza. Cokolwiek, tak? Nie mógł powstrzymać uśmiechu. No cóż, cokolwiek znaczyło więcej niż nic.

Kiedy ostatni uczeń opuścił klasę, Joe wrócił myślami do pracy. Jeśli nie mógł powstrzymać Marka Devlina od nakręcenia filmu, mógł przynajmniej upewnić się, czy Mark dobrze wytypował przestępcę. Chociaż nie przesądzał o winie Tima Sorensena, coś w środku mówiło mu, że morderstwo nie było przypadkowe, lecz miało osobiste podłoże. Ktokolwiek zabił Abby, znał ją. Może nawet lepiej niż ktokolwiek inny.

* * *

– Próbuję dowiedzieć się jak najwięcej o ostatnim roku życia mojej siostry – powiedziała Lauren do pani Weinstein, nauczycielki plastyki, która przez dwadzieścia lat kierowała pracą zespołu przygotowującego rocznik. Celia Weinstein, obdarzona drobną posturą, lecz wielką szczerością, jak dotąd nie reagowała dobrze na prośbę Lauren. – Na pewno pani to rozumie, prawda? – nalegała.

– Rozumiem, moja droga, ale nie mogę pani tak po prostu dać setek zdjęć. Stanowią własność szkoły. Ostatecznie mogę spróbować uzyskać zgodę dyrekcji, ale pan Donohue będzie nieobecny aż do poniedziałku. Panuje okropna grypa. Jeśli zechce pani przyjść za tydzień, może będę mogła udzielić innej odpowiedzi.

– Nie jestem pewna, czy jeszcze tutaj będę. – Lauren zastanawiała się, jakie jeszcze ma możliwości. Archiwum zdjęć znajdowało się w szafie w sąsiednim pokoju. Potrzebowała tylko pomocy pani Weinstein.

– Pamięta pani Abby?

– Oczywiście, że tak. Nie zapominam swoich uczniów. Była to bardzo koleżeńska dziewczynka, doskonale współpracowała z innymi w zespole. To bardzo smutne, co się jej przytrafiło.

– Policja uważa, że Abby znała zabójcę. Próbuję dowiedzieć się więcej o tym, z kim spędzała czas w ostatnim miesiącu przed śmiercią.

– Jestem pewna, że jej przyjaciółki mogły udzielić pani tej informacji.

– I udzieliły, ale nadal są luki. Wydaje mi się, że Abby się w kimś podkochiwała i że praca przy roczniku mogła jej dać pretekst do zrobienia temu komuś wielu zdjęć.

Pani Weinstein potrząsnęła głową.

– Zespół fotografów dostaje zawsze ścisłe instrukcje. Mają robić zdjęcia każdemu na każdej imprezie, nie tylko fotografować przyjaciół. Zawsze sprawdzałam filmy, by się upewnić, że nikt nie tracił czasu na robienie zdjęć tylko najlepszym przyjaciołom. – Przerwała. – Jest mi bardzo przykro, że nie mogę pani pomóc, Lauren. Jeśli zechce pani przyjść za tydzień i porozmawiać z dyrektorem, proszę bardzo. Albo możecie połączyć siły z panem Devlinem.

– Co takiego? – spytała zdziwiona.

– Był tu wczoraj z pytaniem, czy może obejrzeć fotografie. Dałam mu taką samą odpowiedź jak pani.

Przepraszam, ale muszę już iść. Mam zebranie z rodzicami.

– Dziękuję, że pani zechciała ze mną porozmawiać – powiedziała Lauren wychodząc z pokoju.

Musiała znaleźć sposób, by dostać się do zdjęć, zanim uczyni to Devlin. Chciała znaleźć mordercę Abby, ale chciała także chronić siostrę.

* * *

– Co się tutaj, u diabła, dzieje? Najpierw jakiś producent filmowy, a teraz pan? – zapytał Tim Sorensen, a oczy zapałały mu gniewem.

Joemu nie spodobało się, że Devlin dotarł do Sorensena przed nim, ale sam był temu winien, że od samego początku nie zabrał się do sprawy. Wyobraził sobie, że Devlin się podda i pojedzie do domu po paru zmarnowanych dniach. A jednak ten człowiek udowadniał, że jest lepszym psem gończym, niż można się było tego spodziewać.

– Powiedziałem już policji wszystko, co wiedziałem o Abigail Jamison, kiedy mnie przesłuchiwano po morderstwie – ciągnął Sorensen. – Abby była utalentowaną uczennicą, świetną w sporcie. Dobrze pasowała do grupy. Nikt jej nie dokuczał. Nie była intrygantką i zdawało się, że lubili ją wszyscy. I chłopcy, i dziewczyny. To jest wszystko, co wiem.

– Czy kiedykolwiek rozmawiała z panem o jakichś kłopotach z rodziną lub przyjaciółmi?

– Niczego takiego nie pamiętam.

– Mam doniesienie, że Abby i jej koleżanka, Lisa Delaney, były widziane, jak siedziały w samochodzie przed pana domem w sobotni wieczór przed zabójstwem Abby. Wie pan, dlaczego dziewczyny tam były?

– Nie mam pojęcia. Parę dziewcząt mieszkało na mojej ulicy. Może z nimi się chciały zobaczyć.

Joe zazwyczaj dobrze odczytywał ludzi, jednak Sorensena nie było łatwo odszyfrować. Wyglądał na rozdrażnionego, ale to niekoniecznie wskazywało na winę.

– Dlaczego nie można skończyć z tym polowaniem? – zaproponował bez ogródek Tim. – Nie było nic niewłaściwego w moim stosunku do Abby ani też do żadnej innej uczennicy. Nie podoba mi się, że moje nazwisko wplątuje się w taką sprawę. Wie pan, jak takie plotki mogą zaszkodzić zawodowo nauczycielowi mężczyźnie? Nie musi w nich być nawet ziarna prawdy. Pracuję ciężko i mam troje dzieci na utrzymaniu. Nie chcę, żeby bezpodstawne plotki pozbawiły mnie pracy.

– Nikt pana o nic nie oskarża. Jak rozumiem, zabierał pan zespół siatkarek na mecze wyjazdowe, które wiązały się z noclegami w motelach.

– Zawsze byli obecni rodzice. W każdym pokoju spały cztery dziewczyny. Zawsze była cisza nocna. Zawsze bardzo uważałem, żeby nie znaleźć się w dwuznacznej sytuacji. Czy to wszystko?

– Na tę chwilę tak. Dziękuję. – Joe wyszedł z klasy. Albo Tim Sorensen był wprawnym łgarzem, albo naprawdę nie miał nic wspólnego ze śmiercią Abby. Tylko dlatego, że Abby i jej przyjaciółka mogły szpiegować swojego trenera, nie oznaczało, że Tim o tym wiedział albo w jakikolwiek sposób je do tego zachęcał. Z drugiej zaś strony, jeśli coś go łączyło z Abby, z pewnością nie zamierzał z własnej woli dzielić się tą informacją.

Jedno było pewne. Nikt w miasteczku nie lubił Marka Devlina. Może, jeśli wkurzy jeszcze kilka osób, podda się i pojedzie do domu.

* * *

Parę godzin później Lauren przechadzała się niespokojnie po salonie w domu ojca. Zjedli razem obiad. Potem ojciec wyszedł obejrzeć stary film wojenny w kinie za dolara. Nie zjawi się tutaj przez najbliższych parę godzin, co dawało jej dość czasu na wprowadzenie w życie zapewne bardzo głupiego planu. Złapała płaszcz i wyszła z domu, zanim przemyślała to po raz drugi.

Shane był na łodzi, kiedy pojawiła się na przystani, bez tchu i zdecydowana na wszystko.

– Myślałem, że to miała być tylko jedna noc, a widzę cię znowu.

– To nie spotkanie w celu uprawiania seksu. Potrzebna mi twoja pomoc. Abby powiedziała mi, że jest ktoś, kogo nie może mieć. Jestem pewna, że napisała o tej osobie w pamiętniku rano tamtego dnia, kiedy zginęła, bo zachowywała się bardzo tajemniczo. Przeszukałam dom, ale nie mogłam znaleźć pamiętnika. Założę się, że zniknął dlatego, że wskazywał mordercę.

– To duży skok do przodu – przyznał Shane. – Myślałem, że zginął cały plecak Abby, z portfelem i komórką.

– Co doprowadziło policję do przypuszczenia, że motyw morderstwa mógł być rabunkowy, chociaż Abby nie nosiła w plecaku niczego wartościowego. Nie mogła mieć w portfelu więcej niż dwadzieścia dolarów, a jeśli komuś była potrzebna ta kasa, to czemu po prostu nie wyjął banknotów i nie zostawił reszty?

– Do czego z tym wszystkim zmierzasz?

– Musi być inny sposób na przekonanie się, kto się Abby podobał. Jej przyjaciółki nie były w stanie podać żadnego imienia, ale muszą gdzieś być jeszcze inne dowody i myślę, że wiem gdzie.

– Dobrze, posłuchajmy.

– Abby robiła zdjęcia do rocznika szkolnego. Przez kilka miesięcy przed śmiercią zawsze miała ze sobą aparat. Wszędzie, gdzie chodziła, chodziła z aparatem, a to oznacza, że zarejestrowała wiele ze swojego życia.

– Raczej z życia innych ludzi. Przecież nie robiła zdjęć sobie.

– Niekiedy robiła. Czasami dawała mi aparat, żebym ją sfotografowała, samą albo z przyjaciółkami. Jeśli ktoś się Abby podobał, to myślę, że odpowiedź tkwi w tych fotografiach. – Wzięła głęboki oddech, widząc niepewność w jego oczach. – Shane, sama byłam nastolatką. Wiem, co robią zakochane nastolatki. Wypisują bez końca imię chłopaka na okładkach, wpisują swoje imię i jego nazwisko, jakby były już mężatkami. Zabierają papier toaletowy z domu chłopaka albo robią mu zdjęcie i wklejają do pamiętników. Robią wszystko, co mogą, żeby być jak najbliżej, jak na przykład wpadanie na niego niby to przypadkiem. Abby miała aparat i powód, żeby być na każdej im prezie. Jeśli ktoś jej się podobał, na pewno robiła mu zdjęcia i założę się, że robiła je ciągle.

– Czy ty też wypisywałaś bez końca moje imię? – zapytał z ciekawością.

– Nie rozmawiamy o mnie.

– W porządku – odpowiedział Shane i lekki uśmiech podniósł kąciki jego ust. – Najwyraźniej jesteś przekonana, że wpadłaś na jakiś ślad. No i co, przejrzałaś rocznik?

– Tak, ale nie wiadomo, które zdjęcia w roczniku robiła Abby. Poza tym publikują zaledwie dziesięć procent zrobionych fotek. Poszłam dzisiaj do szkoły i rozmawiałam z panią Weinstein, nauczycielką zajmującą się rocznikiem. Ona ma wszystkie zdjęcia z ostatnich dwudziestu lat w swoim pokoju. Powiedziała, że każdy fotograf zwraca kopertę ze wszystkimi swoimi odbitkami, kiedy rocznik idzie do druku. I co powiesz?

– Jestem pod wrażeniem. Masz te zdjęcia?

– Nie, nie dadzą mi ich z powodu ochrony prywatności. Usłyszałam, że mam przyjść za tydzień porozmawiać z dyrektorem, ale ja mam lepszy pomysł.

Shane natychmiast pokręcił przecząco głową, a w jego oczach pojawił się błysk ostrzeżenia.

– Nie chcę nawet słyszeć, Lauren.

– Chcesz, bo dotyczy to także ciebie.

– Nie ma mowy.

– Proszę, Shane. – Położyła mu ręce na ramionach i bezwstydnie przywarła biustem do jego piersi.

Jego ręce pozostały na swoim miejscu.

– Nie jest ze mną aż tak łatwo.

– Jesteś pewien? – zapytała i wsunęła mu ręce pod koszulkę.

Chrząknął.

– A co dokładnie miałbym zrobić?

– Pomóc mi włamać się do szkoły dziś wieczorem.

– Czy już kompletnie straciłaś rozum? Dlaczego nie porozmawiasz z dyrektorem? Prawdopodobnie odda ci tę kopertę.

Rozczarowana powiedziała:

– Tydzień to za długo. Nie wiem, czy jeszcze tu będę, a on zawsze może odmówić.

– Porozmawiaj z policją. Niech oni poproszą o te zdjęcia.

– Jason Marlow pracuje w policji. Nie chcę, żeby miał dostęp do tych fotografii, dopóki ja ich najpierw nie zobaczę. Zdjęcia są po prostu w szafie, Shane. Nie będziemy ich kraść, tylko je sobie obejrzymy. – Głaskała dłońmi jego plecy, ugniatając palcami mięśnie.

– Rzeczywiście znalazłaś sobie wytłumaczenie, dlaczego musisz się tam włamywać.

– Nigdy nie byłeś tchórzem.

– Teraz przeciągasz strunę. Czy naprawdę uważasz, że jak nazwiesz mnie tchórzem, to zadziała?

– Chłopak, którego znałam, nigdy nie uznawał zasad, wszystkie chciał złamać. I nie proszę cię o nic, czego byś wcześniej nie zrobił. Kto wpuścił kozła do gabinetu dyrektora Calvina?

– Dziewczyna, którą znałem, bała się kłopotów. Nigdy nie chciała łamać zasad ani nawet ich naginać.

– Nie jestem już tamtą dziewczyną. – Spojrzała mu prosto w oczy. – Muszę znaleźć odpowiedź, kto zabił Abby. Ty też. Możesz oczyścić swoje imię raz na zawsze. Jeśli chcesz mi w końcu pomóc, powiedz„ tak" i będzie po sprawie.

– No, nie wiem. Podoba mi się twoja taktyka perswazji. Jeśli zsuniesz ręce jeszcze niżej, zapewne zgodzę się na wszystko.

Cofnęła się, gdy z jego uśmiechu wyczytała, że tylko się z nią drażni.

– Podlec!

– Chciałem zobaczyć, jak daleko się posuniesz, żeby dostać, czego chcesz.

– Wiedziałam, że nie muszę zapędzać się za daleko – odparowała. – Jesteś łatwy.

– Jeśli w grę wchodzisz ty, to chyba prawda. Wezmę tylko kurtkę i latarkę.

– Myślisz, że uda nam się dostać do środka?

– Nie mam pojęcia. Przypuszczam, że w szkole jest lepsza ochrona niż przed kilkunastu laty, ale nigdy nie wiadomo.

– Znajdziemy jakiś sposób – powiedziała z przekonaniem. Dobrze się czuła w działaniu. Może się myliła i zdjęcia niczego nie udowodnią, ale przynajmniej będzie miała pewność.

Rozdział 16

Szkoła stała na skraju miasteczka tyłem do zbocza góry, z trzech stron otoczona wysokimi, gęstymi drzewami. Shane przejechał przez parking i skierował motocykl w dół wąskiej ścieżki wiodącej do boiska. Zatrzymał się w cieniu głównej trybuny. Gdyby ktoś tędy przejeżdżał, nie dostrzegłby motocykla z ulicy.

Lauren zsunęła się z siedzenia i zdjęła kask. Dziś wieczorem miała w oczach wyraz zdecydowania. Zdał sobie sprawę, że się zmieniła. Nie była już taka nieśmiała i lękliwa jak kiedyś. Uwierzyła w siebie. Minęli salę gimnastyczną, kawiarenkę i przeszli przez czworokątny dziedziniec, gdzie zwykle jadali lunch.

Kiedy prowadził ją ścieżką na tyłach szkoły, odezwała się:

– Jest przerażająco. Dokąd my idziemy? Budynek główny już minęliśmy.

– Mam nadzieję, że Ramon ma nadal swoje zwyczaje.

– Dozorca boiska? Przecież za naszych czasów miał już ze sto lat.

– Pewnie ma niewiele mniej, ale nadal żyje. Spotkałem go w towarzystwie wnuka w Krabowej Chacie.

– Skręcił do małego baraku koło boiska do piłki nożnej. Na drzwiach widniała kłódka. Oddał Lauren latarkę, a sam wprowadził szyfr i ją otworzył. Kiedy drzwi ustąpiły, westchnął z ulgą. Wnętrze było pełne narzędzi do sprzątania i pielęgnowania zieleni, a w kącie stało poobijane biurko. Shane otworzył dolną szufladę z lewej strony, zanurzył dłoń w śrubokrętach, kluczach i pisakach i wyciągnął spod nich kółko z przyczepionymi sześcioma kluczami. – Bingo!

– Skąd wiedziałeś, że są tu klucze? – zapytała zdziwiona Lauren.

– Ramon zawsze trzymał w biurku zapasowy komplet.

– A kombinacja cyfr do kłódki? – zapytała, kiedy wyszli z baraku i Shane przystanął, żeby zamknąć kłódkę.

– Ramon używał daty urodzenia. Dawno temu mieliśmy wspólne interesy związane z papierosami i tequilą. Miejmy nadzieję, że klucze nadal pasują.
– Zawrócił do głównego budynku i włożył jeden do zamka w bocznych drzwiach. Napiął się w oczekiwaniu, że uruchomi alarm, ale było cicho. Wszedł i bezszelestnie zamknął drzwi za Lauren, która nie wyglądała już na tak samo odważną jak w chwili, kiedy przyszedł jej do głowy ten pomysł. – Nic ci nie jest?

– A co będzie, jeśli nas przyłapią?

– Trochę za późno, by się tym martwić.

Założyła włosy za ucho swoim ruchem sprzed lat świadczącym o zdenerwowaniu.

– Prawda. Chociaż, jeśli ktoś nas złapie, z pewnością pomyśli, że to był twój pomysł, a nie mój.

Lubił, kiedy się uśmiechała.

– Masz rację. Gdzie jest sala plastyczna?

– Na pierwszym piętrze.

Weszli po schodach na górę i poszli korytarzem do klasy pani Weinstein. Shane wypróbował kilka kluczy i wreszcie znalazł taki, który otworzył zamek.

Z tyłu był mały gabinet zastawiony szafami z szufladami. Lauren straciła ducha. To mogło zabrać zbyt wiele czasu. Nie wiedziała, czy ktoś patroluje okolicę szkoły i szkołę w nocy, i czy nie pojawi się tu czasem nocny serwis sprzątający.

– Sprawdź szafy. Ja będę obserwować przy drzwiach.

– Postawił latarkę na biurku, kierując snop światła na szafki. – Pośpiesz się.

– Postaram się – obiecała i sięgnęła do pierwszej szuflady.

Shane wrócił do klasy i stanął obok drzwi. Nie zamykały się od środka, a zatem każdy, kto by tędy przechodził, mógłby wejść. W górnej części drzwi znajdowało się małe kwadratowe okienko, przez które dało się wyjrzeć na zewnątrz. Korytarz jednak pogrążony był w głębokim cieniu.

Klasa przypominała raczej pracownię. Stały tu okrągłe stoły i krzesła, a z boku sztalugi. Na ścianach wisiały obrazki, a z sufitu zwieszały się ozdoby. Kiedy był w szkole, nie chodził na zajęcia plastyczne. Nie zdradzał żadnych skłonności do twórczego działania, w przeciwieństwie do Lauren. Nadal pamiętał ciasto, które upiekła na jego dziewiętnaste urodziny. Jakimś cudem zrobiła je w kształcie żaglówki ze swoim imieniem na burcie. Śmiała się i powiedziała, że jeśli statek mógł się nazywać „Gabriella", to czemu żaglówka nie może być „Lauren"?

Tamtego wieczoru kochali się na plaży. Tamto rozpaczliwe pożądanie pamiętał do tej pory. Nawet wtedy wiedział, że cokolwiek się między nimi zdarzy, będzie trwało krótko. Ona także o tym wiedziała. Leżąc po wszystkim w jego ramionach, zapytała, dlaczego musi wyjechać. Powiedział wtedy, że musi, bo musi. Nie podobała jej się ta odpowiedź, ale nie mógł udzielić lepszej. Kiedy zaczęła zadawać mu więcej pytań, przerwał jej pocałunkiem. Użył dłoni, języka i całego ciała, by ona zapomniała o przyszłości, a on o tym, że pewnego dnia ten wieczór będzie tylko wspomnieniem.

Nadal niezapomnianym wspomnieniem.

Drgnął, kiedy ciszę przerwało pogwizdywanie, a potem odgłos kroków i wózka ciągniętego po korytarzu. Wkradł się do gabinetu, wyłączył światło i pociągnął Lauren pod biurko. Chciała go zapytać, o co chodzi, ale zakrył jej usta ręką.

Gwizdanie stawało się coraz głośniejsze. Zgrzytnął zamek. Usłyszał stłumione głosy. Byli to prawdopodobnie woźni. Musieli sprawdzić wszystko i wyjść przed serwisem sprzątającym.

– Pośpiesz się – szepnął do Lauren. – Nie mamy dużo czasu.

W jej dużych oczach malowało się zmartwienie.

– Nie powinniśmy po prostu wyjść? Jest tu mnóstwo szuflad.

Nie chciał, by ich eskapada poszła na marne.

– Jeszcze pięć minut – powiedział i wyciągnął ją spod biurka. Włączył latarkę i oboje zaczęli otwierać szuflady. Przeczesywał zakładki tak szybko, jak potrafił, zamykał jedną, po czym otwierał następną. Lauren robiła to samo i bardzo się śpieszyła.

Wreszcie wyciągnęła grubą szarą kopertę.

– Mam – oświadczyła z ulgą. – W środku jest pełno zdjęć.

– Przejrzymy je gdzie indziej.

– Jeśli pani Weinstein zacznie ich szukać, domyśli się, że je wzięłam.

– Miejmy nadzieję, że kiedy się tak stanie, my już będziemy mieć wszystkie potrzebne informacje.

– Shane chwycił jej z ręki kopertę i wsadził do kieszeni kurtki. – Na wszelki wypadek, jeśli nas ktoś zatrzyma – rzekł w odpowiedzi na jej pytające spojrzenie.

– A w takim wypadku ja powinnam mieć zdjęcia. To był mój pomysł.

W żadnym razie nie mógł pozwolić na to, żeby wzięła za to cięgi.

– Chcesz się kłócić, czy też wolisz stąd wyjść? – Podszedł szybko do drzwi i uchylił je na parę centymetrów. Kawałek dalej w jakiejś sali paliło się światło.

Wyszedł, a Lauren tuż za nim. Zamknął drzwi na klucz, po czym poszli prędko do schodów. Zbiegli w dół i czym prędzej otworzyli boczne drzwi. Wtedy puścili się biegiem, nie zatrzymując się aż do baraku. Shane wrzucił klucze do szuflady biurka i zaszyfrował kłódkę.

– Nie wierzę, że nam się udało – powiedziała Lauren i wsunęła mu dłoń do ręki, kiedy oddalali się od baraku. – Serce zaraz wyskoczy mi z piersi.

Nie odpowiedział. On odetchnie dopiero, kiedy wskoczą na motor i wrócą na przystań.

Przechodzili przez drogę między budynkami i boiskiem do baseballa, kiedy na teren szkoły niespodziewanie wjechał jakiś samochód, a światła reflektorów przyłapały ich, znieruchomiałych, na środku.

– Ale wpadka! – Shane dostrzegł migające światło na dachu pojazdu.

– O mój Boże, to policja! – powiedziała Lauren. W jej głosie zabrzmiała panika, a jej palce wyciskały resztkę krwi z jego ręki.

– Zachowaj spokój i staraj się udawać, że nic nie zrobiłaś.

– Przecież zrobiliśmy!

– Oni o tym nie wiedzą. – Samochód zatrzymał się parę kroków od nich i wyszedł z niego policjant. Shane rozpoznał Jasona Marlowa. Mogło się uśmiechnąć do niego szczęście. Jason przyjaźnił się z Karą i raczej nie będzie skłonny aresztować jej starszego brata.

– Kto tam? – zapytał surowo Jason. – Shane, to ty?

– Ja i Lauren Jamison – odezwał się Shane, kiedy Jason się zbliżał. – Pamiętasz Lauren, prawda, Jasonie?

– Lauren? – powtórzył Jason i przyjrzał się jej twarzy.

– Jason? – zawtórowała Lauren. – Jason Marlow?

– Tak jest – kiwnął głową. – Słyszałem, że wróciłaś do miasta. – Obrzucił ich pełnym zastanowienia spojrzeniem. – Co wy tutaj robicie?

– Wybraliśmy się na wycieczkę szlakiem dawnych wspomnień – powiedział Shane.

– Łatwiej chodzi się za dnia – odparł Jason, a w jego głosie zabrzmiała podejrzliwość.

Shane nie mógł mieć o to do niego pretensji. Jason nie był głupcem, a oni nie mieli właściwie żadnego usprawiedliwienia na obecność na terenie szkoły. Jeszcze zastanawiał się, co powiedzieć, kiedy wskoczyła mu w słowo Lauren.

– Cieszę się, że wpadliśmy właśnie na ciebie, Jasonie. Ostatnio się dowiedziałam, że przyjaźniliście się z moją siostrą Abby bardziej, niż myślałam. Chciałam ci zadać parę pytań.

Jason wyprostował się.

– Jakich mianowicie?

– O to, czy was coś łączyło. Lisa powiedziała, że razem z Abby parę razy wymykały się w twoim towarzystwic na miasto. Także dwa dni przed śmiercią Abby. Lisa wcześniej nie wspomniała o tym, bo nie chciała mieć kłopotów dlatego, że wyszła bez pozwolenia z domu. Nie pamiętam jednak, żebyś ty podzielił się w śledztwie tą informacją.

Jason wzruszył ramionami.

– Bo nie było o czym informować. Woziłem je tylko po mieście. Sprawdziliśmy jedną imprezę i słuchaliśmy muzyki w samochodzie. Potem wróciły do domu Lisy. To wszystko.

– Podobała ci się Abby? A może ty podobałeś się Abby?

– Byliśmy przyjaciółmi.

– Bliskimi przyjaciółmi? – wypytywała Lauren.

– Nieszczególnie. Przypuszczam, że te pytania przyszły ci do głowy, bo rozmawiałaś z Markiem Devlinem o filmie. Nie wierzyłbym zbytnio temu, co on mówi. W miarę jak poznaje tę historię, wymyśla też różne bzdury. – Jason przerwał. – A co wy tak naprawdę tu robicie?

– Jak powiedział Shane, chciałam po prostu pojeździć po mieście i odświeżyć wspomnienia – odparła Lauren.

– Robiliśmy to i owo za trybuną – dodał Shane.

– Nie mów Jasonowi takich rzeczy – zaprotestowała Lauren.

Ucieszył się, że włączyła się do gry.

– A także za salą gimnastyczną, przy kortach tenisowych...

– Dosyć! Najadłam się przez ciebie wstydu. Powinniśmy już iść. Ojciec prawdopodobnie martwi się, gdzie jestem.

– Lauren, policja pracuje nad sprawą twojej siostry – powiedział Jason. – Jeśli były w śledztwie luki, to je wyjaśnimy.

– Jestem wdzięczna. Jeśli coś wiesz o Abby i jeszcze nikomu o tym nie powiedziałeś, mam nadzieję, że się namyślisz. Moja siostra zasługuje na sprawiedliwość. Już bardzo długo na nią czeka.

– Chciałbym pomóc – odparł Jason. – Przecież to ty znałaś siostrę lepiej niż ktokolwiek inny. – Poszedł do samochodu i usiadł za kierownicą.

– Nie odjeżdża – mruknęła Lauren, kiedy podążyli do motocykla. – Obserwuje nas.

– I zobaczy, że odjeżdżamy – powiedział Shane, kiedy zakładali kaski. Ruszyli w stronę ulicy.

Patrolowy wóz Jasona jechał za nimi po mieście, aż motocykl Shane'a skręcił na parking. Zsiedli z motoru, szybko ruszyli na przystań i weszli na łódź.

Shane zszedł za Lauren po schodkach w dół do kabiny, włączył światła i zamknął za sobą drzwi.

Miała czerwone policzki, włosy potargane przez kask i wiatr, a w oczach jasny błysk.

– O mój Boże – rzekła. – To było przerażające, ale dziwnie radosne.

Shanc odpowiedział uśmiechem.

– Życie na gorąco, skarbie.

– Niczego podobnego robiłam, nawet wtedy, kiedy byliśmy w szkole. Wpadałeś w tarapaty beze mnie. Nigdy mnie ze sobą nie zabrałeś.

– Nie chciałem ściągać na ciebie kłopotów.

– A dzisiaj byłeś gotowy wziąć na siebie całą winę. Dlatego włożyłcś kopertę do swojej kurtki.

– Ależ skąd. Nie chciałem tylko, żeby ci te zdjęcia wypadły, skoro tyle nas kosztowało, by je zdobyć.

Pochyliła się i złożyła mu na ustach gorący pocałunek.

– Dziękuję za ochronę.

Kiedy się wyprostowała, w wargach nadal czuł mrowienie.

– Nie mogę uwierzyć, że Jason Marlow nas przyłapał – rzekła. – Jego nazwisko wyskakuje wszędzie, gdzie się tylko obrócę. Rozmawiałeś z nim, jakbyście się dobrze znali.

– Znam go. Od lat przyjaźni się z Karą i Colinem. Od czasu postrzelenia Colina stale jest obok Kary, tak że już kilka razy się na niego natknąłem. Nigdy nie zagłębialiśmy się w rozmowę, ale Kara go lubi, a ona świetnie ocenia ludzkie charaktery.

– Lisa sugerowała, że Jason podkochiwał się w Karze.

– To możliwe, ale ona wyszła za jego najlepszego przyjaciela. Cieszę się, że to on nas przyłapał. Przypuszczam, że tylko przyjaźń z Karą powstrzyma go od zawleczenia nas na posterunek na przesłuchanie.

– Zachowywał się podejrzliwie.

– Ty jednak sprytnie zbiłaś go z tropu, zmuszając do obrony. Myślę, że chciał się ciebie równie szybko pozbyć, jak ty jego.

– Ciekawe dlaczego, skoro nie ma nic do ukrycia.

Shane rozpiął zamek błyskawiczny kurtki i wyjął kopertę.

– Możemy mieć nadzieję, że zaraz to odkryjemy. Zobaczymy, ile razy Jason wskoczył w obiektyw Abby. – Wysypał zdjęcia na środek łóżka. Niektóre były przewiązane wstążeczką i opatrzone notatką zawierającą opis zdarzenia i datę, inne wysypały się luzem. Była ich co najmniej setka.

Lauren usiadła z jednej strony łóżka i wpatrzyła się w stos fotografii.

– Trochę się boję oglądać. – Podniosła wzrok na niego. – Czuję się, jakbym stała na krawędzi urwiska. Nie mogę się cofnąć, ale skoczyć też nie mogę. Boję się tego, co tam znajdę, ale też boję się, że niczego nie znajdę i to wszystko okaże się tylko stratą czasu.

– Nie znać prawdy jest trudniej niż ją znać, niezależnie od tego, jaka ona jest.

– Nie jestem pewna.

On też nie był pewien. Niektóre tajemnice lepiej zostawić nieodkryte na zawsze. Wiedział jednak, że Lauren będzie odchodzić od zmysłów, jeśli nie dokończy tego, co zaczęła.

– Poszukajmy – usiadł na łóżku naprzeciwko niej. – Jak zamierzasz się do tego zabrać?

– Myślę, że możemy poukładać zdjęcia, na których są te same osoby. Zdjęcia grupowe, pozowane, nie są nam do niczego potrzebne. Zajmijmy się tymi robionymi na żywo.

Pracowali w skupieniu przez dobre dziesięć minut. Shane znał większość sfotografowanych osób. Wielu z nich nie widział od lat. Zdziwił się na widok niektórych par uwiecznionych na zdjęciach. Był tak pochłonięty swoimi kłopotami w szkole, że odsunął od siebie całą resztę świata. Miewał tylko przelotne znajomości, a nie prawdziwe związki. A kiedy przestał uprawiać sport, już niewiele łączyło go z kolegami. Najwięcej czasu spędzał na motorze albo na łodzi ojca, marząc o wypłynięciu za linię horyzontu. Chciał znaleźć się wszędzie, byleby wyjechać z Zatoki Aniołów, aż spotkał Lauren. W tym roku, kiedy zginęła Abby, nie chodził już do szkoły. Pracował u ojca na łodzi.

– Wszystko, czego się dotąd dowiedziałam, to że Pamela Baines była nie lada puszczalską – obwieściła Lauren. – Pięć zdjęć z językiem w ustach różnych chłopaków.

Shane chrząknął. Lauren obrzuciła go krótkim spojrzeniem.

– Nie, ciebie wśród nich nie ma. – Podniosła brew. – A może jednak byłeś?

– Nie pamiętam. – Skierował wzrok na fotografię, którą trzymał w ręku, i usta wygięły mu się w uśmiechu. – To jedno nasze podczas zbiórki pieniędzy przy akcji mycia samochodów. Bardzo ponętnie wyglądasz w szortach, a patrzysz na mnie, jakbyś mnie chciała schrupać.

Wzięła zdjęcie i zaczerwieniła się jak burak.

– O mój Boże, wyglądam jak chory z miłości szczeniak. Jak ty w ogóle mogłeś to wytrzymać?

Roześmiał się.

– Była z ciebie laska.

– Nie wierzę, że Abby zrobiła takie zdjęcie. Wstyd mi teraz.

– A ja nie wierzę, że nie wpadłem na to, żeby oblać ci wodą koszulkę. Cała akcja mycia aut na darmo!

– Dzięki Bogu, że nie wstawili tego do rocznika. Nikt by nie miał wątpliwości...

– Że byłaś we mnie zakochana? – podpowiedział.

– Idźmy dalej, możemy?

Kiedy wróciła do oglądania pozostałych fotografii, Shane wsunął zdjęcie z mycia samochodu do szafki nocnej.

Po chwili Lauren stwierdziła:

– Jest tu całkiem sporo zdjęć Jasona, zazwyczaj z Karą i Colinem, ale też kilka, na których jest sam. Jest jedno przedstawiające Lisę i Jasona, a także... – Umilkła i wyciągnęła jeszcze jedną fotografię. – Jason i Abby. – Podała ją Shane'owi.

Jason obejmował ramieniem Abby i oboje się uśmiechali. Fotografia została zrobiona na jakiejś plaży. Z boku było widać płonące ognisko.

– Jason mówił, że znali się z Abby. – To niczego nie dowodzi.

– A reszta? – zapytała i podniosła cały stos zdjęć. – Myślę, że kochała się w Jasonie. Inaczej dlaczego zrobiłaby mu aż tyle fotek?

Shane podał jej zdjęcia, które on wybrał.

– Nie ryzykowałbym jeszcze wniosków. Trener Sorensen to także częsty obiekt.

Lauren zmarszczyła brwi.

– Może po prostu chciała, żeby zespół siatkarek był dobrze zaprezentowany w roczniku.

– Nie wszystkie zostały zrobione na meczach. Jest kilka z trenerem stojącym na trybunie w czasie meczu, ale też w pizzerii z paroma dziewczętami.

– Siatkarkami – sprostowała Lauren. – To musiał być jakiś wspólny obiad drużyny.

– Parę zostało zrobionych w pokoju hotelowym.

– Podczas jednego z turniejów wyjazdowych. Te zdjęcia nie przedstawiają trenera samego ani z samą Abby. Na każdym z nich są też inne dziewczyny. Nie wiadomo, czy obiektem zdjęcia miał być on, czy te koleżanki.

Lauren stanowczo walczyła z pomysłem, że Abby mogłaby się zaangażować w związek z trenerem. Shane nie mógł jej tego mieć za złe. Jemu także taki wariant wydarzeń wcale się nie podobał.

Westchnęła.

– To był beznadziejny pomysł.

– Jeszcze nie skończyliśmy. Nie poddawaj się.

– Zobaczyłam dość. – Zebrała fotografie i zaczęła je zgarniać do koperty. – Nie mogę. Nie mogę sobie wyobrazić Abby i żonatego mężczyzny. – Zaklęła, kiedy koperta się rozdarła.

Shane położył dłonie na jej rękach, by uspokoić jej gwałtowne ruchy. Wziął od niej kopertę i położył na stoliku, a potem pociągnął Lauren w swoje ramiona. Opierała się tylko ułamek sekundy, po czym poddała się, oparła głowę o jego pierś i objęła go w pasie.

Przytulał jej drżące ciało. Walczyła o opanowanie. Chciał móc uczynić coś, by złagodzić jej niepokój, ale nie było słów, które mogłyby oddalić od niej ból. Zatem przytulał ją tylko i czekał, aż się wypłacze. Jej cichy stłumiony szloch rozdzierał mu duszę. Kiedy straciła Abby, też chciał ją tak tulić, ale go odepchnęła. Za to teraz pocieszał ją jak mógł.

Wreszcie ucichła, a on wstał, żeby przynieść jej chusteczki. Wytarła łzy, po czym wyciągnęła się obok niego i zacisnęła powieki.

– Jestem taka zmęczona. Muszę tylko na chwilę zamknąć oczy.

Ściągnął koc z łóżka i narzucił na nią, po czym objął ją w pasie ramieniem. Jej włosy łaskotały go w nosie. Wdychał woń jej szamponu i wiedział, że nigdy nie zapomni tego słodkiego zapachu, bez względu na to, gdzie się znajdzie i co będzie robił. Weszła mu głęboko pod skórę, aż do samego serca. Może nie mieli przed sobą wieczności, ale teraz miał zamiar trzymać się jej, dopóki nie będzie musiał puścić.

– Shane – szepnęła.

Ścisnął ją mocniej.

– Co takiego?

– Ja cię wtedy bardzo kochałam.

– Wiem. – Wołałby, żeby kochała go teraz.

Rozdział 17

Joe obudził się na dźwięk czegoś, co zdawało mu się wyciem syren. Przetarł oczy i popatrzył na zegarek. Była pierwsza trzydzieści pięć i panowała kompletna cisza. Czy mu się przyśniło?

Wtedy zadzwonił telefon. Joe poczuł przypływ adrenaliny i chwycił słuchawkę.

– Silveira.

Po drugiej stronie był Jason Marlow. Joe wysłuchał jego sprawozdania z rosnącym niepokojem.

– Dziękuję. Będę natychmiast. – Rozłączył się. Serce zabiło mu szybciej i mocniej. Wstał, wyjął z szafy mundur i zaczął się ubierać.

Rachel usiadła na łóżku i mrugając, odpędzała sen.

– Joe? Co się dzieje? Stało się coś złego?

– Tak.

– Musisz pojechać na posterunek?

– Nie, do szpitala. – Zapiął koszulę i zawahał się przez chwilę. Musiał jej powiedzieć, ale wcale tego nie chciał.

– Co takiego się stało?

– Rachel, powinnaś się ubrać i pojechać ze mną. – Sięgnął po mundur i włożył na siebie.

– Dlaczego? Jedyne osoby, które tu znam, to ty i... – ucichła.

Ujrzał nagły strach w jej oczach i podszedł do łóżka. Usiadł na brzegu i wziął ją za rękę.

– To Mark.

Potrząsnęła głową, nie dowierzając.

– Nie.

– Miał wypadek. Zabierają go do centrum urazowego w Montgomery.

– To niemożliwe. Rozmawiałam z Markiem godzinę temu, kiedy szliśmy spać. Miał się dobrze. Chciał tylko jeszcze napić się drinka w barze. Miał się dobrze. – Powtarzała, rozpaczliwie pragnąc, by okazało się to prawdą.

– Potrącił go samochód, kochanie – powiedział łagodnie Joe.

– O Boże! – Zasłoniła usta ręką. – Jest bardzo źle?

– Jego stan jest poważny. Wiesz, gdzie on ma rodzinę? Musimy ich powiadomić.

– Wszyscy mieszkają na wschodnim wybrzeżu, w Nowym Jorku i Connecticut. – Rachel wstała z łóżka i zaczęła wciągać na siebie ubranie. – Mark z tego wyjdzie – powiedziała z determinacją. – Jest młody, silny i zdrowy. Przeżyje.

Pięć minut później byli już w drodze. Jazda do centrum urazowego przypomniała Joemu, że poprzednim razem, kiedy przemierzał tę trasę w środku nocy, jechał do Colina, którego postrzelono. Wtedy na miejscu pasażera siedziała Kara. Przez całą drogę nie powiedziała ani słowa, ale czuł jej paniczny strach równy jego własnemu. Teraz czuł strach Rachel.

Chciał ją pocieszyć, ale zdawała się całkowicie wyłączona. Wzrok skierowała za okno, a ramiona skrzyżowała na piersiach. Nie wiedział, o czym myślała, nie było to jednak niczym niezwykłym, ponieważ na ogół nie wiedział. Kiedyś rozmawiali o wszystkim. Teraz nawet rzadko wspólnie jadali. Niemniej była jego żoną, a on jej mężem, a to coś oznaczało, prawda?

Ożenił się z nią w przekonaniu, że zostaną razem na zawsze. Nigdy nie lekceważył swoich zobowiązań. Nigdy nie był niewierny. Wierzył też, że ona była wierna. Lecz bez wątpienia oddalali się od siebie. Chociaż oboje oświadczyli, że pragną ponownie skleić swoje małżeństwo, żadne z nich nie było w stanie do tego doprowadzić. Nawet wspólny seks stał się bardziej nawykiem niż namiętnością. Może jednak należało się tego spodziewać, ponieważ spędzili ze sobą już wiele lat. Namiętność z czasem wygasa, czyż nie?

A może tylko szukał wytłumaczenia? Przynajmniej ostatnio tak zaczęło mu się wydawać. Odpędził te myśli i skupił się na ciemnej szosie.

Kiedy dotarli do szpitala, powiedziano im, że Devlin jest na chirurgii, poszli zatem do poczekalni na drugim piętrze. Było pusto, a w całym budynku panowała głucha cisza.

Rachel usiadła, a Joe ponownie połączył się z Jasonem.

– Jesteśmy w szpitalu – powiedział. – Możesz podać mi więcej szczegółów na temat wypadku?

– Pan Devlin wyszedł z baru Murraya około pierwszej. Został potrącony na rogu Drugiej ulicy. Roger Haran widział odjeżdżający stamtąd szybko samochód, ale nie umiał podać szczegółów. Znalazł pana Devlina na ulicy i zadzwonił po pomoc. Pogotowie i ja byliśmy tam po trzech minutach – zdał relację Jason. – Jak on się czuje?

– Jest na sali operacyjnej. Czy był przytomny na miejscu zdarzenia?

– Wymamrotał kilka słów, ale nie mogłem ich zrozumieć. Jestem w barze i sprawdzam, czy wdał się tutaj w sprzeczkę albo czy ktoś wyszedł z baru pijany.

Sprawdzę też Pod Błękitnym Pelikanem i Bar Zachodzącego Słońca.

– Informuj mnie na bieżąco – zakończył Joe rozmowę, nie mogąc zwalczyć złych przeczuć. Mark Devlin przez parę ostatnich tygodni wsadzał kij w mrowisko. Może ktoś chciał go tylko nastraszyć, a może uciszyć na dobre.

Rachel popatrzyła na niego pytająco. Jej jasna skóra w świetle jarzeniówek zdawała się bledsza niż zwykle. W ciemnych oczach widniało zatroskanie.

– Potrącił go kierowca, który zbiegł – rzekł. – Nic jeszcze nie wiemy.

– Ktoś go potrącił i uciekł? – zapytała zaskoczona. – Myślisz, że zrobił to umyślnie, Joe?

– Całkiem możliwe. Mark nie od dziś kręcił się po mieście, wypytując o morderstwo.

– Musisz znaleźć tego, kto mu to zrobił.

– Znajdę. Nie martw się teraz o to.

– Nie mogę przestać się martwić. – Przeniosła wzrok na swoje zaciśnięte ręce. – Czuję się taka bezradna. Chciałabym, żeby się to dobrze skończyło. Mark to dobry człowiek. Wiem, że go nie lubisz, ale on jest naprawdę wspaniały. – Głos jej się załamał i zaczęła szlochać.

Usiadł przy niej i otoczył ją ramieniem.

– Wszystko skończy się dobrze, kochanie.

– Tego nie możesz wiedzieć. – Strząsnęła z siebie jego ramię i wstała. – Muszę iść do toalety.

Nie wracała przez kwadrans, a kiedy już wróciła, usiadła w fotelu naprzeciwko. Dzieliła ich odległość zaledwie metra, ale Joe czuł się tak, jakby siedzieli na dwóch przeciwległych krańcach kuli ziemskiej.

– Rachel – zaczął.

– Nic nie mów! – powiedziała szybko i popatrzyła mu w oczy. – Nie mogę teraz rozmawiać. A ty nawet nie lubisz Marka.

– Ale też nie żywię do niego niechęci. A z całą pewnością nie chcę, żeby mu się stała jakaś krzywda.

– Świetnie, ale ja chcę się skupić na operacji Marka. – Oparła się wygodniej i zamknęła oczy.

Patrzył na nią ponad godzinę. Nie wiedział, czy spała, czy się modliła, ale z całą pewnością przebywała daleko od niego.

Wreszcie do poczekalni wszedł lekarz w fartuchu chirurga. Rachel skoczyła na równe nogi. Joe także wstał w nadziei, że wieści okażą się pomyślne.

Lekarz miał około trzydziestki. Nazywał się Ron Waxman. Wahał się z udzieleniem informacji, ponieważ nie byli członkami rodziny, ale odznaka Joego przekonała go.

– Pan Devlin ma złamane obie nogi. Poza tym doznał wstrząśnienia mózgu, krwotoku wewnętrznego i ma złamane żebro. Udało nam się powstrzymać krwotok. Jego stan jest poważny, ale stabilny. Naszym zdaniem rokowania są pomyślne.

Rachel wypuściła powietrze.

– Czy mogę go zobaczyć?

– Teraz będzie spał. Może pani przyjść jutro.

– Ja się w ogóle stąd nie ruszę – oświadczyła znienacka Rachel.

– Poproszę pielęgniarkę, żeby panią wprowadziła, kiedy pacjent odzyska przytomność.

– Rachel, powinniśmy jechać i wrócić tu rano – powiedział Joe, kiedy zostali sami. – Jesteś wyczerpana.

– Nie dbam o to. Ty możesz jechać. Wezmę taksówkę, kiedy będę chciała wrócić do domu.

– Zostanę tu z tobą.

– Nie, za parę godzin musisz iść do pracy, a ja chcę się dowiedzieć, kto zrobił coś takiego Markowi. Powinieneś się trochę przespać.

Niechętnie zostawiał ją samą. Wolałby jej okazać, że jest przy niej kiedy trzeba.

– Jeśli ty zostajesz, to ja też zostaję.

Wpatrywała się w niego przez długą chwilę.

– W porządku. – Z powrotem opadła na fotel.

Usiadł obok i objął ją znów ramieniem. Przez chwilę się opierała, ale potem położyła mu głowę na piersi.

– Okropnie się boję – wyznała. – To wszystko moja wina. To ja przyciągnęłam Marka do Zatoki Aniołów. To ja go namawiałam, żeby tu trochę pomieszkał, bo zawsze miło jest mieć przyjaciela w pobliżu. A teraz on cierpi.

– To nie jest twoja wina, Rachel. To mógł być zwykły wypadek.

– Nie sądzę.

On także nie sądził.

Świtało, kiedy przyszła po nich pielęgniarka. Mark był przytomny, ale oszołomiony. Na obu nogach miał gips, na głowie opatrunek i był podłączony do aparatury. Twarz miał w siniakach i zadrapaniach i wyglądał jak sam diabeł.

Rachel położyła rękę na ramieniu Marka.

– Wyzdrowiejesz. Odpocznij teraz, a kiedy się obudzisz, będę przy tobie.

Wyraz twarzy Rachel sprawił, że Joemu ścisnęły się wnętrzności. Oczywiste było, że ona coś czuje do Marka. Jak daleko jednak posunęły się te uczucia? Czy była to tylko przyjacielska troska, czy coś więcej?

Rachel przechwyciła jego wzrok i odczytała myśli.

– To tylko przyjaciel, Joe. Naprawdę dobry przyjaciel.

Czy go okłamywała? Czy też okłamywała samą siebie?

– To ja jadę do pracy – powiedział nagle. Musiał stąd wyjść zanim powie coś, czego nie będzie mógł cofnąć.

* * *

Lauren ześlizgnęła się z łóżka Shane'a, kiedy w okno zajrzał pierwszy promień światła. Shane jeszcze spał. Gęsta ciemna czupryna odcinała się od poduszki, na szczęce pojawił się cień brody, a jego piękne usta były lekko rozchylone. Serce zabolało ją z tęsknoty, która tylko rosła w miarę, jak spędzali wspólnie ze sobą więcej czasu. Obraz chłopaka, którego znienawidziła, zamazał się. W jego miejscu pojawił się chłopak, którego kiedyś kochała, i mężczyzna, którego właśnie zaczęła poznawać. Co kiedyś wydawało się czarne i białe, nabrało teraz kłopotliwej szarej barwy.

Shane nagle się przeciągnął i otworzył oczy. Powinna była wyjść, kiedy miała okazję.

– Wymykasz się po kryjomu? – zapytał. Dźwięk jego głosu rano był niezaprzeczalnie seksowny.

– Starałam się tylko cię nie obudzić.

– Do czego się tak śpieszysz? Pewna jesteś, że nie chcesz zostać jeszcze na... na śniadanie?

Ledwie zawoalowane zaproszenie wywołało przypływ pożądania. Wyraz jego oczu świadczył, że nie mówił o naleśnikach.

– Muszę iść. – Nie postarała się nawet o wymówkę, ponieważ oboje dobrze wiedzieli, dlaczego wychodziła. – Nie proś mnie, żebym została. – Mówiąc te słowa, czuła, że je powtarza. Jednak to nie ona wypowiedziała je po raz pierwszy, a on. – Tak właśnie powiedziałeś mi ostatni raz, kiedy byliśmy razem. Powiedziałeś: nie proś mnie, żebym został w Zatoce Aniołów dla ciebie, Lauren, bo nie mogę. – Popatrzyła na niego z zamyśleniem. – Dlaczego nie mogłeś zostać dla mnie? Albo dlaczego nie mogłeś poprosić, żebym wyjechała z tobą? Mogłam wtedy powiedzieć „tak".

Usiadł, nie spuszczając z niej spojrzenia ciemnych oczu.

– Wyjazd stąd był mi wtedy potrzebny. Musiałem pooddychać innym powietrzem, znaleźć się wśród ludzi, którzy mnie nie znali i nie mieli w stosunku do mnie żadnych oczekiwań.

– Ja nie oczekiwałam, że się ze mną ożenisz. Miałam wtedy siedemnaście lat.

– Nie chodziło tylko o twoje oczekiwania. Były jeszcze inne kwestie.

– Inne tajemnice – powiedziała i pokiwała głową. – One zawsze stają między nami, nawet teraz. Jak ja kiedykolwiek mogłam być z człowiekiem, który mnie nie dopuszczał do wszystkich swoich spraw, który mi nie ufał z całej duszy? Nie mogę być z tobą, Shane. Zasługuję na więcej.

Z jego twarzy odpłynęła cała krew, a szczęka zacisnęła mu się w znajomym wyrazie „nie podchodzić". Chciała, żeby mówił, a tymczasem trwał w milczeniu.

Nie pozostawało jej nic innego, jak się oddalić.

* * *

Charlotte parę razy spotkała Joego w klubie sportowym, co było niczym nagroda za codzienne poranne ćwiczenia. Zazwyczaj uprawiała jogging na ulicach, ale pogoda się zmieniła i zimna mgła przygnała ją pod dach. Kończyła już godzinne ćwiczenia i zmierzała pod prysznic, kiedy zobaczyła Joego przy worku bokserskim.

Miał na sobie czarne spodenki i szarą bluzę z inicjałami policji z Los Angeles. Umięśnione, opalone ramiona, mocne nogi, ciało bez zbędnego grama tłuszczu. Najwyraźniej rozpierał go nadmiar nieujarzmionej energii, ponieważ okładał worek, jakby zaraz chciał roznieść go na strzępy. Nigdy przedtem nie widziała tak dokładnie jego ciała ani też nigdy przedtem nie wydał jej się aż tak męski.

Było jej gorąco od ćwiczeń i myśli. Wzięła papierowy kubek i nalała sobie zimnej wody, po czym odwróciła się do ćwiczącego Joego plecami, żeby ją wypić. Nie miała żadnego interesu w tym, żeby wiązać się z żonatym mężczyzną, nie mogła jednak poskromić ciekawości, co też takiego ściągnęło go tutaj i dodało tyle siły. Był zwykle bardzo opanowany, a nawet zimny, chociaż głównie na gruncie służbowym. Zawsze podejrzewała, że miał też swoją pełną temperamentu stronę.

Popijając wodę, skierowała wzrok na tablicę ogłoszeń w nadziei, że zobaczy tam coś, co skieruje jej myśli na inne tory. Może powinna odejść od swojego zwyczaju ćwiczenia w pojedynkę i wziąć lekcje kickboxingu. A może powinna zaliczyć parę rund z Joem, bokserskich, rzecz jasna! Powściągnęła uśmiech, który wywołała ta myśl, i wyrzuciła kubek do kosza. Kiedy się odwróciła, ujrzała Joego idącego w jej kierunku. Miał na szyi ręcznik i wycierał pot z czoła.

– Charlotte – powiedział, a w jego głosie zabrzmiało zdziwienie.

– Joe! – Chrząknęła. – Czy worek treningowy to przetrwał? Waliłeś w niego, jakbyś chciał wygrzmocić ze środka samego diabła.

– Miałem kiepską noc.

– Czy możesz o tym mówić?

Zawahał się.

– Na pewno usłyszysz o tym, kiedy stąd wyjdziesz. Mark Devlin został tej nocy potrącony przez samochód. Leży w szpitalu w ciężkim stanie.

Była wstrząśnięta. Idąc tutaj, z nikim po drodze nie rozmawiała, nie czytała też porannej gazety.

– To straszne.

– Wątpię, że to był wypadek. Zraził do siebie wielu ludzi.

– To prawda, ale trudno uwierzyć, żeby ktoś specjalnie w niego wjechał.

– Może ktoś, komu nie podobały się jego pytania.

– Na przykład osobie, która zabiła Abby. Znaczyłoby to, że nadal jest mieście. – Po plecach przeszedł jej dreszcz. – Sądzisz, że uda ci się znaleźć sprawcę?

– Zamierzam się postarać.

– Z chęcią pomogę.

Uraczył ją lekkim uśmiechem, od którego zawsze serce biło jej szybciej.

– Już pomogłaś.

– W czym?

– Bo mnie wysłuchałaś.

Przyjrzała się jego zmęczonej twarzy i zadała sobie pytanie, czy wypadek Marka Devlina był jego jedynym zmartwieniem.

– Nie spałeś wiele tej nocy.

– Tylko godzinę. A dzień zapowiada się długi.

– Może postawię ci kawę? W barze robią pyszne latte waniliowe.

– Nie przepadam za napojami z bitą śmietaną.

– Nie pasuje do macho, tak? – zażartowała. – Pewnie czarną kawę też tam mają.

– Mogę to potraktować jako zaproszenie na później? Śpieszę się do pracy.

– Kiedy tylko zechcesz. – Zmieniła temat. – Twoja żona musiała się szczerze zmartwić wypadkiem. Przyjaźnią się bardzo z Devlinem, prawda?

– Nie opuszcza jego boku – powiedział z ciężkim westchnieniem.

Kiedy się oddalał, Charlotte poczuła, że właśnie dopiero teraz się przyznał, dlaczego nie spał przez całą noc.

* * *

Lauren położyła się na parę godzin, potem wzięła prysznic i się ubrała. Wyszła do kafejki Diny, żeby poszukać ojca i zjeść jakiś lunch. Czuła się niespokojna i niepewna, a jej myśli zaciemniały czarne burzowe chmury napływające znad oceanu. Obejrzane zdjęcia nie dostarczyły jednoznacznego dowodu, na który miała nadzieję. Powinna przejrzeć resztę, ale koperta została na łodzi Shane'a. Pójdzie tam później, może też dla pewności zabierze ojca.

Podążała bocznymi uliczkami, żeby nie przejść koło przystani i żeby zapłacić parę rachunków na poczcie. Póki nie wymyśli rozwiązania życiowej sytuacji ojca, może przynajmniej zadbać, żeby nie odłączono mu prądu. Kiedy skręciła w następną uliczkę, stanęła na wprost miejsca, które było jej marzeniem z przeszłości.

„Ciasta i ciasteczka Marty". Wystawa była teraz pusta. Nazwa nadal trwała, wymalowana na szybie, ale nic nie leżało na ladach, tapeta się odrywała, a podłogę pokrywał kurz. Pracowała u Marty przez całą szkołę średnią, pomagając sześćdziesięciopięcioletniej właścicielce i jej córce Rosemary robić ciasta. Powiedziała Marcie, że kiedy dorośnie, otworzy własną ciastkarnię i rozpocznie wojnę na ciasteczka.

Marta zmarła dwa lata temu, a Rosemary się wyprowadziła. Nie było nikogo chętnego, kto by przywrócił ciastkarnię do życia. Prawdziwy wstyd. Miejsce było wspaniałe, znajdowało się bowiem niedaleko przystani. Miejscowi rybacy zawsze co rano kupowali gorące bułeczki, zanim wyruszyli na morze. Szkoła podstawowa znajdowała się tylko parę przecznic dalej w drugą stronę. Mama często zabierała po lekcjach Abby i ją na ciasteczkową kurację.

Patrząc przez brudną szybę, Lauren wyobraziła sobie świeżo pomalowane ściany, lśniące kontuary i błyszczące szklane półki wypełnione ciasteczkami, babeczkami, ciastami i tortami. Zobaczyła oczami duszy małe stoliki i barek kawowy w kącie. W czasie ładnej pogody można było postawić stoliki na zewnątrz i osłonić je czerwonymi parasolami.

Skarciła się w myślach za te cofające ją w życiu pomysły. Nie miała zamiaru zastępować Marty. To, że dostrzegła potencjał, nie oznaczało, iż musiała z niego korzystać. W San Francisco miała pracę, którą lubiła, i do której musiała wrócić już w przyszłym tygodniu. Miała swoje życie i rachunki do opłacenia.

Kafejka Diny była tuż za rogiem. Weszła do środka i zobaczyła ojca z przyjaciółmi siedzących wokół stołu przy oknie, skąd mogli widzieć wszystkich wchodzących i wychodzących. Ciepłe, gościnne miejsce miało swój charakter i dobre jedzenie. Sala udekorowana była starannie dobranymi ozdobami i bibelotami, które Dina ściągała z wszelkich wyprzedaży staroci. Wypełniały miejsca na półkach, kontuarze i ścianach. W sali stało kilkanaście stołów i długi bar odgradzający salę od kuchni. Niemal wszystkie miejsca były zajęte, a powietrze wypełniał zapach bekonu i smażonych naleśników.

Ojciec zamachał do niej z radosnym uśmiechem.

– Lauren, pamiętasz na pewno Morta – powiedział, kiedy do nich podeszła.

– Oczywiście, dzień dobry!

– A to Will Pachowsky i Don Lowestein – dodał ojciec. – Moi kompani do wędkowania.

– Miło mi poznać panów – rzekła z uśmiechem.

Ojciec przysunął krzesło stojące przy sąsiednim stoliku.

– Siadaj. Don właśnie dokonał niewiarygodnego odkrycia – powiedział z podnieceniem. – Pokaż, Donie.

Kiedy Lauren usiadła przy stole, siwowłosy mężczyzna wyciągnął coś, co wyglądało na złotą monetę.

– Znalazłem na plaży takich sześć. – powiedział. – Pochodzą z „Gabrielli".

– Naprawdę? – Serce podskoczyło jej z radości. Jako nastolatka nurkowała z kolegami w poszukiwaniu zaginionego skarbu. Systematycznie przeszukiwali też plaże i skały podczas odpływu. Nigdy nie znaleźli niczego ciekawego, ale nie opuszczała ich nadzieja.

– Sprawdź datę – powiedział ojciec.

Don wręczył jej monetę. Rzuciły jej się w oczy cyfry 1849. Statek zatonął w tysiąc osiemset pięćdziesiątym. Rzecz jasna, w czasie gorączki złota pływało przy wybrzeżu także wiele innych jednostek.

– Czujesz ten powiew przeszłości, Lauren? – spytał ojciec. – Kiedy trzymałem w ręku tę monetę, było tak, jakbym cofnął się w tamten czas.

Mężczyźni podjęli swoją rozmowę, a moneta zaczęła ogrzewać Lauren dłonie. Umieszczone na niej symbole i słowa, w miarę jak się w nie wpatrywała, zaczęły się zacierać. Poczuła, że cała drży i niemal traci równowagę.

Poczuła pod stopami pokład. Czyniła wszystko, by zachować równowagę. Tommy rozpaczliwie próbował utrzymać ster i przeprowadzić ich przez sztorm, ale fale były za wysokie, a ocean zbyt wściekły. Popatrzył na nią, i w jego oczach zobaczyła, że świat się kończy. Jej wielki, silny mężczyzna, miłość jej życia, bał się – a jeszcze nic na świecie nigdy go nie przestraszyło.

– Przeżyjemy, Tommy. Poradzimy sobie – powiedziała.

Inny żeglarz przechwycił ster, kiedy Tommy zbliżył się do niej. Wyjął skórzany woreczek z kieszeni i jej wręczył.

– Będziesz tego potrzebowała – rzekł.

– Nie. – Wiedziała, co zamierzał. – Przetrwamy ten sztorm.

– Wsadzamy ludzi do łodzi ratunkowych. Ty i Jeremy wsiądziecie do następnej.

– Nie bez ciebie.

– Leonoro. Jestem kapitanem. Schodzę stąd ostatni.

To oznaczało, że nie opuści statku w ogóle. Oboje wiedzieli, że na pokładzie było zbyt wielu pasażerów.

– Musimy zostać razem – błagała.

Zacisnął jej palce na woreczku monet.

– Tu jest dość pieniędzy na początek, na wychowanie syna i na jakie takie życie.

– Nie bez ciebie – potrząsała głową, a po twarzy płynęły jej łzy. – Nie mogę cię znów stracić. – Zostawiła za sobą swoje życie, żeby być z nim, swoją prawdziwą miłością. Bóg nie mógł być aż tak okrutny, by go teraz zabrać, zanim jeszcze zaczęli żyć prawdziwym życiem i naprawdę się kochać.

– Gdybym mógł z tobą zostać, tobym został. – Wwiercił się w nią ciemnym spojrzeniem. – Masz syna i musisz przeżyć dla niego. Idź, Leonoro. Bo będzie za późno.

Nie miała wyboru. Przede wszystkim była matką.

– Znajdziemy się jeszcze raz – obiecała. – Pewnego dnia będziemy razem tak, jak było nam przeznaczone.

– Lauren? Lauren?

Podskoczyła, zdając sobie sprawę, że ojciec i pozostali mężczyźni jej się przyglądają.

– Dobrze się czujesz? – zapytał z troską w głosie ojciec.

Drżącą dłonią odłożyła monetę na stół. Co się, u diabła, przed chwilą wydarzyło? Poczuła się tak, jakby to ona była Leonorą. Monety – czy to były te same monety, które miała Leonora w drodze na brzeg?

– Ciągnie cię do takich rzeczy, prawda? – spytał ojciec.

Pociągnęło ją coś, ale coś bardzo dziwnego.

– Komu kawy? – zapytała Dina, przystając koło nich z dzbankiem. Przez lata włosy Diny posiwiały i nabrała więcej tuszy, ale jej serdeczny uśmiech pozostał taki sam. – Lauren, nie widziałam, kiedy weszłaś. Ojej, kochanie, jesteś blada jak prześcieradło. Dobrze się czujesz?

– Poproszę o kawę – głos Lauren był schrypnięty, zupełnie jakby krzyczała wcześniej na wietrze, jak Leonora błagająca ukochanego, żeby z nią płynął. Kiedy Dina napełniła jej filiżankę, Lauren pociągnęła łyk dla oczyszczenia umysłu.

– Może przynieść ci coś do jedzenia, kochanie? – zapytała Dina. – Cheesburgera, frytki?

– Czyta pani w moich myślach.

– Zawsze najbardziej to lubiłaś.

– Pani jeszcze to pamięta? – zapytała ze zdumieniem.

– Pamiętam wszystkich swoich klientów. Powiem Samowi, żeby dołożył ogórka konserwowego.

– Kupuję – zgodziła się Lauren.

Do kafejki wszedł Joe Silveira. Miał dziś na sobie krawat i garnitur, a na jego twarzy malowała się ponura determinacja. Lauren sprężyła się w sobie niepewna, czy Jason powiedział mu, że wczoraj w nocy przyłapał ją z Shane'em na terenie szkoły.

– Dzień dobry – przywitał się, przechodząc koło ich stołu. – Panno Jamison, czy możemy porozmawiać chwilę na zewnątrz?

– Oczywiście – rzekła, wstając.

– Coś się stało, komendancie? – zapytał ojciec. – Czy to chodzi o Devlina?

– Córka wszystko panu powie. – Joe stał już przy drzwiach, przywołując ją gestem.

– O co chodziło ojcu? – spytała Lauren, kiedy wyszli na zewnątrz. – Co się dzieje z panem Devlinem?

– Nie słyszała pani?

– Przyszłam tu dopiero kilka minut temu.

– Pan Devlin został dziś w nocy potrącony przez samochód. Leży w szpitalu w Montgomery. Jego stan jest poważny.

– O mój Boże!

– Nie wierzę, że to był wypadek – ciągnął szef policji. Jego oczy przybrały poważny wyraz.

– Myśli pan, że ktoś chciał go zabić? – zapytała, powoli wymawiając słowa.

– Albo też go przestraszyć. Tak czy inaczej, Devlin wypadł na jakiś czas z gry.

– Dlaczego chciał pan ze mną rozmawiać? – Nie myślał chyba, że to ona była sprawczynią wypadku, ale kto wie?

– Żeby panią ostrzec. Proszę o ostrożność, bo ktoś się denerwuje.

– Ma pan jakiś pomysł, kim jest ten ktoś?

– Mam parę pomysłów. – Przerwał. – A skoro przy tym jesteśmy, gdzie pani była wczoraj o pierwszej w nocy?

– Byłam na łodzi Shane'a Murraya. Byliśmy tam razem.

– Czy do przystani pojechała pani samochodem?

– Nie, poszłam pieszo.

Slough Library

High Street,
Slough, SL1 1EA
Tel: (01753) 535166

Borrowed Items 05/04/2016 13:20
XXXXXXXXXXXXX4917

Item Title	Due Date
* Prawdziwy cud	26/04/2016
* Tylko ta noc	26/04/2016
* Na ciemiśtej plaży	26/04/2016

* borrowed today

Thank you for using Slough's Self Service Unit

www.slough.gov.uk/libraries
Happy, Healthy, Active - join our promotion
from 1st February to 31st March 2016 to
win prizes!

– A zatem pani wóz był zaparkowany całą noc przed domem pani ojca?

– Nadal tam stoi – odparła.

Pokiwał głową.

– Zatrzymałem się przed pani domem, zanim przyszedłem tutaj. Jeśli zobaczy pani pana Murraya, proszę go zawiadomić, że chciałbym z nim porozmawiać. Zostawiłem mu wiadomość, ale widocznie wypłynął na morze.

– Shane nie ma nawet samochodu.

– Niemniej i tak chciałbym z nim pomówić.

Patrzyła za nim, gdy się oddalał. Dobrze się stało, że Jason Marlow jechał za nimi od szkoły do przystani, bo będzie mógł potwierdzić ich alibi. Jeśli Jason był na służbie całą noc, to prawdopodobnie on musiał zająć się wypadkiem. Jakaż to ironia, że człowiek, który miał wszelkie powody do niezadowolenia z filmu Marka Devlina, był tym, którego wezwano, by uratować mu życie.

Zadrżała przy silniejszym podmuchu wiatru, który zamiótł ulicę. Zdecydowanie zbliżał się sztorm... albo nawet już trwał.

Rozdział 18

W pokoju Colina czuło się chłód i Kara otuliła męża kocem. Popatrzyła przez okno i dostrzegła na szybie rozpryskujące się krople deszczu. Nie lubiła burzy. Wolała jasne słoneczne dni wypełnione obietnicą. Była zaledwie druga po południu, ale zdawało się, że to dziesiąta wieczór. Włączyła lampkę przy łóżku, próbując w ten sposób ogrzać nieco to miejsce i wymazać przeczucia, które ciążyły jej przez ostatnich parę dni.

Otworzyły się drzwi i weszła jedna z pielęgniarek.

– Wszystko w porządku, pani Lynch? Potrzebuje pani czegoś?

– Nie, dziękuję. Posiedzę tu całe popołudnie. – Przyniosła ze sobą robótkę. Wiedziała, że koleżanki matki szyją dla dziecka kołderkę, ale sama też chciała zrobić coś specjalnego, coś, co matka mogłaby przekazać córce i co zostałoby w rodzinie do przekazania kolejnemu pokoleniu.

Pielęgniarka uśmiechnęła się i zamknęła drzwi. Kara przysunęła krzesło bliżej łóżka Colina i usiadła, czując wielkie zmęczenie. Wzięła go za rękę i zaczęła bawić się ślubną obrączką na jego palcu. Pielęgniarka zdjęła ją najpierw, kiedy przechodził operacje, ale Kara założyła mu ją potem, pragnąc zachować

wszystko, co ich łączyło. Przez ostatnie tygodnie obrączka zrobiła się za luźna. Bała się, że jeśli Colin
schudnie jeszcze bardziej, obrączka zsunie mu się
z palca. Nie mogła na to pozwolić, bo okazałoby się,
że to jeszcze jeden symbol, z którym stoczyła przegra-
ną bitwę. Poddać się przecież nie mogła.

Pogładziła się po brzuchu. Miała napięte mięśnie.
Maleńka nóżka kopnęła ją w okolicę żebra.

– Już dobrze, dziecinko. Wiem, że się niecierpli-
wisz, ale musimy poczekać na tatusia.

Jej ciało było gorące w porównaniu z ciałem Colina. Roztarła mu palce, żeby poprawić krążenie. Trzy
razy w tygodniu poddawano go fizjoterapii. Czy ktoś
był u niego dzisiaj? Wstała, żeby zapytać o to pielęgniarkę, i nieoczekiwanie poczuła chluśnięcie między
nogami, a potem ostry ból w brzuchu.

Otworzyła usta, rozumiejąc, że właśnie odeszły jej
wody.

– Nie – powiedziała w szoku i położyła rękę
na brzuchu. Usiadła znów na krześle i poczuła paniczny strach. Nie mogła teraz zacząć rodzić, nie była jeszcze gotowa. Jednak mokra plama na podłodze niezbi-
cie dowodziła, że na takie myśli jest już za późno.

Wzięła kilka głębokich oddechów i zebrała siły.
Dobrze, skoro już rodzi, to rodzi. Przysunęła się
z krzesłem do łóżka i mocno uścisnęła dłoń Colina.

– Musisz się obudzić – powiedziała z naciskiem.
– Już czas. Zaczynam rodzić. Nasze dziecko przychodzi na świat.

Nie odpowiedział, nic drgnęła mu nawet powieka.
Wstała i przycisnęła jego rękę do brzucha. Jeśli po-
czuje dziecko, to gdzieś w jego umyśle zaświta przekonanie, że musi się obudzić. Instruktorka mówiła, że
pierwsze bóle porodowe trwają wiele godzin, dlatego
postanowiła nie wychodzić, dopóki Colin nie otworzy

oczu. Zobaczy, jak na świat przychodzi jego dziecko. Nie zamierzała rodzić bez niego.

* * *

Shane zawrócił swoją łódź z wycieczki wędkarskiej o czwartej, kiedy duże fale niemal zmiotły krzepkiego byłego futbolistę z pokładu tak, że zawisł po drugiej stronie burty. Sztorm nie był jeszcze groźny, ale za silny na wycieczkę dla przyjemności. Właściwie sprawił mu ulgę. Myślami Shane cały czas był przy Lauren i po raz pierwszy od długiego czasu śpieszyło mu się na ląd.

Większość dnia spędził na rozpamiętywaniu jej słów: że nie mogła oddać serca człowiekowi, który nie był z nią całkowicie szczery. Nie miał o to pretensji. Od lat pragnął powiedzieć jej prawdę i może nadszedł czas, by zrobić to teraz.

Ten pomysł dojrzewał w jego głowie od jakiegoś czasu. Jednak przed rozmową z Lauren musiał spotkać się z Karą. Teraz to ona była najsłabszym ogniwem w jego rodzinie. Musiał ją wyczuć i zobaczyć, czy zdoła się uporać z następstwami.

Zaparkował motocykl przy centrum opieki Nad Zatoką i wszedł na oddział długotrwałej opieki medycznej. Kilkoro starszych ludzi siedziało na wózkach w holu, jedni oglądali telewizję, inni wpatrywali się przed siebie. Chociaż pomieszczenie było pomalowane na ciepłe radosne kolory, nie przeganiało to nieprzyjemnych medycznych zapachów ani zapachu choroby. Jak Kara mogła wytrzymać przychodzenie tutaj codziennie?

To, że Colin tutaj ugrzązł, nie mieściło się w głowie. Był w najlepszym okresie życia. Miał żonę i dziecko w drodze. Nie powinien tkwić w łóżku bez żadnego celu i bez radości istnienia.

Po wyjściu z windy Shane skierował się na koniec cichego korytarza. Drzwi do pokoju Colina były zamknięte, zapukał więc krótko i je otworzył.

Kara siedziała przy łóżku i trzymała Colina za rękę. Na widok Shane'a oczy rozszerzyły jej się ze strachu. Na jej czole perliły się krople potu. Włosy opadające na twarz były mokre. W jej oczach było coś więcej niż strach, był ból.

– On musi się obudzić, Shane – powiedziała z rozpaczą. – Colinie, do jasnej cholery, wstawaj! – Głos jej się łamał w obliczu klęski.

Całe opanowanie, które Kara okazywała przez te wszystkie miesiące, prysło. Widać było, że to krawędź załamania. Musiał ją koniecznie wyprowadzić z tego pokoju.

– Może napijemy się kawy, zrobisz sobie przerwę?

Potrząsnęła głową i zagryzła dolną wargę, by powstrzymać jęk bólu. Ten ból nie był tylko duchowy, lecz czysto fizyczny.

– Karo, co się dzieje? – Ruszył do niej biegiem.

Oddychała szybko i mocno, a rękę przyciskała do podbrzusza. Nagle zrozumiał...

– Mój Boże, rodzisz, prawda?

– Tylko złapał mnie kurcz. Nic mi nie jest.

Zobaczył w jej oczach, że kłamała.

– Muszę cię zabrać do szpitala.

– Nigdzie stąd nie pojadę – rzekła z uporem. – Colin wyczuje, że dziecko się rodzi i się obudzi. Muszę zostać tutaj, Shane.

Straciła wszelki rozsądek. Musiał ją zabrać do szpitala, lecz prócz sposobu polegającego na przerzuceniu ją sobie przez ramię żaden inny nie przychodził mu do głowy.

– Zadzwonię po pielęgniarkę.

Złapała go za ramię.

– Ani mi się waż! Gotowa przyprowadzić sanitariuszy, żeby mnie stąd zabrali siłą, a ja nie mam zamiaru stąd się ruszyć. Jeśli mnie kochasz choć trochę, nie zadzwonisz po pielęgniarkę.

Musiał kogoś wezwać.

– A Charlotte?

– Jeszcze nie teraz. Mamy mnóstwo czasu, Shane. Nie jest tak najgorzej, naprawdę.

– Dobrze, w takim razie dzwonię po Lauren. Musi być tu z tobą jakaś kobieta. – To zdecydowanie nie była jego domena.

Skinęła głową z rezygnacją.

– Dobrze, ale nie mów jej, że rodzę.

Shane wystukał numer domowy Lauren. Był wyryty w jego pamięci od czasów szkolnych. Odpowiedziała po trzecim dzwonku.

– Lauren, potrzebuję cię.

Usłyszał, że wciągnęła głęboko powietrze, po czym zapytała:

– Gdzie jesteś?

– W centrum opieki Nad Zatoką, pokój dwunasty, drugie piętro. Jestem tu z Karą.

– Co się dzieje?

– Przyjedź – powiedział tylko i przerwał połączenie. – Już jedzie – powiedział do Kary.

– Nadal ją kochasz, prawda? – zapytała Kara i badawczo przyjrzała się jego twarzy.

– Nie wiem.

– Tak, kochasz ją. Dlaczego boisz się przyznać do tego sam przed sobą albo lepiej, powiedzieć jej o tym?

– Między nami coś stoi. Nie byłem wobec niej szczery, więc poszła swoją drogą. Zamierza wyjechać w przyszłym tygodniu.

– To zrób tak, żeby zmieniła plany. Powiedz jej o tym, co przed nią ukryłeś, cokolwiek to jest. I nie czekaj zbyt długo. Życie jest krótkie. – Zerknęła na Colina. – Jest tak wiele rzeczy, które chciałabym mu powiedzieć. Myślisz, że masz czas, ale nigdy naprawdę nie wiesz, czy rzeczywiście. – Znowu zagryzła dolną wargę i zamknęła oczy.

Shane objął ją ramieniem.

– Oddychaj. Dasz sobie radę.

Po chwili wydawało się, że ból ustąpił, a Kara popatrzyła na niego załzawionymi oczami.

– Cieszę się, że przyszedłeś.

Chciałby znajdować się wszędzie, tylko nie tu. Była jednak jego młodszą siostrą i nie mógł zostawić jej samej. Miał nadzieję, że Lauren namówi ją, by skorzystała z pomocy.

– Co jeszcze cię męczy, Shane? Jest jeszcze coś między tobą a rodzicami. Wyczuwam napięcie za każdym razem, kiedy jesteście blisko, zwłaszcza kiedy mama jest w pokoju.

– Wydaje ci się. – Nie mógł teraz w to wchodzić. Kara miała dość zmartwień.

– Nieprawda – powiedziała kręcąc głową. – Dee i Michael też to zauważyli. Nawet tato, chociaż on zwykle orientuje się w takich sprawach najpóźniej. Może mi powiesz? Może będę mogła pomóc?

Potrząsnął głową.

– To historia na kiedy indziej.

– Naprawdę powiesz mi kiedy indziej? Czy tylko mnie zbywasz?

– Nie chcę, żebyś ty, czy ktokolwiek inny ucierpiał z tego powodu.

– Tak samo, jak ty ucierpiałeś? – zapytała, nie spuszczając oczu z jego twarzy.

– Ja? Ależ skąd! – powiedział szybko. Wolałby, żeby nie próbowała odrywać się od swoich zmartwień, zajmując się jego zmartwieniami.

Kara uśmiechnęła się drżącymi ustami.

– Zawsze tak mówisz, ale to nieprawda.

– W twoim przypadku to też nie jest prawda, Karo. Potrzebna ci pomoc lekarska. Nie możesz powstrzymać porodu siłą woli.

– Później – obiecała. – Daj Colinowi szansę. Wiem, że do mnie powraca.

Shane zerwał się na równe nogi, gdy do pokoju wpadła Lauren. Włosy miała zmoczone przez deszcz, a w błękitnych oczach dostrzegł zatroskanie. Nigdy jeszcze jej widok nie sprawił mu tyle radości.

– Co się stało? – Patrzyła to na Karę, to na niego.

– Kara zaczęła rodzić i nie chce stąd wyjść – wyjaśnił krótko.

– Colin wie, że tutaj jestem – powiedziała Kara. – Kiedy zaczęły się bóle, położyłam jego rękę na brzuchu, żeby poczuł dziecko. Czytałam raz o mężczyźnie, który się obudził, kiedy jego żona zaczęła rodzić. Wiedział, że ma po co żyć, i tak samo będzie z Colinem. Dlatego tu zostanę.

Widział z wyrazu twarzy Lauren, że była tak samo zakłopotana oświadczeniem Kary jak on.

– Powinniśmy wezwać Charlotte – powiedziała od razu.

Kara potrząsnęła głową.

– Nie ma mowy. Będzie próbować mnie zawlec do szpitala.

– Moglibyśmy tylko ją spytać, ile masz czasu, zanim urodzi się dziecko – rzekła Lauren. – Wiem, że chcesz, by Colin się obudził, Karo, ale musisz pomyśleć także o dziecku. Nie chcesz przecież zrobić niczego, co naraziłoby na szwank jego życie.

– Małej nic nie jest – rzekła mocno Kara. – Kopie, czuję ją. Chce zobaczyć swojego tatusia. O Boże, zbliża się kolejny skurcz. – Kara złapała rękę Colina i położyła ją na brzuchu. Zagryzła przy tym wargi z bólu.

Shane nie mógł wytrzymać ani chwili dłużej. Nie chciał siedzieć bezczynnie, kiedy siostra robiła tak wielki błąd. Złapał torebkę Kary, wyjął z niej telefon komórkowy i znalazł numer Charlotte. Kara była zbyt pochłonięta walką z bólem, żeby go powstrzymać. Dodzwonił się do recepcjonistki Charlotte i powiedział, że dzwoni w pilnej sprawie. Po chwili usłyszał głos Charlotte.

– Mówi Shane – powiedział. – Kara rodzi. Jest w pokoju Colina i nie chce stąd wyjść.

– Kiedy zaczęły się bóle i jak często się powtarzają? – zapytała Charlotte.

Popatrzył na Karę.

– Jak długo trwają bóle?

– Powiedziałam ci, żebyś do niej nie dzwonił.

– Odpowiedz mi na pytanie – zażądał.

– Dopiero od niedawna. Mamy dużo czasu na dobudzenie Colina. Pierwszy poród zawsze trwa całą wieczność.

Obrzucił siostrę ponurym spojrzeniem.

– Ona mówi, że od niedawna, Charlotte, ale ja jej nie wierzę.

– Nie może urodzić dziecka na oddziale długotrwałej opieki. Nie są do tego przygotowani – powiedziała Charlotte.

– No cóż, albo przerzucę ją z tym brzuchem przez ramię i zabiorę siłą, albo będziesz musiała tu przyjść i sama jej to powiedzieć.

– Będę za dziesięć minut. Tymczasem zapewnij jej spokój, wygodę i mierz czas trwania bólów.

Shane rozłączył się.

– Charlotte już tu jedzie.

Kara popatrzyła na niego ponuro.

– Nienawidzę cię.

– Nic mnie to nie obchodzi. Potrzebujesz lekarza.

Kara wstała i pochyliła się nad łóżkiem. Ujęła w dłonie twarz Colina.

– Już czas wstawać, kochany. Nadchodzi nasza wielka chwila. Nasze małe cudeńko jest gotowe do przyjścia na świat. – Przycisnęła wargi do jego ust. – Wróć do mnie – wyszeptała. – Wróć do nas.

* * *

Bóle Kary zaczęły przychodzić jeden po drugim. Lauren trzymała ją za rękę i pocieszała, a Shane chodził po pokoju tam i z powrotem. Jeszcze nigdy nie widziała go tak roztrzęsionego, ale trudno go było za to winić. Odliczał sekundy do przyjazdu Charlotte. Centrum oddalone było o parę kilometrów od szpitala, więc powinna już tutaj być.

Shane posłał jej błagalne spojrzenie, wyraźnie pragnąc, by coś zrobiła, ale ona nie wiedziała, jak ma na nie odpowiedzieć. Kiedy Kara nie dyszała, rozmawiała z Colinem, mówiąc mu, że go potrzebuje, a dziecko musi mieć ojca. Każde słowo sprawiało, że Lauren pękało serce.

– Karo, pozwól, że zawiozę cię do szpitala – spróbowała jeszcze raz. – Nie chcesz przecież urodzić dziecka tutaj. A przynajmniej mogłabym przyprowadzić pielęgniarkę albo lekarza, żeby ci coś dali na ból.

– Nie potrzebuję znieczulenia. Muszę być przytomna dla Colina. A jeśli którekolwiek z was wyjdzie z tego pokoju, żeby przyprowadzić pomoc, nigdy więcej się do niego nie odezwę. – Gniewny wzrok Kary wypełnił się rozpaczą, kiedy popatrzyła na Colina. – Kochany, proszę, nie mogę już dłużej czekać. – Ścisnęła mocno jego palce. – Potrzebuję cię.

Lauren podeszła do Shane'a.

– Jest strasznie uparta. Mam nadzieję, że Charlotte do niej dotrze.

– Ja też. Patrzenie na nią mnie zabija.

– Ją to też zabija. Nie przyjmuje do wiadomości, że Colina omija ta chwila.

– Może ominąć go wszystko – rzekł ponuro Shane.

– Nie mów tak, Shane – rozkazała Kara, z uszami nastawionymi czujnie na każdą negatywną ocenę stanu Colina. – Albo wierzysz w Colina, albo się stąd wynoś. Ciebie to także dotyczy, Lauren.

– Nigdzie się nie wybieramy – powiedziała Lauren. – Zostaniemy tutaj z tobą i Colinem.

Wreszcie w drzwiach stanęła Charlotte w fartuchu lekarskim i torbą lekarską w ręce.

Kara usiadła i podniosła ostrzegawczo rękę.

– Nie mogę stąd wyjść, Charlotte. To może sprawić, że on się obudzi. – Oddychała głęboko w kolejnym ataku bólu, po czym zgięła się wpół.

Charlotte kucnęła przy niej. Patrzyła na zegarek, mierząc czas trwania skurczu.

– Jak często się pojawiają?

– Od czasu do czasu – powiedziała niepewnie Kara.

– Jeden po drugim – przerwał Shane. – Ona kłamie. Musi iść do szpitala.

– Możesz przyjąć poród tutaj. Proszę, Charlotte, to może być chwila, która przywróci Colina do życia – powiedziała Kara. Ledwo skończyła mówić, krzyknęła głośno i złapała się za podbrzusze.

– Shane, idź po pielęgniarkę i powiedz jej, że potrzebuję tu łóżko na kółkach – poleciła Charlotte. – Sprawdzę, jakie masz rozwarcie, i zobaczę, gdzie jesteśmy. A potem podejmę decyzję.

Po chwili Shane wrócił z pielęgniarką, sanitariuszem i łóżkiem na kółkach. Charlotte wyjaśniła, co się dzieje, podczas gdy Lauren pomogła Karze położyć się na łóżku.

Pielęgniarka chciała wezwać karetkę, ale Charlotte poprosiła, by poczekać, aż zbada pacjentkę.

– Nie mamy już czasu, żeby ją stąd ruszać – powiedziała po chwili. – Masz rozwarcie na dziesięć centymetrów, Karo. Córeczka już się rodzi. – Zwróciła się do Shane'a: – Może staniesz za głową Kary i będziesz jej pomagał?

Shane przełknął z trudem, po czym zrobił, o co prosiła Charlotte.

Teraz, kiedy Charlotte przejęła dowodzenie, Lauren poczuła pewność, że wszystko będzie w porządku.

Kara wyciągnęła rękę do Shane'a.

– Chcę, żebyś był silny. Nie mogę skupiać się na Colinie i na dziecku równocześnie.

– Skup się na tym, żeby dziecko bezpiecznie wyszło – powiedział Shane i wziął siostrę za rękę.

Uśmiechnęła się do niego boleśnie.

– Dopchnij mnie jak najbliżej Colina. Chcę trzymać go za rękę.

Shane przesunął łóżko, a Charlotte położyła prześcieradło na ciele Kary i sprawdziła rozwarcie. Kiedy przyszedł kolejny skurcz, Kara ścisnęła jedną ręką dłoń Shane'a, a drugą Colina, ciężko oddychając. Lauren stała, nie wiedząc, co robić. Przyszła jej do głowy tylko modlitwa. Kara walczyła o rodzinę, o miłość, swoją przyszłość. Lauren nikogo jeszcze nie podziwiała tak bardzo.

Czas mijał we mgle chaosu. Lekarz z oddziału zajrzał i zaoferował pomoc. Wreszcie przyszedł czas, by przeć. Shane stanął za siostrą i podtrzymywał jej ramiona, kiedy usiadła i oparła się o jego pierś. Jego mocny, spokojny głos zdawał się uśmierzać jej lęk. Uczepiła się męża, brata i swojej nadziei, że się uda.

Charlotte zagrzewała Karę do parcia ze spokojem, który wywarł na Lauren duże wrażenie. W zdumieniu patrzyła, jak ukazała się wreszcie maleńka główka, a potem ramionka i reszta ciałka, ruszające się rączki i nóżki. Potem usłyszała pierwszy krzyk dziecka.

Kara opadła na łóżko, ciężko dysząc, kiedy Charlotte oznajmiła jej, że ma zdrową dziewczynkę ze wszystkimi paluszkami u rąk i nóg. Pielęgniarka owinęła dziecko w prześcieradło, a Charlotte położyła je Karze na piersi.

– Oto twoja córeczka – powiedziała z uśmiechem.

Karze zadrżały wargi.

– Nie wierzę. Naprawdę tutaj jest.

Shane podszedł do Lauren i wziął ją za rękę. Razem przyglądali się dziecku. Miało rude włoski i brązowe oczka, które patrzyły z zachwytem, jakby nie dowierzając temu, co się zdarzyło.

Kara odwróciła się do męża.

– Colinie, mamy córeczkę. Nasze dziecko już z nami jest. Ona chce cię zobaczyć. Chce, żebyś ją wziął na ręce i był dla niej ojcem. – Czekała, a długie sekundy mijały. Cisza w pokoju stawała się coraz głębsza.

Lauren ścisnęła Shane'a za rękę i poczuła, że zaraz pęknie jej serce. Kara skrzywiła się, po czym nie wytrzymała:

– Do ciężkiej cholery, Colinie, obudź się w końcu! Wstawaj wreszcie! No, wstawaj! – krzyczała.

Charlotte zabrała dziecko z ramion Kary, która zaczęła wykonywać gwałtowne ruchy. Shane podbiegł do siostry i chciał wziąć ją za rękę, ale wyrwała się. Jej uwaga skupiła się wyłącznie na Colinie.

– Ja już dłużej tego nie zniosę, nie mogę – powiedziała Kara, zanosząc się szlochem. – Potrzebuję cię,

Colinie. Potrzebuję cię. Musisz do mnie wrócić. – Zaczęła dygotać z rozdzierającego ją bólu straty. Shane otoczył ją ramionami, aż skurczyła się w jego objęciach, wylewając cały żal.

Po policzkach Lauren popłynęły łzy. Dlaczego Colin się nie przebudził? To tacy dobrzy ludzie. Kochali się bardzo. Wreszcie mieli dziecko, które potrzebowało obojga rodziców. Czasami życie stawało się okrutne nie do zniesienia.

Charlotte podeszła do niej z dzieckiem w ramionach.

– Możesz potrzymać ją przez chwilę? Muszę przygotować Karę do wyjazdu do szpitala.

Lauren wzięła niemowlę i popatrzyła na maleńką anielską twarzyczkę. Kształtem noska, linią usteczek i kolorem włosków córeczka Kary przypominała matkę. Dziecko wykrzywiło buzię i zaczęło wiercić się i popłakiwać, wyraźnie niezadowolone z obrotu sprawy. Chciało do mamy, ale Kara pogrążona była w swoim własnym bólu.

– Dobrze, już, dobrze, malutka – wyszeptała Lauren, próbując uciszyć dziecko. – Mamusia zaraz cię weźmie. Potrzebuje tylko trochę czasu. Będziesz tak kochana, jak żadne inne dziecko, bo twoja mamusia ma większe serce niż ktokolwiek, kogo znam. Twój tatuś też. – Lauren zamrugała, żeby stłumić łzy. – Kochał mamusię od pierwszej chwili, kiedy ją zobaczył, i ciebie też będzie kochał, kiedy się obudzi. – Kara nie była już w stanie walczyć o Colina, ale Lauren mogła. I pewnie Kara chciałaby tego.

Po piętnastu minutach pokój Colina został posprzątany, a karetka zabrała Karę i jej dziecko do szpitala. Charlotte pojechała tuż za nią. Lauren została z Shane'em, żeby pozbierać rzeczy Kary. Teraz, kiedy wszyscy wyszli, w pokoju zrobiło się nieznośnie cicho.

Shane miał nastroszone włosy, a po czole spływały mu strużki potu. W jego oczach malowały się frustracja i rozczarowanie.

– To powinien być najszczęśliwszy dzień w życiu Kary – powiedział.

– Wiem, ale przecież urodziła dziecko tak jak chciała, z Colinem przy boku.

Shane rzucił okiem na mężczyznę w śpiączce.

– Kara kochała go od zawsze. Nie było nigdy nikogo innego. Tak bardzo wierzyła, że dziecko go obudzi. Jeśli to nie przywróciło go do życia, to nie wiem, co może.

– Ja też nie wiem. Modlę się cały czas, żeby otworzył oczy.

Shane przyciągnął ją, żeby przytulić, i oparł podbródek na jej głowie.

– Nigdy nie wierzyłem w cuda, ale przez chwilę myślałem, że Kara taki cud otrzyma. Było w niej tyle wiary.

– Może jeszcze otrzyma – rzekła Lauren, nie mając ochoty całkiem się poddawać.

– Teraz jest tak zdruzgotana, że nie obejrzała nawet dziecka. Nie wiem, jak zdoła być samotną matką.

– Ułoży to sobie. Jest twardą i upartą kobietą Murrayów. Przekonaliśmy się dzisiaj. – Spojrzała w górę na niego. – Wspaniale się spisałeś, Shane. Nie poradziłaby sobie bez ciebie.

– Ani bez ciebie. Dziękuję, że przyjechałaś, kiedy poprosiłem.

– Dziękuję, że mnie poprosiłeś. Myślę, że to była w ogóle pierwsza twoja prośba – rzekła. Rozumiała, co znaczyło dla Shane'a przyznać, że jest mu do czegokolwiek potrzebna. Czy to nie było żałosne? Wysunęła się z jego objęć. – Musisz pojechać do szpitala.

– Za chwilę. – Popatrzył na nią przeciągle i znacząco. – Może pierwszy raz to powiedziałem, Lauren, ale nie pierwszy raz poczułem.

Nie miała pojęcia, jak na to odpowiedzieć. Im dłużej byli razem, tym bardziej wszystko się gmatwało. Shane był królem zagadkowych komentarzy, które brzmiały całkiem blisko tego, co chciała usłyszeć, ale niezupełnie. Był niczym tancerz na rozżarzonych węglach. Nie mógł postawić na nich całej stopy ani też całkowicie poddać się żarowi. Może to jednak było dobre. Jeśli miałaby się przed sobą przyznać do prawdy, to nie wiedziała już, czego od niego chciała, komu i czemu miałby się oddać.

– Powinieneś zawiadomić rodziców i braci – powiedziała, zmieniając temat. – Klan Murrayów będzie chciał powitać najmłodszą członkinię. Ciekawe, czy panie w sklepie z narzutami mają już gotową kołderkę dla dziecka Kary.

Nie odpowiedział, nie spuszczał jednak z niej wzroku.

– Powinnam iść do domu i sprawdzić, co robi tato.

– Nie pojedziesz ze mną do szpitala?

– Nie. Muszę spędzić trochę czasu z ojcem.

Podeszła do łóżka, przycisnęła palce do ust, po czym dotknęła nimi czoła Colina.

– Ciągle liczymy na ciebie i twój powrót – rzekła i skierowała się do drzwi.

Kiedy wychodzili z budynku, Lauren się odezwała:

– Przy tych wszystkich wzruszeniach zapomniałam cię zapytać, czy słyszałeś o wypadku Marka Devlina.

– Tak – odparł Shane. – W przystani huczy na ten temat. Dostałem też wiadomość od komendanta Silveiry, żeby do niego zadzwonić. Muszę być na liście podejrzanych.

– Już z nim rozmawiałam. Powiedziałam, że nie masz samochodu.

– To zapewne nie ma znaczenia. Mogłem pożyczyć.

– Cóż, jeśli ciążą na tobie podejrzenia, to na mnie także, bo Jason Marlow widział nas razem wczoraj wieczorem. A tak w ogóle, szef policji niepokoi się, że morderca Abby mógł się zrobić nerwowy. Czyli on wierzy, że jej morderca nadal mieszka w mieście.

– Zdecydowanie na to wygląda.

Ciarki przeszły Lauren po plecach.

– Ciekawe, co wiedział Devlin, czego my nie wiemy.

– Miejmy nadzieję, że dostanie szansę, by komuś o tym powiedzieć, zanim wydarzy się jeszcze coś złego.

Rozdział 19

Joe spędził sporą część popołudnia, ponownie czytając notatki, które Devlin sporządził w sprawie Abby. Wysłał też policjantów, by się przeszli od drzwi do drzwi w sąsiedztwie miejsca wypadku w poszukiwaniu potencjalnych świadków. Warsztaty samochodowe w promieniu stu pięćdziesięciu kilometrów zostały uprzedzone, by uważać na każde auto z uszkodzonym przednim zderzakiem.

Sprawdził Tima Sorensena, Lisę Delaney, Kendrę Holt, Lauren Jamison i kilka innych osób, które znalazły się w notatkach Marka Devlina. Zostawił drugą wiadomość dla Shane'a Murraya i przeprowadził długą rozmowę z Jasonem Marlowem o łączących go w szkole średniej stosunkach z Abby i Lisą. Chciał wierzyć, że Jason nie jest wplątany w tę sprawę, lecz na razie kazał mu odsunąć się od śledztwa. Nie mógł pozwolić na wystąpienie konfliktu interesów.

Kiedy Joe skręcił na parking przy szpitalu, automatycznie omiótł wzrokiem otoczenie, by sprawdzić, czy nie dzieje się tam nic nietypowego. Polecił szpitalnej ochronie umieścić kogoś przed pokojem Devlina. Chodziło mu nie tylko o bezpieczeństwo tego człowieka, ale także Rachel. Nie odstępowała boku Marka, a on nie chciał, by znalazła się na linii ognia.

Westchnął na wspomnienie tego, jak Rachel patrzyła na Marka, kiedy ujrzała go po raz pierwszy po operacji. Pragnął wierzyć, że jego małżeństwo wytrzyma podróż po wyboistej ścieżce, lecz jak długo jeszcze mógł sobie wmawiać, że to tylko przejściowe kłopoty?

Nie był zwolennikiem rozstań tylko z tego powodu, że życie stało się ciężkie. Mógł zawsze zawalczyć o miłość Rachel. Nie wiedział jednak, jak stłumić głęboką przyjaźń, która łączyła Rachel z innym mężczyzną. Czy był śmieszny dlatego, że nie chciał, żeby jego żona była emocjonalnie związana z Devlinem? Czy też był ślepym głupcem, który nie widział, co się działo tuż pod jego nosem?

Pokręcił głową i wyszedł z wozu patrolowego. Wszystko po kolei. Teraz chciał namówić Rachel, żeby wróciła z nim do domu.

Kiedy wszedł do pokoju, jego żona siedziała obok łóżka Marka i oglądała telewizję z wyciszonym dźwiękiem. Mark drzemał. Wyłączyła telewizor i podeszła do drzwi, kładąc palec na ustach, kiedy Joe zamierzał się przywitać. Wyszła z nim na korytarz i odeszła poza zasięg uszu ochroniarza.

– Znalazłeś tego, kto to zrobił? – zapytała.

Widział ciemne cienie pod jej oczami. Była wyczerpana, ale także zła. Chciała, żeby ktoś zapłacił za okaleczenie Marka. Oczekiwała od niego, że dostarczy jej tę osobę, a on naprawdę miał na to ochotę.

– Jeszcze nie. – Poczuł, że znowu ją rozczarował.

– Ktoś musiał coś widzieć.

– Wszyscy pracują nad tą jedną sprawą. Tymczasem poprosiłem szpital o całodobową ochronę dla Marka.

– Myślisz, że ktoś może nadal chcieć zrobić mu krzywdę?

– Chcę tylko zachować ostrożność. Jak on się czuje? Czy coś ci powiedział? Widział samochód, który go potrącił?

– Ostatnią rzeczą, którą zapamiętał, było wyjście z baru. Rozmawiał tam z paroma osobami, ale z nikim takim, z kim nie rozmawiał wcześniej. Powrót do zdrowia zajmie mu dużo czasu. Musi jechać do Los Angeles i tam się leczyć.

– Rozsądny pomysł – powiedział Joe, siląc się na obojętny ton.

– Nie próbuj udawać, że cię to nie cieszy – rzekła gniewnie Rachel. – Od samego przyjazdu Marka chciałeś, żeby stąd wyjechał.

– Ale nie w ten sposób. Zabiorę cię do domu, Rachel. Siedzisz tutaj już wiele godzin. Zamówimy jakiś obiad, napijemy się wina, odetchniemy. Będziesz mogła wrócić tu z samego rana.

Popatrzyła na niego, jakby zaproponował jej właśnie lot na Księżyc.

– Zamierzam tu zostać, póki Mark nie uśnie.

– Przecież już śpi.

– Mam na myśli późny wieczór. To mój przyjaciel, Joe. On tu nie ma nikogo innego. Nie chcę, żeby leżał sam.

Wahał się przed kolejnym krokiem, którego prawdopodobnie nie powinien robić, ale zmęczyło go już słuchanie o tej przyjaźni.

– Mark jest więcej niż przyjacielem, prawda? Wystarczy zobaczyć, jak patrzysz na niego i jak patrzysz na mnie.

Przełknęła z trudem.

– Nie bądź śmieszny. Niczego nie było między mną i Markiem.

– Jeszcze nie było. Chcę teraz, żebyś wróciła ze mną do domu.

Minęło kilka sekund.

– Nie mogę.

Wypuścił powietrze, które powstrzymywał. Nie wiedział, czy miała na myśli ten raz, czy też w ogóle nie chciała do niego wrócić, ale nie umiał się zdobyć na to, by zapytać.

* * *

Shane szedł do pokoju Kary, kiedy zobaczył matkę przed szybą sali dla noworodków. Dotarła do szpitala w rekordowym czasie. Wzrok miała utkwiony w pierwszym łóżeczku. Wyglądała jak zahipnotyzowana przez wnuczkę. Nie mógł mieć o to pretensji. Niemowlę było śliczne, miało anielską twarzyczkę i gęste rude włosy, zupełnie jak Kara.

Kiedy Moira odwróciła się do niego, zobaczył łzy w jej oczach.

– Słyszałam, że pomogłeś rodzić tę małą śliczność.

– To Kara wykonała całą robotę.

– Nie mogę uwierzyć, że urodziła dziecko przy łóżku Colina. Chociaż to możliwe. Uparcie odmawia, by żyć bez niego. Powiedziałam, że powinna wrócić ze mną do domu, kiedy ją wypiszą, ale wyrzuciła mnie z pokoju.

Shane chciałby to zobaczyć. Jeśli którekolwiek z jego rodzeństwa miało coś wspólnego z matką, była to Kara.

– Nie wiem, skąd czerpie wiarę – dodała Moira z wyrazem twarzy świadczącym o smutku i konsternacji. – Nie jest tak, że nie chciałabym, żeby Colin się obudził. Jestem jednak realistką i Kara też powinna. Ma teraz dziecko. Z czasem będzie musiała wrócić do pracy. Ojciec i ja pomożemy oczywiście, ale ona ma przed sobą jeszcze długą drogę i nie będzie jej łatwo, jeśli nie pogodzi się z faktami. Porozmawiaj z nią, Shane. Ciebie posłucha.

– Nigdy się nie pogodzi, póki Collin oddycha. Kocha go. Chce mieć swoją rodzinę. – Przyglądając się przez szybę siostrzenicy, zrozumiał, choć zawsze uważał miłość za iluzję głównie dla frajerów, że przecież maleńka dziewczynka ucieleśniała właśnie miłość swoich rodziców. – Kara wybrała jej już imię?

– Jeszcze nie. To kolejna rzecz, z którą chce zaczekać na Colina.

– No cóż, nie ma pośpiechu. Jest jeszcze czas.

– Dziwię się, że nie chciała zostawić dziecka przy sobie. Powiedziała, że chce zostać sama.

– Jest wykończona – rzekł, ale wiedział, że to nie tylko to. Widział, jak Kara odwróciła się od dziecka, kiedy zrozumiała, że Colin nadal jest w śpiączce. Na pewno się jej odmieni. Była urodzoną matką karmicielką. Musiała tylko złapać oddech.

– Myślę, że to coś więcej. Kara zdawała się bardzo zmartwiona, bardzo nieswoja. Chcę dla niej jak najlepiej i jak najlepiej dla nich wszystkich. Colin jest dla mnie jak syn. Bardzo go kocham.

– Daj tylko Karze trochę spokoju. Po swojemu sobie wszystko ułoży i odnajdzie się w rzeczywistości.

– Przypuszczam, że tak będzie. – Matka przechyliła głowę i popatrzyła znów na noworodki. – Ty miałeś taką ciemną czuprynę, kiedy się urodziłeś. Wyszedłeś całkiem przytomny, z otwartymi oczami, czujny i ciekawy, gotowy zdobyć świat. Wiedziałam, że będziesz na każdym kroku mi się sprzeciwiał, i tak było. – Wzięła głęboki oddech i pomału wypuściła powietrze, po czym odwróciła się do niego. – Chcę, żebyś był wolny. Nie powinnam była nigdy obarczać cię swoim ciężarem. To był błąd, którego od dawna żałuję. Nigdy nie pomyślałam, że to może zmienić twoje życie, tak jak zmieniło. Cokolwiek musisz zrobić, żeby zdobyć swoje szczęście, zrób to.

Shane nie wierzył w to, co usłyszał. Czekał całe lata na to, żeby matka wypowiedziała te słowa. Dlaczego robiła to właśnie teraz? Czy naprawdę zwalniała go z przyrzeczenia, czy też próbowała mu nałożyć dodatkowy ciężar?

Kiedy milczał, dodała:

– Myślałam, że będziesz się bardziej cieszył.

– Nie dowierzam ci.

Westchnęła boleśnie.

– Pewnie zapracowałam sobie na to. Jestem szczera, Shane. Zapłaciłeś wielką cenę za moją przeszłość. Łatwo mi było udawać, że świetnie spędzasz czas, podróżujesz po świecie, przeżywasz naprawdę swoje marzenia. Tymczasem tylko próbowałam poprawić sobie samopoczucie. Jesteś moim synem. Kocham cię. Wiem, że to nic dla ciebie nie znaczy, ale to prawda. To maleństwo przypomniało mi, że ty też byłeś kiedyś tak samo niewinny. Przepraszam, Shane. – Położyła mu rękę na ramieniu. – Mam nadzieję, że kiedyś mi wybaczysz.

Nie wiedział, czy kiedykolwiek zdoła to zrobić.

* * *

Kara wpatrywała się w sufit szpitalnego pokoju. Czuła się wyczerpana, bo minęła dziewiąta wieczór, a ona nie mogła zasnąć. Była teraz matką. Miała dziecko. I była sama.

Cóż, nie do końca sama. Zza drzwi dochodziły rozmowy członków rodziny. Wszyscy już odwiedzili ją i uraczyli niekończącym się strumieniem uśmiechów oznaczających dobre zamiary. Nikt nawet się nie zająknął o Colinie. Wszyscy mówili bez przerwy o dziecku.

Chciała, żeby już poszli do domu. Nie miała ochoty więcej rozmawiać ani płakać, ani nawet myśleć. Chciała tylko spać. Jednak kiedy zamykała oczy, widziała nieruchome ciało Colina. Była przekonana, że się obudzi przy narodzinach dziecka. Teraz ta nadzieja się rozwiała.

To był koniec. Straciła go.

Do pokoju weszła pielęgniarka, uśmiechając się ciepło.

– Pani córeczka się obudziła. Mam ją przynieść? Zechce pani spróbować ją nakarmić?

– Jestem na to zbyt zmęczona – powiedziała Kara. – Nie teraz.

Pielęgniarka wydała się nieco zaskoczona. Nic dziwnego. Przecież świeżo upieczone mamy na ogół chcą oglądać swoje dzieci. Kara poczuła się strasznie winna i jeszcze bardziej przygnębiona, ale w tej chwili nie mogła z siebie dać więcej.

– Dobrze – rzekła pielęgniarka. – Damy jej butelkę. Czy potrzebuje pani czegoś? Coś panią boli?

Czy ból duszy też się liczył?

– Nie, czuję się dobrze. Mogłaby pani powiedzieć mojej rodzinie, że będę teraz spała? Mogą iść do domu.

– Oczywiście. – Pielęgniarka wyszła, wyłączając światło i zamykając za sobą drzwi.

Przez uchylone zasłony wdarł się strumień księżycowego światła. Burza ucichła, ale nie dla niej. Dolna warga jej drżała i zachciało się jej płakać, ale nie miała już łez. Od Colina oddzielało ją zaledwie parę kilometrów, ale odległość między nimi nigdy jeszcze nie była tak wielka. To nie tak miało być.

Drzwi znowu się otworzyły i Kara się napięła, gotowa wyprosić wchodzącego, kimkolwiek był. Zdecydowana mina Charlotte sprawiła jednak, że umilkła. W gardle zatkało ją ze wzruszenia, kiedy w ramionach Charlotte zobaczyła dziecko, swoje dziecko. Nikt inny nie ośmieliłby się przynieść jej córeczki. Wszyscy dreptali na palcach, nie chcąc urazić jej uczuć i obawiając się reakcji.

Charlotte zaświeciła lampkę przy łóżku i usiadła obok Kary. Kara znała stalowy błysk w jej oczach. Nie zamierzała się poddać bez walki.

– Spałam – powiedziała.

– Nie, nie spałaś. Leżałaś, myśląc o tym, jak pokręcone masz życie. To prawda, ale masz też śliczną córeczkę. Ona cię potrzebuje, Karo. A ty potrzebujesz jej.

Kara nie wiedziała, dlaczego z takim trudem przychodzi jej patrzeć na dziecko. Pragnęła go bardziej niż czegokolwiek na świecie. Latami się starali, żeby zaszła w ciążę. Tańczyła z radości, kiedy dowiedziała się, że są rodzicami przy nadziei, ale teraz...

– Popatrz – powiedziała rozkazująco Charlotte. – Ma twoje piękne rude włosy, śliczne oczy i duże usta. Na sali noworodków wyła niczym sztorm. Myślę jednak, że nos będzie miała po Colinie. To się okaże, jak dorośnie.

– Nie ma jego nosa – zaprzeczyła Kara ze wzrokiem utkwionym w dziecku. Nie miała racji, wąski nosek córeczki był wypisz, wymaluj jak u Colina. Oddech ugrzązł jej w piersi. Zderzyła się z rzeczywistością.

Jej dziecko było prawdziwe. Było tutaj. Żyło i oddychało. Kara zrozumiała, dlaczego tak trudno jej na nie patrzeć. To wielkie szczęście, które poczuła przy narodzinach córeczki i gdy wreszcie ją zobaczyła, oznaczało uśmiercenie wcześniejszego marzenia o przebudzeniu się Colina w chwili przyjścia jego dziecka na świat. Jeśli nie obudził się teraz, prawdopodobnie nie zbudzi się już nigdy.

Dziecko jednak niczemu nie było winne.

Teraz, kiedy wreszcie zdecydowała się popatrzeć, nie mogła oderwać wzroku. Serce wypełniła jej miłość. Wyciągnęła ręce, a Charlotte włożyła jej dziecko w ramiona. Rana w sercu nie zdawała się już taka wielka.

– Witaj, maleńka – wyszeptała. Córeczka poruszyła się lekko, a usteczka wykrzywiły jej się, jakby zaraz miała zacząć płakać. – Dobrze, już dobrze. Mamusia jest z tobą. – Popatrzyła na Charlotte. – Dziękuję.

Charlotte uśmiechnęła się do niej.

– Bardzo proszę. Przyjdę niedługo. Jeśli się zmęczysz, zadzwoń po pielęgniarkę, żeby zabrała dziecko na salę noworodków.

Kiedy Charlotte wyszła z pokoju, Kara oparła się o poduszki. Tak dziwnie było mieć dziecko w ramionach, a nie w środku. Bawiła się maleńkimi paluszkami w zdumieniu, że ona i Colin powołali do życia takiego kompletnego małego człowieczka.

Po chwili poczuła dziwne ciepło w powietrzu, jakby ktoś nagle włączył ogrzewanie. Lekki powiew dmuchnął jej w twarz. Popatrzyła w stronę drzwi, żeby sprawdzić, czy nie są otwarte, ale były cały czas zamknięte. W pokoju panował półmrok rozświetlony tylko lampką nocną przy łóżku. W półmroku zobaczyła formujący się obraz ducha.

To był Colin. Serce przestało jej bić. Jego zielone oczy były otwarte i patrzyły prosto na nią. Uśmiechał się. Był szczęśliwy. Stał wyprostowany i mówił...

– Nasza córeczka wygląda tak jak ty. Jest śliczna, Karo, tak jak ty. Moje dziewczyny!

– Ma twój nos – odparła Kara. – Kształt paluszków u nóg ma też taki jak ty. Zrobiliśmy śliczną małą dziewczynkę.

– Zgadza się.

– Potrzebujemy cię, Colinie.

– Zawsze będę z wami, w waszych sercach.

– Potrzeba mi więcej niż wspomnienia. Chcę słyszeć twój głośny, dudniący śmiech i słuchać twoich opowieści, czuć twój dotyk na skórze i twój pocałunek na wargach. Chcę mieć z powrotem swojego męża. Czuję się bez ciebie taka samotna.

– Ja też za tobą tęsknię.

– Jak mogę żyć dalej bez ciebie? Za każdym razem, kiedy mała się uśmiechnie albo zapłacze, będę cię szukała. Kiedy zacznie raczkować i zrobi swój pierwszy krok, będę chciała, żeby szła do ciebie. Chcę, żebyś mógł ją złapać, kiedy upadnie. Przede wszystkim jednak chcę dzielić z tobą jej życie. Jesteśmy wspólnikami.

– Ja też pragnę tego wszystkiego. Ale cokolwiek się wydarzy, dasz sobie radę. Będziesz jej o mnie opowiadała. – Uśmiechnął się. – Chociaż nie masz mnie, to masz moje sercc i zawsze będziesz je miała. Bądź szczęśliwa. Nie zniosę, jeśli nie będziesz. Nie czekaj na mnie, przeżywaj swoje życie. Wychowaj naszą małą dziewczynkę. Kocham cię, Karo.

– Nie odchodź! – zaszlochała, ale zaczął już blednąć. – My ciebie też kochamy!

Jej słowa zawisły w powietrzu. Pokój z ciepłego zrobił się nagle chłodny. Ogarnął ją strach. Czy to był sposób Colina na pożegnanie?

Sięgnęła po telefon przy łóżku, po czym wystukała doskonale znany sobie numer. Poprosiła pielęgniarkę, by sprawdziła, co dzieje się z Colinem i by się upewniła, że wszystko jest w porządku. Wstrzymywała oddech, póki pielęgniarka nie wróciła i nie oznajmiła, że u Colina wszystko jest tak samo, bez żadnych zmian.

Kara rozłączyła się i zaczęła kołysać córeczkę.

– Wszystko będzie dobrze – powiedziała. – Nie chciałam tego robić w pojedynkę, ale przecież tak naprawdę nie jestem sama, prawda? Mam ciebie. – Odetchnęła głęboko i łza spłynęła jej po policzku. – A tatuś chce, żebyśmy były szczęśliwe. Zatem spróbujemy... dla niego. Na dobre i na złe, jesteśmy w tym razem. Ty i ja, dziecinko. Ja i ty.

Rozdział 20

Po deszczu zawsze wychodzi słońce. Tak zwykł mawiać Colin, ilekroć czuła się przygnębiona albo czymś się martwiła. Kiedy po śniadaniu pielęgniarka weszła do pokoju i podała jej córeczkę, Kara zrozumiała sens tej prawdy. Nastał nie tylko nowy dzień, ale wielkie szczęście. Córeczka była zdrowa. To liczyło się najbardziej. Próbowała nie myśleć o długiej przyszłości samotnej matki, bo w tej myśli było zbyt wiele mroku, żeby go rozświetliło parę promyków słońca.

Rozległo się pukanie do drzwi i do pokoju wszedł Jason. Uśmiechnęła się, zadowolona, że widzi go bez munduru. Brał podwójne zmiany, żeby nie myśleć za wiele o Colinie, co dało mu się we znaki. Dziś jednak, w dżinsach i swetrze, wyglądał na wypoczętego, młodszego i weselszego. W przyszłości nie pozwoli mu zastępować Colina. Powinien zacząć żyć swoim życiem, a ona postanowiła tego dopilnować.

– Jak widzę, wolałaś urodzić dziecko beze mnie – rzekł Jason i podszedł do łóżka. – I to po tym, jak kazałaś mi obejrzeć ten obrzydliwy film. Musisz mi to jakoś wynagrodzić.

– To ona zadecydowała, kiedy przyjdzie na świat. Wierz mi, próbowałam ją zatrzymać. Powinieneś mi też podziękować, że nie zadzwoniłam po ciebie, bo prawdziwy poród jest jeszcze gorszy niż tamten film.

– Przyjechałbym, gdybyś zadzwoniła.

– Miałam doskonałą opiekę. Byli przy mnie Shane, Lauren, a potem także Charlotte. Nie chciałam rodzić bez Colina. Byłam pewna, że poród go obudzi. Wszystkich przyprawiłam o ból głowy.

– Nic nowego – powiedział z grymasem.

– Wiem, że potrafię być uparta. Nie rezygnuję z Colina, ale teraz nie mam już planu.

Jason przechylił głowę, jakby zastanawiając się nad czymś.

– Coś się zmieniło. Mówisz jak osoba bardziej... pogodzona z losem?

– Teraz jestem matką. Muszę myśleć przede wszystkim o dziecku, a potem o sobie i Colinie. On by sobie tego życzył.

– Na pewno – zgodził się Jason. – Byłby z ciebie bardzo dumny. Ja jestem.

– Ja też jestem z siebie dumna – powiedziała z nieśmiałym uśmiechem. – Udało mi się nakarmić dziecko piersią i nawet je przewinęłam. Myślę, że będę w tym niezła.

Uśmiechnął się.

– Nie popadaj w nadmierną pewność siebie. Słyszałem, że niemowlęta po wyjściu ze szpitala przechodzą zmianę osobowości. Nie sypiają przez cały czas.

– Naprawdę? Dotąd było całkiem łatwo.

Przyjrzał się dziecku i zażartował:

– Ciężko uwierzyć, że takie śliczne dziecko ma Colina za ojca.

Były to słowa, które Jason by powiedział w obecności Colina. Przez chwilę poczuła się tak, jakby Colin tu był.

– Chcesz ją potrzymać?

– Nie, chyba nie.

– Nie złamiesz jej niczego, Jasonie. – Włożyła mu dziecko w ramiona. Trzymał je niezgrabnie, ale z największą ostrożnością.

– Jesteś małą szczęściarą – powiedział do dziecka. – Masz dwoje wspaniałych rodziców, najlepszych na świecie. – Popatrzył na Karę. – Nie do wiary, jaka jest maleńka.

– Nie wydawała się taka maleńka, kiedy ze mnie wychodziła.

– Pomiń szczegóły. – Dziecko wykrzywiło buzię. – Och, jest niezadowolona. Chce do ciebie. – Szybko oddał córkę Karze.

– A ja myślałam, że umiesz postępować z kobietami – zażartowała, kołysząc córeczkę, żeby zasnęła.

– Lubię, jak są trochę starsze – powiedział ze znajomym błyskiem w oczach.

Ucieszyła się, że powraca jego dowcipniejsza strona.

– Powiedz mi, co się dzieje poza tymi ścianami. Mam wrażenie, że od kilku dni przebywam w odosobnieniu. Słyszałam coś o wypadku Marka Devlina. Jest jakiś trop?

– Faktycznie, jest – odparł Jason. – Komendant właśnie ją przesłuchuje.

– Ją? – zapytała zdziwiona Kara. – O czym ty w ogóle mówisz?

– O Erice Sorensen.

– Żonie trenera? To ona przejechała pana Devlina? O mój Boże!

– Musiała uważać, że Devlin ma coś na jej męża – rzekł Jason.

– A to by mogło znaczyć, że... trener Sorensen był wplątany w morderstwo Abby?

– Możliwe.

Kara nie mogła w to uwierzyć.

– Był stary i żonaty!

– Miał tylko dwadzieścia kilka lat, kiedy Abby chodziła do szkoły. Wszystkie dziewczyny uważały go za przystojniaka.

Kara pokręciła głową.

– Jesteś pewien, że Erica nie potrąciła Devlina przez przypadek?

– Dowiemy się tego. Muszę przyznać, że czuję lekką ulgę, że podejrzanym o morderstwo Abby jest właśnie Tim Sorensen – ciągnął Jason. – Nie podobała mi się wersja ze mną w roli mordercy.

– To przecież śmieszna teoria. Chociaż nie zwierzałeś mi się do końca, to zawsze miałam uczucie, że znałeś Abby lepiej, niż się do tego przyznawałeś.

Wetknął ręce w kieszenie dżinsów i westchnął.

– Migdaliliśmy się jednego wieczoru po imprezie. Nie było to dla mnie nic wielkiego, ale możliwe, że dla niej tak. Nie wiem. Migdaliłem się po imprezach z wieloma dziewczynami. Jak każdy nastolatek.

– A więc kilka wieczorów przed jej śmiercią spędziłeś z nią i z Lisą?

– Tak, ale to było parę miesięcy po tamtej imprezie. Myślałem, że wszystko gra. I byliśmy we trójkę, Lisa też z nami była. Jeździliśmy tylko dookoła. Jeśli obserwowaliśmy przy tym dom trenera, to nic o tym nie wiedziałem.

– Wierzę ci. Może po aresztowaniu pani Sorensen policja wreszcie rozwiąże zagadkę śmierci Abby.

– Miejmy nadzieję. Niestety, nawet jeśli powiążemy potrącenie Devlina z Ericą, to nadal czeka nas długa droga, nim aresztujemy kogoś za zamordowanie Abby.

* * *

– Zrobiłam to, żeby chronić męża – powiedziała Erica Sorensen. – Mark Devlin wymyślał kłamstwa i szargał reputację Tima. Mamy trojc dzieci i nie możemy sobie pozwolić na utratę jego zarobków. Chciałam nastraszyć Devlina, to wszystko. Nie zamierzałam robić mu krzywdy.

Joe przyglądał się kobiecie siedzącej naprzeciwko niego w pokoju przesłuchań. Erica wyglądała, jakby coś ukrywała. Błądziła gdzieś wzrokiem, wykonywała nerwowe ruchy. Raz po raz zakładała nogę na nogę, splatała i rozplatała dłonic, przygryzała dolną wargę. Była przerażona i miała po temu dobry powód. Nie postarała się dobrze, by zatrzeć ślady przestępstwa. Przedni zderzak z lewej strony był uszkodzony. Zachowały się na nim ślady krwi i włókna z ubrania Devlina. Erica wstawiła samochód do warsztatu odległego o siedemdziesiąt kilometrów, jak się okazało – za blisko. Mechanik natychmiast zawiadomił policję.

Kiedy Joe powiedział Erice, że ma dowód łączący jej samochód z wypadkiem, poddała się i przyznała, że wjechała w Devlina w chwili paniki.

– Nie chciałam go zranić. Chciałam tylko, żeby wyjechał – powtarzała w kółko, a jej głos lekko drżał. – Zobaczyłam go i coś mnie napadło. Nacisnęłam gaz i niczego więcej już nie pamiętam.

Joe oderwał od niej wzrok, kicdy Rick Harrigan otworzył drzwi. Był jednym z kilku obrońców w mieście. Joe oczekiwał jego przyjścia.

– Skończyłem rozmowę z klientem – powiedział Rick.

– Mój mąż jest dobrym człowiekiem – oświadczyła Erica. – Nie miał nic wspólnego ze śmiercią tamtej dziewczyny, a Devlin rozpowiadał dookoła, że miał.

Czy wie pan, jak bardzo nauczycielowi mężczyźnie w szkole średniej zaszkodzić mogą oskarżenia o niestosowne zachowanie?

– Pani Sorensen, proszę nie mówić już nic więcej! – powiedział stanowczo Rick.

Usiadła wygodniej na krześle, a Rick zajął miejsce obok.

Joe wyszedł z pokoju i zastał Tima Sorensena przechadzającego się tam i z powrotem po korytarzu. Mężczyzna wyglądał na daleko mniej pewnego siebie niż wtedy, kiedy rozmawiali w szkole.

– To jest pomyłka – powiedział Tim. – Erica nikomu nie zrobiłaby krzywdy.

– Powiedziała, że zrobiła to dla pana – odparł Joe i przyglądał się, jaką reakcję wywołały jego słowa. Sorensen wydawał się zmartwiony, ale nie zaskoczony.

– Żeby ratować pana reputację – dodał. – Powiedział mi pan, że nie znał Abby Jamison poza szkołą, zatem dlaczego pana żona miałaby się martwić rewelacjami pana Devlina?

– Chcę porozmawiać z Ericą.

– No pewnie – mruknął Joe.

– Nie zamierzacie jej aresztować, prawda?

– Pana żona ma poważne kłopoty.

– To wszystko jest wielkim nieporozumieniem. Erica cierpi na depresję poporodową. Nie jest sobą. Wyobraża sobie nieprawdziwe rzeczy. Kilka miesięcy miała paranoję, że przestałem ją kochać, bo waży więcej niż przedtem. Nie jest sobą. Cokolwiek zrobiła, nie zrobiła tego, będąc przy zdrowych zmysłach. Muszę zobaczyć się z żoną. – Sorensen przeszedł koło niego i wkroczył do pokoju przesłuchań.

Ocena stanu psychicznego małżonki dokonana przez Tima pokrywała się z oceną Joego, ale ocena jej stanu psychicznego w chwili dokonania przestępstwa należała do sądu. Joe miał mocne przeczucie, że poza zeznaniem policja ma już wystarczająco mocny dowód na powiązanie pani Sorensen z wypadkiem i ucieczką z miejsca zdarzenia. Teraz tylko musiał przemyśleć, jak powiązać Tima Sorensena z morderstwem Abigail Jamison. Oczywiste było, że żona musiała mieć jakieś podejrzenia. Tim miał na ten wieczór alibi, ale Joe zamierzał je jeszcze raz dokładnie sprawdzić.

Chyba że...

Czyżby był na złym tropie?

Erica była obrończynią męża. Nie chciała splamić jego reputacji, nie chciała, by cokolwiek zagroziło jego posadzie. Czy to możliwe, że trzynaście lat temu posunęła się do zabójstwa również po to, żeby chronić posadę męża?

* * *

Księżyc świecił wysoko na niebie, kiedy Lauren przechodziła przez podwórko obok domu Murrayów. Shane zadzwonił do niej pół godziny temu i poprosił o spotkanie w starym drewnianym domku na drzewie. Powiedział jej, że chce opowiedzieć jej wszystko. Nie była pewna, co oznaczało owo „wszystko", ale zdecydowanie chciała się dowiedzieć. Chciała też porozmawiać z nim o tym, co działo się w mieście. Cały dzień spędził na łodzi, więc nie miała pojęcia, czy doszły go słuchy o aresztowaniu Eriki Sorensen za spowodowanie wypadku.

W tej chwili nie było niczego, co wiązałoby Ericę z zamordowaniem Abby, ale z pewnością można było już snuć przypuszczenia takiego powiązania.

Potknęła się o korzeń drzewa i straciła równowagę, uderzając w pojemnik na śmieci. Wspaniale. Zaraz będzie miała na karku rodziców Shane'a. Odczekała chwilę, ale nikt nie wyszedł. Możliwe, że rodzice Shane'a byli w szpitalu u Kary.

Kiedy szła przez podwórze na tyłach domu, przypomniała jej się ostatnia wizyta w domku na drzewie. Przyszła szukać tu Shane'a, ponieważ wdał się w bójkę w szkole i chciała sprawdzić, czy nic mu się nie stało. Najpierw na jej widok wcale się nie ucieszył, ale słowo do słowa i skończyło się tym, że się kochali.

To było niczym poskramianie wściekłego zwierzęcia długimi głębokimi pocałunkami. Widziała jak z każdą pieszczotą opuszczało go napięcie. Upajała się myślą, że potrafiła uciszać jego ból w sposób niedostępny dla nikogo innego. Shane sprawiał, że czuła się piękna i pożądana. Obchodził się z nią z zadziwiającą czułością. Pamiętała, jak podkładał jej ręce pod głowę, żeby nie czuła twardości drewnianych desek, kiedy się w niej poruszał.

Stare wspomnienie zmieszało się ze świeżymi i możliwością zdobycia nowych. Idąc na spotkanie z Shane'em, igrała z ogniem, ale nie mogła się powstrzymać. Cóż, i tak wkrótce będzie po wszystkim. Jednak o ile przyszły tydzień był coraz bliżej, to rzeczywistość jakby się oddalała. Słabo już pamiętała swoje życie w San Francisco, przyjaciół i mężczyzn, z którymi chodziła na randki. Była tylko Zatoka Aniołów, Shane, ojciec, Charlotte i Kara. Poszła nawet raz jeszcze do ciastkarni Marty i zastanawiała się, ile wynosi czynsz za lokal, i czy nie powinna jednak czegoś z tym zrobić.

Nie była gotowa jeszcze na to zobowiązanie. Nie była gotowa do porzucenia bezpiecznego i ustabilizowanego życia na rzecz takiego, które niosło perspektywę cierpień i niepowodzenia. Musiała jednak przyznać, że się wahała.

– Lauren? Czy to ty jesteś na dole? – zawołał Shane.

Chrząknęła i zdała sobie sprawę, że stoi tak już dość długo.

– Sądzę, że to zły pomysł, Shane.

– Chciałaś, żeby ci wszystko wyznać.

– A to musi się odbyć tutaj?

– Tutaj wszystko się zaczęło.

Nie miała pojęcia, co to oznaczało, ale skoro dotarła aż dotąd, ruszyła do góry. Podczas wspinaczki musiała żonglować plastikowym pojemnikiem, który przyniosła, ale w końcu wczołgała się do domku, uśmiechając się bez tchu.

– Świetnie. Było łatwiej, kiedy miałam siedemnaście lat.

Shane spojrzał na nią z leniwym uśmiechem, który zawsze wywoływał ciarki na plecach i zapowiadał kłopoty. Niestety, miała wrażenie, że był to rodzaj kłopotów, które sprawiały jej uciechę, i to wielką. Przesunął po podłodze znajomą kopertę.

– Przyniosłem ci zdjęcia na wypadek, gdybyś jeszcze chciała je przejrzeć. Co tam masz? – zapytał, patrząc na pojemnik w jej ręce.

– Ciasteczka. Nie dostaniesz ich jednak, póki mi nie powiesz, dlaczego tu jestem. Przez telefon byłeś okropnie tajemniczy. – Wzięła z podłogi kopertę i wetknęła ją do torebki, po czym przesunęła się pod przeciwległą ścianę domku. Wyprostowała nogi, by stworzyć barierę między sobą a Shane'em.

Blask księżyca zapewniał dość światła, by mogła widzieć jego twarz. Uśmiechał się, ale czuła, że jest spięty.

– Pamiętasz noc, kiedy kochaliśmy się tutaj? – zapytał Shane. – Byłem w złym humorze, obraziłem się na cały świat. Nie chciałem, żebyś tu przychodziła, ale się tu wepchnęłaś i już nie wyszłaś.

– Musiałam się wepchnąć, inaczej byś mnie odtrącił.

– Kiedy się poznaliśmy, myślałem, że jesteś nieśmiała i słodka, ale potrafiłaś też być uparta. Wracałaś nawet, kiedy ci powiedziałem, żebyś odeszła.

– Dlatego, że naprawdę nie chciałeś, żebym odeszła. Pragnąłeś mnie nawet, kiedy tego nie chciałeś. Widziałam tę walkę w twoich oczach. Byłam zdecydowana wygrać i przekonać cię, że jestem dla ciebie ideałem.

– Tyle że ja nie byłem ideałem dla ciebie. Miałem mnóstwo wad. Nie powinienem był w ogóle się z tobą wiązać, ale sprowadzałaś demony ślicznymi błękitnymi oczami, szczerym uśmiechem, szlachetną duszą. Pozwoliłaś mi wziąć od ciebie zbyt wiele, Lauren.

– Przesadzasz. Ja też wiele od ciebie wzięłam: twoją siłę i pewność. Sprawiłeś, że spróbowałam rzeczy, których nie próbowałam wcześniej. Poczułam się dzielna i wyjątkowa. W domu zawsze zajmowałam miejsce po Abby. W szkole nie odznaczałam się szczególną bystrością ani talentem do sportu. Kiedy jednak wybrałeś mnie spośród innych dziewcząt, poczułam się o wiele lepsza od przeciętnej.

– Nigdy nie byłaś przeciętna – powiedział i zmarszczył brwi. – Nie wierzyłaś tylko w swoje siły, to wszystko. Pozwalałaś na to, żeby bardziej liczyły się opinie innych. Chciałaś uszczęśliwić wszystkich, tylko nie siebie.

– Dość dobrze się na mnie poznałeś. – Zamilkła i obrzuciła go przeciągłym spojrzeniem. – Za to ja nie znałam cię dobrze, prawda? Czy nie dlatego zaprosiłeś mnie tutaj?

Potaknął.

– Chcę to naprawić.

– Domyśliłam się. Słyszałeś o aresztowaniu żony Sorensena za potrącenie Devlina?

– Tak, szef policji przekazał mi tę wiadomość dziś rano, kiedy do niego oddzwoniłem. Powiedział, że nie ma żadnego dowodu łączącego Tima Sorensena z morderstwem Abby, ale ja przypuszczam, że się znajdzie.

– A ja nadal nie mogę uwierzyć, że Abby mogła mieć romans z nauczycielem. Potrzebny mi na to twardy dowód. Nie wyobrażam też sobie reakcji ojca, kiedy się o tym dowie. W jego wyobraźni ona jest prawie święta.

– Miała tylko piętnaście lat. Wszyscy w tym wieku popełniają błędy – przypomniał Shane.

– Zamierzasz mi teraz opowiedzieć o swoich błędach? – spytała Lauren. – O jakiejś tajemnicy, której chcesz dochować dla kogoś innego?

– Tak. – Wziął głęboki oddech. – Chodzi o to, dlaczego poszedłem do kancelarii prawniczej tego wieczoru, kiedy umarła Abby.

– Dobrze. Jeśli jednak powiesz mi o czymś, co może zmienić kierunek śledztwa dotyczącego Abby, nie obiecuję, że nie pójdę z tym na policję.

– To nie ma nic wspólnego z Abby. Niemniej to ty zdecydujesz, co zrobisz z tym, co teraz ode mnie usłyszysz. – Skrzyżował ręce na piersi. – Powiem ci rzecz następującą: moja matka trzydzieści parę lat temu miała romans. Ja jestem jego owocem.

Ogarnęło ją kompletne zdumienie. Rodzice Shane'a zdawali się zawsze sobie tacy bliscy. Cała rodzina Murrayów wydawała się bliska ideału.

– Kiedy to odkryłeś?

– Kiedy byłem w drugiej klasie. Pewnego dnia wróciłem wcześniej i podsłuchałem, jak matka rozmawiała przez telefon z moim biologicznym ojcem. Nasza rodzina miała kłopoty finansowe i ona chciała od niego pomocy. Uważała, że jest jej to dłużny.

– Co zrobiłeś?

– Starłem się z nią. Błagała, żebym nic nie mówił ojcu. On nie wiedział, że go oszukała i że nie jestem jego synem. Powiedziała, że to była chwila szaleństwa, którego od tamtej pory szczerze żałowała.

– Na pewno nie żałowała, że ma ciebie – wyrwało się Lauren. Surowy błysk w jego oczach powiedział jej, że w to nie wierzył. – Shane, na pewno nie żałowała, że się urodziłeś!

– W czasie, kiedy to odkryłem, romans był już od lat skończony – ciągnął. – Rodzicom się ułożyło i po mnie mieli jeszcze troje dzieci. Kiedy dowiedziałem się prawdy, Patrick wyjechał już na studia, Kara zaczynała szkołę średnią, a Dee z Michaelem byli jeszcze mali. Matka czuła, że ojciec by się z nią rozwiódł, gdyby się dowiedział o romansie, a ja przecież nie mogłem rozbić rodziny. Dlatego obiecałem, że dotrzymam tajemnicy.

– To jednak sprawiło, że zacząłeś wariować… Chodziłeś wściekły i zbuntowany – szepnęła. Jego zachowanie z przeszłości znalazło teraz wytłumaczenie. – Nigdy nie rozumiałam, skąd brało się cierpienie w twoich oczach. Mówiono mi, że wcześniej byłeś bardziej towarzyski, zanim stałeś się samotnikiem.

– Byłem wściekły i nie umiałem sobie z tym poradzić. Nikomu nie mogłem powiedzieć. Wybierałem się więc na przejażdżki motocyklem i zacząłem odliczać dni do wyjazdu. Czułem się jak uzurpator za każdym razem, kiedy ojciec zwracał się do mnie „synu" i kiedy mówił, że kiedyś przejmę po nim interes. Nie mogłem znieść przebywania obok niego – dodał. – Nie mogłem znieść widoku jego i matki. Nienawidziłem jej, bo przez nią musiałem kłamać. To ona zdradziła mężczyznę, którego podobno kochała. Zatem, jak mogłem jej wierzyć, kiedy mówiła, że mnie kocha? Robiło mi się wtedy niedobrze.

Teraz Lauren pojęła, skąd wzięła się niezdolność Shane'a do wyznania miłości, jego niechęć do podejmowania zobowiązań, złe humory i niemożność usiedzenia w jednym miejscu. Jak matka mogła od niego żądać dotrzymania takiej tajemnicy?

Zawsze lubiła Moirę Murray. Nigdy by nie podejrzewała, że oszukała męża i trzydzieści lat przeżyła w kłamstwie. I że żądała od syna, żeby uczynił to samo.

– Och, Shane. – Przesunęła się bliżej i wzięła go za ramię. Poczuła, jak napięte miał mięśnie. – Tak mi przykro. Twoja matka nie powinna była żądać od ciebie czegoś takiego. To był błąd.

– Chodziło o wyższe dobro. W tym miała słuszność. Moje rodzeństwo wychowało się dzięki temu przy obojgu zgodnie żyjących rodzicach. Nikomu nie stała się krzywda. Gdybym powiedział prawdę, ojciec mógł się wyprowadzić. Nie mogłem zaryzykować czegoś takiego.

Nie mogła uwierzyć, jak wielki ciężar wziął na siebie Shane.

– Boże, jestem taka wściekła na twoją matkę! Wiesz, kim jest twój biologiczny ojciec?

– Nie. To dlatego poszedłem tamtego wieczoru do kancelarii prawniczej. Byłem pewien, że to jeden z prawników, Rick Harrigan albo Jeff Miller, jest moim ojcem. Na naszym billingu telefonicznym widniał numer kancelarii. Nie wiedziałem tylko, z którym z nich rozmawiała matka. Tego nie chciała mi powiedzieć. Bała się, że będę chciał się z nim spotkać. Obaj byli żonaci i mieli dzieci. Gdzie nie spojrzałem, widziałem, że mogę tylko kogoś skrzywdzić, ale nie mogłem sobie tego wybić z głowy. Musiałem się dowiedzieć, kim jest mój prawdziwy ojciec.

– Rozumiem cię. – Chciała, żeby Shane na nią popatrzył, ale unikał jej wzroku. W ciemnościach nie mogła odczytać emocji na jego twarzy. Prawdopodobnie dlatego chciał odbyć tę rozmowę tutaj. Nie był typem człowieka, który lubił okazywać uczucia. Zamknął się dawno temu i otoczył murem, który stał się dzisiaj niemal nie do sforsowania. Były w nim jednak drobne pęknięcia, przez które zamierzała się przedrzeć. – Opowiedz mi resztę.

– Nie ma tego wiele. Miałem szalony pomysł, że może uda mi się zdobyć jakiś dowód w tej kancelarii. Jakiś liścik od matki, jakiś stary czek wypisany dla niej, cokolwiek. Przez te lata kontaktowali się ze sobą, facet płacił jakieś pieniądze i wykombinowałem, że jeśli istnieje dowód, to jest w kancelarii, a nie w domu. Myślałem nawet o tym, żeby zwinąć szklankę albo grzebień i oddać je do laboratorium, by zbadali DNA. Miałem mnóstwo pomysłów.

– Co znalazłeś?

– Nic. To jest z tego wszystkiego najgorsze. Przeszedłem się po całej kancelarii i wyszedłem stamtąd z pustymi rękami. Byłem wkurzony. Abby powiedziała, że wyglądam, jakbym chciał kogoś zabić. Powiedziałem, że tak dokładnie się czuję, tylko nie wiem, kogo zabić.

– Nie powiedziałeś jej nic więcej?

– Nie. Gdybym miał zamiar komukolwiek powiedzieć, powiedziałbym tobie. – Położył dłoń na jej dłoni i popatrzył jej w oczy. – Kiedy wysadziłem Abby na parkingu przed szkołą, uścisnęła mnie i powiedziała, że powinna iść i poszukać ciebie, a ty na pewno sprawisz, że poczuję się lepiej.

Te słowa zabolały. W wyobraźni zobaczyła Abby, usłyszała jej głos i wiedziała, że to może była ostatnia dobra chwila w życiu jej siostry.

– To nie brzmi tak, jakby Abby wiedziała, że zbliża się do niebezpieczeństwa.

– Była trochę podekscytowana, ale nie ponad normę. Tak przynajmniej myślałem. Potem zadawałem sobie pytanie, czy może coś przeoczyłem, coś, co powinienem był zobaczyć. Czułem się okropnie, że zostawiłem ją samą na parkingu. Jeszcze większe poczucie winy męczyło mnie, że nie powiedziałem ci o tym, co się wcześniej działo. Nie obarczało mnie już tylko kłamstwo matki, ale moje własne. Chciałem być przy tobie, Lauren. Ty jednak byłaś na mnie strasznie zła, a potem narosło wiele spekulacji o Abby i o mnie. Nie wiedziałem, co zrobić. Próbowałem mówić jak najmniej, ale to tylko pogarszało sytuację. A potem wyjechałaś.

Wypuściła powietrze i zdała sobie sprawę, że wstrzymywała oddech przez dłuższą chwilę.

– Nie miałam pojęcia, że twoje kłamstwo mogło mieć aż tak głębokie korzenie. Musiałam kogoś obwinić za ten horror, którym stało się moje życie, a ty byłeś pod ręką. Kiedy nie chciałeś ze mną rozmawiać, doprowadzałeś mnie do szału. Ostatniego dnia myślałam, że ci przyłożę.

– Prawdopodobnie oboje poczulibyśmy się z tym lepiej.

– Byłam na ciebie zła przez całą drogę. Starałam się trzymać tego uczucia jak najdłużej, ponieważ kiedy cię nienawidziłam, równocześnie tęskniłam za tobą jak szalona. Powtarzałam sobie, że byłam głupia, że napadłeś na moją siostrę, że okazałeś się kłamcą i oszustem. Wtedy inna część mnie nie chciała w to uwierzyć i wymyślała usprawiedliwienia. I tak kręciłam się w kółko.

– Jestem zdumiony, że poświęciłaś mi aż tyle myśli. Zdawało mi się, że co z oczu, to i z serca.

– No cóż, źle ci się zdawało. Nasz związek nie był aż tak zwyczajny. Może dla ciebie, ale...

– Nie był – wtrącił przerywając jej. – Nie mogłem o tobie zapomnieć, Lauren. W ciągu dnia starałem się mieć jak najwięcej zajęć, ale po nocach ciągle myślałem o tobie i pragnąłem, żeby wszystko się potoczyło inaczej.

Chciała wierzyć, że rozstanie było dla niego równie rujnujące jak dla niej, ale przychodziło jej to z trudem. Ona miała serce na dłoni, podczas gdy Shane swoje głęboko skrywał. Jednak byli tylko nastolatkami schwytanymi w sidła pierwszej miłości. Rozstanie nastąpiło podczas wielkiej tragedii. Każde uczucie, które przeżywała, było zwielokrotnione przez śmierć Abby: i miłość, i nienawiść, poczucie winy... Uczucia pożerały ją przez długie tygodnie. Z czasem jednak wyjechała i Shane także.

– Czy kiedykolwiek udało ci się odkryć, kim jest twój ojciec? – zapytała.

Potrząsnął głową.

– Nie. Po śmierci Abby zrobiło się koło mnie bardzo gorąco. Nie mogłem westchnąć, żeby nikt tego skrzętnie nie zanotował. Śledzono mnie. Ironią losu było, że kiedy pomyślałem, iż powinienem mieć prawnika, którym zapewne będzie albo Harrigan, albo Miller, ojciec postarał się dla mnie o kogoś innego. Kiedy tylko mogłem wyjechać z miasta, wyjechałem. Nie sądziłem, że kiedykolwiek tu wrócę.

– Ja też nie sądziłam, że wrócę – powiedziała. – Ale tu jesteśmy.

– Ano, jesteśmy.

Wpatrywali się w siebie, aż powietrze między nimi zdawało się iskrzyć. Lauren czuła, jak coś ją do niego przyciąga. Próbowała się opierać, ale to było niewykonalne.

Wyciągnęła ręce i objęła jego twarz. Shane naprawdę był czarną owcą, kimś, kto nigdzie nie należał, wyrzutkiem. I nic dziwnego, że zaczął się tak zachowywać. Pocałowała go w usta i trwała w pocałunku dłuższą chwilę, chcąc mu okazać to, czego nie była w stanie wyłożyć w słowach. Kiedy podniosła głowę, rzekła:

– Dziękuję, że mi to wyznałeś. – Wreszcie dał jej to, czego zawsze od niego chciała: zaufanie. – Nie boisz się, że powiem coś i zniszczę twoją rodzinę?

Uśmiechnął się lekko.

– Nie, ponieważ cię znam. Masz wielkie, szlachetne i dobre serce.

Oczy zaszły jej mgłą ze wzruszenia.

– A dlaczego powiedziałeś mi o tym teraz? Jak wspomniałeś, romans twojej matki i twoja wyprawa do kancelarii nie miały nic wspólnego ze śmiercią Abby. Nie musiałam nic wiedzieć.

– Nie chcę, żeby nas dzieliły jakieś tajemnice.

– Naprawdę? – Tętno jej przyśpieszyło z obawy i oczekiwania. Wszystko działo się za szybko i widziała już, dokąd zmierzają. Prawie słyszała już słowa, które chciała usłyszeć z jego ust... Nie mogła jednak jeszcze pozwolić mu mówić. Jeszcze nie teraz. Jeszcze nie była gotowa.

Wygramoliła się z domku i była w połowie drogi na dół, kiedy zawołał:

– Lauren, poczekaj! – Zignorowała go i pobiegła do ścieżki. Złapał ją dopiero na końcu podjazdu. – Podwiozę cię do domu.

– Pójdę pieszo, to zaledwie parę ulic.

– Nie pozwolę, żebyś szła do domu sama. Na pewno nie po tym, co przytrafiło się Devlinowi.

– Nic mi nie będzie – powiedziała, ale stała w miejscu. – Erica Sorensen jest w areszcie.

– Ale jej mąż nie. Do licha, Lauren! Dlaczego przede mną uciekasz?

– Nie uciekam, wracam tylko do domu.

Złapał ją za ramię i zatrzymał siłą.

– To nieprawda i wiesz o tym. Porozmawiaj ze mną. Powiedz mi, co myślisz.

Jego żądanie jak na ironię zamieszało jej w głowie.

– Czy ty wiesz, ile razy cię prosiłam, żebyś powiedział mi, co myślisz, żebyś powiedział dwa proste słowa: kocham cię. A ty nigdy tego nie zrobiłeś. Ja ci to wyznawałam, a ty zawsze uśmiechałeś się, całowałeś albo zmieniałeś temat. Zawsze chciałeś mieć furtkę otwartą.

– Miałem osiemnaście lat.

– Nie jesteś już nastolatkiem. Czy coś się właściwie zmieniło? Mieszkasz na łodzi. Nie masz żadnych korzeni. Możesz w każdej chwili wyruszyć w drogę i prawdopodobnie tak zrobisz.

– Albo mogę zostać na zawsze – powiedział Shane.

– Naprawdę? Ty, zdeklarowany włóczęga? Nie wierzę.

– A może przestaniemy rozmawiać o mnie, a skupimy się na tobie? Czego ty chcesz, Lauren? Czy w ogóle wiesz? – rzucił jej wyzwanie.

– Nie, nie wiem – odparła. – Kusi mnie, żeby tu zostać. Ojciec mnie potrzebuje, cieszę się, że mogę znów być z Karą i Charlotte. Czuję się tutaj bardziej jak w domu. Nie spodziewałam się tego.

– A ja? Czy gdzieś pasuję? – zapytał.

Odetchnęła głęboko.

– Patrzę na ciebie i myślę, że może mogłabym mieć wszystko, czego zawsze pragnęłam. Wtedy jednak przypominam sobie, że to jesteś ty, że mnie kiedyś zraniłeś, i to, jak ciężko mi było przeboleć utratę ciebie. To była najtrudniejsza rzecz w moim życiu. Nie mogę znów przez to przechodzić.

– A kto mówi, że będziesz musiała?

– Mówisz, że nie będę? Czy naprawdę jesteś gotów położyć wszystko na jednej szali? – Jego wahanie posłużyło jej za odpowiedź. – Nie wierzę.

– Teraz to ty uciekasz. A czy ty chcesz położyć wszystko na jedną szalę?

– Nie chcę. Nie mogę. Nie powinniśmy prowadzić tej rozmowy, dopóki nie będziemy wiedzieć, jak chcemy ją zakończyć.

Wyrwała rękę i poszła do domu, a on szedł krok w krok za nią. Nic nie mówił. Ona także nie. Powiedziała sobie, że tego właśnie chciała.

Okłamywała się. Chciała o wiele więcej.

Rozdział 21

Później tego wieczoru Lauren siedziała po turecku na łóżku Abby z porozkładanymi na kołdrze fotografiami do rocznika. Była zmęczona, ale i tak nie zasnęłaby, gdy tyle myśli kłębiło jej się w głowie. Czuła się nadal roztrzęsiona wyznaniem Shane'a i tym, że nareszcie zdecydował się jej zaufać. Powierzył jej nie tylko swój los, ale i los swoich bliskich. Mogłaby paroma słowami zniszczyć ich rodzinę. Podjął wielkie ryzyko...

Dlaczego zatem ona tak się bała ryzyka?

Ponieważ coś jej mówiło, że jest blisko spełnienia swego największego marzenia, a inny głos w jej duszy powtarzał, że jest głupia, myśląc, że wyjawienie tajemnicy oznaczało, iż Shane naprawdę ją kocha.

Istotne pytanie brzmiało, czy ona go kocha?

Poznała już tego mężczyznę, którym był teraz, a on poznał ją. Mieli swoje doświadczenia życiowe i chociaż pod wieloma względami przebyli długą drogę, nigdy się naprawdę od siebie nie oddalili.

I może nigdy się nie oddalą. Może, jak Leonora i Tommy, byli dla siebie przeznaczeni.

Historia Leonory i Tommy'ego wprawdzie nie zakończyła się happy endem, ale nie bali się sięgnąć po szczęście. Dlaczego ona była takim tchórzem?

Z westchnieniem zmusiła się do skupienia uwagi na zdjęciach. Ostatnie zostały zrobione na rozdaniu nagród. Większości sfotografowanych nie znała. Kilka zdjęć zrobiono poza szkołą. Widniały na nich dzieciaki przy stole z deserami.

Wstrzymała oddech, gdy dotarła do podartej fotografii. Rozerwano ją na pół, a jakiejś jednej trzeciej w ogóle brakowało. Na części, która została, widniał Tim Sorensen. Stał na skraju tłumu i otaczał kogoś ramieniem. Widać było różowy sweterek, dziewczęce ramię, ale tylko tyle. Tim patrzył w dół na obejmowaną osobę, a wyraz twarzy miał bardzo poważny.

Lauren podskoczyło serce. Czy przyglądał się Abby? Czy ktoś inny zrobił to zdjęcie aparatem Abby? Czy ona widziała to zdjęcie i podarła je na pół, żeby nikt się nie dowiedział o tym związku?

Różowy sweterek wyglądał znajomo... jak ten, który wyjęła parę dni temu z szafy i zapakowała do worka. Lauren pośpieszyła do worków i jęła otwierać jeden za drugim, aż go znalazła. Wyciągnęła rękaw, porównując go z tym na fotografii.

W jej sercu coś jęknęło. To był ten sweter.

Odrzuciła go na wierzch worka i usiadła na łóżku. W głowie kłębiły się myśli, ale tak naprawdę, co właściwie znalazła? Wiele dziewcząt mogło mieć taki sam sweterek. Nie wiedziała, czy to na pewno Abby była na tym zdjęciu, chociaż zdawało się to możliwe.

Rozcierała sobie kark, czując ból w napiętych mięśniach. Było późno. Musiała się wyspać. Zebrała resztę zdjęć i włożyła do koperty, po czym przyjrzała się swojej stronie pokoju. Prześcieradła i koce, które przyniosła tutaj parę dni temu, przypomniały jej, że naprawdę musiała już zabrać się za pościelenie łóżka.

Wzdrygnęła się na samą myśl, ale może po prostu zrobiło jej się za chłodno. Słyszała wycie wiatru i szorowanie gałązek o szybę.

Abby nie lubiła tych gałązek. Mówiła, że w świetle księżyca drzewo wygląda jak potwór z setką ramion.

To było tylko drzewo, powtórzyła w myśli Lauren. A Abby nie zabił żaden wymyślony potwór, ale człowiek. I to taki, któremu ufała.

Czując jeszcze większy chłód, podeszła do starego grzejnika przy ścianie, przekręciła gałkę i poczekała, żeby zobaczyć, czy się nagrzeje. Wiecznie się psuł. Wiele razy poddawały się z Abby i po prostu przykrywały się dodatkowym kocem.

Przykucnęła i położyła rękę na kratce, żeby sprawdzić, czy wychodzi stamtąd ciepłe powietrze.

Nic nie poczuła, ale za kratkami wypatrzyła coś czerwonego. Zmrużyła oczy, serce zabiło jej szybciej. Pociągnęła przednią pokrywę grzejnika, ale stawiała opór. Pociągnęła mocniej, aż wreszcie pokrywa ustąpiła. Odłożyła ją na bok i wlepiła zdumiony wzrok w czerwoną okładkę pamiętnika Abby.

W jej żyłach popłynęła adrenalina. Znalazła! Abby musiała tutaj go ukryć przed wyjściem tamtego wieczoru.

Lauren bała się go otworzyć. Czy dowie się z niego prawdy?

Drżącymi rękami wyjęła pamiętnik i usiadła na podłodze przy łóżku. Otworzyła pierwszą stronę. Abby nie życzyłaby sobie, by Lauren czytała o jej myślach. Czy teraz też nie powinna?

Skoro jednak go nie przeczyta, w jaki sposób pomoże Abby? Nie mogła oddać pamiętnika policji, nie wiedząc, co jest w środku. Musiała bronić siostry do końca.

Pamiętnik zaczynał się siedem miesięcy przed dniem, w którym Abby została zamordowana. Lauren wciągnęła głęboko powietrze. Szczęśliwie pierwsze wpisy nie były przerażające – tylko ulotne przemyślenia, wszystko, co przychodziło Abby do głowy. Pisała o tym, że chce zostać biologiem morskim, o wycieczkach na ryby z tatą i o pryszczu na czole.

Lauren zaczęła się odprężać. Zobaczyła siostrę i usłyszała jej głos czytający słowa zapisane na kartkach. Zaczynała już myśleć, że życie Abby to mroczna i tajemnicza sceneria horroru, a tymczasem przekonywała się, że wprost przeciwnie – było najzwyklejsze pod słońcem. Trochę nudne, a czasem bardzo wzruszające. Lauren popłynęły z oczu łzy, kiedy czytałao sobie, o tym, iż Abby ma nadzieję, że Shane będzie Lauren dobrze traktował. Nie wiedziała, że jej młodsza siostra kiedykolwiek się o nią martwiła. Była tak stanowcza w dążeniu do zapomnienia o bólu, że zapomniała przy tym o wszystkim. A teraz to wszystko powracało.

Kiedy zbliżała się do wpisów z dni poprzedzających śmierć siostry, ton pamiętnika się zmienił. Myśli Abby stawały się niespokojne i pełne tęsknoty. Pisała o chłopcu, którego nazywała J. Ponieważ większość osób wymieniała z inicjałów, od razu stało się jasne, że miała na myśli Jasona Marlowa.

Abby pisała o tym, jak bardzo jej się podoba, ale że patrzy tylko na Karę. Wspomniała o tańcach, w czasie których znalazły go z Lisą pijącego z innymi w krzakach za szkołą. Dał jej się napić piwa, a ona je przyjęła, bo chciała dopasować się do jego towarzystwa.

Abby pisała, jak poczuła się szczęśliwa, kiedy Jason objął ją ramieniem. Kiedy ją pocałował, serce zaczęło bić jej tak szybko, że uznała to za początek ataku serca. Poszli do jego samochodu, a tam zaczął głaskać ją po piersiach. Wiedziała, że robi źle, ale nie gniewała się na niego, bo bardzo, bardzo się jej podobał. Jednak następnego dnia nawet z nią nie porozmawiał i zastanawiała się, czy w ogóle pamiętał, że z nią był. W miarę jak mijały kolejne tygodnie zrozumiała, że to w ogóle nic dla niego nie znaczyło, ale nadal go bardzo lubiła. Może któregoś razu znów zaprosi ją do towarzystwa?

W Lauren wezbrała fala gniewu na Jasona. Nie powinien wykorzystywać jej siostry w taki sposób. Stało się oczywiste, że byli dla siebie więcej niż przyjaciółmi, jak twierdził.

Lauren tylko przebiegła wzrokiem stronice, na których Abby rozpisywała się nad życiem morskim. Potem skupiła się na Lisie.

Martwię się o L. – napisała. – *Za dużo pije i zadaje się prawie z każdym. Wiem, że ma ogromną, szaloną potrzebę, by być kochaną. Uważa, że rodzice jej nie kochają, a zwłaszcza ojciec, który opuścił ją i matkę. Ja jednak się o nią boję. Robi głupie, niebezpieczne rzeczy. Cały czas jej mówię, żeby przestała. Zachowuje się jak nie ona i w ogóle mnie nie słucha. Słucha innych ludzi, ludzi, którzy nie kochają jej tak jak ja.*

Lauren zmarszczyła brwi i przewróciła kartkę.

Czuję, że nie jestem dobrą przyjaciółką. Muszę znaleźć sposób, żeby L. się opamiętała, zanim narobi sobie kłopotów. Uważa, że kocha trenera, ale on jej nie kocha. Poza tym jest żonaty. Nie zostawi żony dla piętnastolatki. Ona mnie znienawidzi, ale ja muszę ją powstrzymać. To nie jest w porządku. On ją wykorzystuje i ją skrzywdzi, wiem o tym.

Lauren wstrzymała powietrze. O Boże! To Lisa, a nie Abby kochała się w Timie Sorensenie. Poczuła, że robi się jej niedobrze. Abby musiała zagrozić, że ujawni ich związek, a Tim Sorensen ją zabił.

Dlaczego Lisa się nie ujawniła? Dlaczego nie powiedziała policji?

Czy trener ją straszył? Czy bała się włączyć go do kręgu podejrzanych w obawie, że może być następna?

Jeśli jednak była to prawda, to dlaczego Lisa mieszkała w mieście przez tyle lat? Dlaczego stąd nie wyjechała, nie oddaliła się od mordercy Abby?

Lauren przypomniała sobie wstrząs, jakiego przed paroma dniami doznała Lisa na widok tego pokoju, zupełnie nietkniętego od trzynastu lat. Zadała pytanie o pamiętnik, prawdopodobnie wiedząc, że Abby o niej pisała. Czy nadal się bała, że romans wydostanie się na światło dzienne?

Oczy Lauren zaczęły napełniać się łzami. Wciągnęła kolejny haust powietrza, który jednak zakończył się kaszlem. Drzwi do pokoju były zamknięte, ale w powietrzu zaczął unosić się dym. Popatrzyła na grzejnik, myśląc, że może nastąpiło w nim spięcie, ale nie wydobywało się z niego ciepło. Czyżby to ojciec wstał i zaczął gotować?

Skoczyła na równe nogi i pobiegła do drzwi. Były rozgrzane, ale jeszcze nie parzyły, więc je otworzyła. Zamarła, bo ciężkie kłęby dymu zbliżały się korytarzem, a z kuchni wydobywały się języki ognia. Paliła się już tapeta w korytarzyku.

Czemu, do diabła, nie zadziałał żaden czujnik dymu? Pobiegła do pokoju ojca, przyciskając sweter do ust i nosa w ochronie przed dymem. Drzwi były zamknięte. Otworzyła je i znalazła go śpiącego w łóżku. Potrząsnęła go, ale się nie budził. Czyżby udusił się już od dymu? Zdawał się jednak oddychać. Podbiegła do okna, żeby je otworzyć, ale nie ustępowało. Musiała go stąd wydostać i musiała zadzwonić na numer alarmowy. Tylko co zrobić najpierw?

Płomienie docierały korytarzem do sypialni Davida, gdzie miały się czym nasycić, bowiem pokój zarzucony był starymi czasopismami i papierzyskami. Złapała ojca za rękę i próbowała go posadzić. Poruszył się.

– Tato, wstawaj! – wrzasnęła, lecz kiedy to uczyniła, wykonała głęboki wdech i zaczęła się dusić.

Patrzył na nią nie rozumiejąc, co się dzieje.

– Lauren?

– Musimy stąd uciekać. Dom się pali!

Zarzucił jej rękę na ramię, po czym pomogła mu wstać, jednak zaczął kaszleć i nie mógł złapać oddechu. Opadł na podłogę i pociągnął ją za sobą.

– Uciekaj – powiedział. – Ratuj siebie, Lauren, Uciekaj!

– Nigdzie bez ciebie nie pójdę, tato. Idziemy! – Szarpała go, żeby stanął na nogach, ale on stracił przytomność. Złapała go za ręce i pociągnęła do drzwi. Połowa przedpokoju była już w ogniu, płonęły też zasłony w pokoju dziennym. Kuchnia już doszczętnie spłonęła. Jak ogień mógł rozprzestrzenić się tak szybko?

Nie było już sposobu na dostanie się do wyjścia bocznego, a za chwilę nie będą mogli wyjść przez drzwi frontowe.

Wlokła ojca po podłodze korytarzem, kasląc od dymu i starając się nie oddychać głęboko. Jeśli się struje dymem, żadne z nich już nigdy się nie obudzi.

* * *

Shane skierował motocykl z powrotem do miasta, czując się tak niespokojny jak wtedy, kiedy wyjechał. Wiedział, co powinien uczynić. Musiał postawić wszystko na jedną kartę. Lauren się przestraszyła, ale on nie mógł pozwolić jej odejść, nawet nie próbując jej przekonać, żeby dała ich związkowi jeszcze jedną szansę. Chociaż było już późno, może jeszcze nie spała.

Skręcił w uliczkę i zobaczył dym, a potem płomienie. Dom Lauren się palił!

Gdzie, do diabła, wszyscy się podziali? Na ulicy nie było sąsiadów, nie brzęczały alarmy, a w oddali nie wyły żadne syreny. Zatrzymał motocykl, wyciągnął telefon i zadzwonił pod numer alarmowy. Podał adres Lauren i podbiegł do domu. Drzwi frontowe zamknięte były od środka. Uderzył w nie ramieniem, raz, dwa, i wreszcie ustąpiły.

Dom był pełen dymu i ognia. Zewsząd biło gorąco. Wbiegł do salonu. Lauren była w korytarzyku i ciągnęła po podłodze ojca, ale ciężar jego ciała bardzo spowalniał jej ucieczkę.

Zakrzyknęła z ulgi na jego widok.

– Uciekaj z domu! Ja zajmę się ojcem!

Czekała jednak, kiedy siłował się z bezwładnym ciałem, dopóki nie zarzucił go sobie na plecy.

– Uciekaj! – powtórzył, poganiając ją, żeby wyszła pierwsza.

Ona jednak nie posłuchała, tylko ruszyła z powrotem na koniec korytarzyka.

Cholera! Pośpiesznie wydostał się frontowymi drzwiami, ułożył ojca w bezpiecznym miejscu na trawie, po czym wrócił do środka. Nie zamierzał zostawiać Lauren samej w płonącym domu.

Po co ona, do diabła, w ogóle tam wróciła?

* * *

Pamiętnika Abby szukali wszyscy zbyt długo, żeby teraz go stracić. Ojcu już nic nie groziło. Shane zadba o jego bezpieczeństwo. Dym był gęstszy, kiedy weszła ponownie do swojej sypialni, i zajęło jej chwilę, zanim znalazła pamiętnik. Wetknęła go do torebki razem z kopertą ze zdjęciami i zawróciła do przedpokoju. Ogień jednak buzował tam już na dobre i płomienie zagradzały jej drogę. Żar był nie do zniesienia. Zobaczyła po drugiej stronie Shane'a, ale odgradzał ich mur ognia.

– Wracaj! – krzyknęła, po czym wbiegła do pokoju i próbowała otworzyć okno. Cholera, było przymalowane na dobre farbą. W gardle drapało ją od dymu, a płomienie lizały już futrynę drzwi parę centymetrów od worków z ubraniami Abby. Za minutę w pokoju rozpęta się piekło. Rzuciła torebkę, złapała krzesło sprzed biurka i cisnęła nim w okno, by roztrzaskać szybę.

Chwytała haustami świeże powietrze, podczas gdy Shane ukazał się w oknie i położył kurtkę na odłamkach szkła, żeby bezpiecznie przeszła. Lauren błyskawicznie chwyciła torebkę i wygramoliła się przez okno, wpadając prosto w objęcia Shane'a.

Objął ją mocno i ukrył twarz w jej włosach przez jedną cudowną chwilę, po czym odciągnął jak najdalej od domu.

– Co ty sobie, do diabła, myślałaś? – wrzeszczał na nią, kiedy biegli przez trawnik, mijając strażaków, którzy już dotarli na miejsce.

– Znalazłam pamiętnik Abby. Nie mogłam pozwolić, żeby się spalił.

– Mogłaś przypłacić to życiem.

– Nic mi nie jest – powiedziała, lecz w gardle nadal ją drapało.

Zatrzymała się na ścieżce, dostrzegając nagle wozy strażackie i sąsiadów wybiegających z domu.

– Gdzie ojciec? Nic mu się nie stało?

– Jest tam, cały i zdrowy.

Ojciec siedział na krawężniku po drugiej stronie ulicy. Miał na twarzy maskę tlenową. Był przy nim ratownik.

Lauren podbiegła szczęśliwa, że widzi go przytomnego. Usiadła obok.

Wyciągnął do niej drżącą rękę.

– Tak się bałem – wyszeptał. – Nie wiedziałem, gdzie jesteś, Lauren. Śmiertelnie się bałem, że możesz z tego nie wyjść. Nie zniósłbym tego, gdybym cię stracił.

W gardle poczuła ucisk na widok miłości w jego oczach, miłości, której nie widziała od czasu, kiedy była małą dziewczynką. Ścisnęła jego rękę, by dodać mu animuszu.

– Musiałam wydostać z domu coś, co należało do Abby. Znalazłam dziś wieczorem jej pamiętnik.

– Pamiętnik? – zapytał zdziwiony. – Był tutaj, przez te wszystkie lata?

– Tak, pod pokrywą grzejnika. Abby znalazła doskonałą kryjówkę.

Westchnął ciężko i skierował wzrok na dom. Ogień buchał ze wszystkich okien i dachu. Trudno było uwierzyć, że dom, który od pokoleń należał do jej rodziny, ulatywał właśnie z dymem. Nie mogła wyobrazić sobie cierpienia, które było teraz udziałem jej ojca. To było całe jego życie – życie, którego tak rozpaczliwie się uczepił.

– Niedługo niczego już nie będzie – powiedział ciężko, wtórując jej myśli. – Nie tylko mojej pamięci, ale i domu, i wszystkiego, co znam.

Łza spłynęła mu po policzku. Lauren objęła go mocno i poczuła, jakie drobne i kruche zrobiło się jego ciało. Pragnęła móc mu powiedzieć, że wszystko będzie dobrze, ale przecież dla niego po tej nocy nic już nie będzie takie samo. Może zdołają odbudować dom, ale zajmie to sporo czasu, a kto wie, ile czasu pozostało jeszcze ojcu?

– Chcielibyśmy zabrać pani ojca do szpitala na obserwację – powiedział ratownik.

Kiwnęła głową.

– Tato, musisz z nimi pojechać.

Potrząsnął głową.

– Muszę zostać tutaj. To jest mój dom i dom Abby. – Głos mu się załamał. – Jej pokój zostanie zniszczony i wszystkie rzeczy. Nie zniosę tego. To jakbym ją stracił po raz drugi.

Miał w oczach tyle żalu, że trudno jej było na niego patrzeć. Nie mogła się jednak odwrócić. Była mu teraz potrzebna.

– To były tylko rzeczy, tato. Abby znaczyła więcej niż rzeczy w jej pokoju. To była pełna życia, energiczna dziewczyna i jej duch unosi się wszędzie. Jest w nas.

– Nie będę w stanie pamiętać o niej bez jej rzeczy. Potrzebne mi są do przypominania.

– Nie, niepotrzebne. Ona mieszka w twoim sercu, nie tylko w głowie. Wiem, bo w moim sercu także mieszka.

Ojciec westchnął i uśmiechnął się do niej smutno. Potem pochylił się i pocałował ją w policzek.

– Pamiętaj o niej, Lauren, kiedy ja już nie będę w stanie. Obiecaj mi!

– Nigdy nie zapomnę Abby. Nie mogłabym. A teraz musisz już jechać do szpitala. – Pomogła mu się podnieść.

Zatrzymał się i położył jej rękę na ramieniu.

– Ty także jesteś w moim sercu, Lauren. Nigdy w to nie wątp.

Zagryzła mocno dolną wargę, kiedy sanitariusz pomagał ojcu wejść do karetki. Nie podobała jej się słabość, z jaką mówił, ani to, jaki był zrezygnowany, zupełnie jakby się już poddał. Nie chciała go jeszcze tracić. Zaczynali dopiero na nowo się poznawać.

– Dobrze się czujesz? – zapytał Shane.

Potrząsnęła głową i wtuliła się w jego ramiona. Ukryła twarz w szerokiej twardej piersi. Trzymał ją tak długo. Pośród zamieszania, biegających strażaków, wozów strażackich, kręcących się sąsiadów czuła się bezpieczna.

Nie chciała, żeby odchodził. Nigdy nie chciała, żeby odchodził.

Uniosła głowę i popatrzyła mu w oczy.

– Skąd wiedziałeś, że trzeba do mnie przyjechać?

– To był przypadek. Zresztą o mały włos się nie spóźniłem – powiedział z błyskiem złości w oku. – W ogóle nie powinienem był dzisiaj w nocy zostawiać cię samej. Po tym, co się przydarzyło Markowi Devlinowi, powinienem nie odstępować cię na krok.

Te słowa uderzyły w nią mocno. Nie zastanawiała się jeszcze nad tym, skąd wziął się pożar. Założyła, że był to wypadek, że ojciec zostawił coś na kuchence. Niemniej płomienie pojawiły się jednocześnie w wielu miejscach.

– Myślisz, że to było podpalenie?

– To jest możliwość, której nie należy lekceważyć. Znalazłaś pamiętnik Abby. I co, wiesz już teraz, kto ją zabił?

– Przypuszczam, że Tim Sorenscn – odpowiedziała Lauren. – Jednak to nie Abby miała z nim romans, ale Lisa.

– Poważnie? – spytał zaskoczony.

– Tak, wszystko jest w tym pamiętniku. Abby chciała to powstrzymać. Myślę, że tamtego wieczoru poszła do szkoły, żeby porozmawiać wprost z Sorensenem i zagrozić, że o wszystkim powie, a on ją zabił.

– Tim Sorensen nie zabił pani siostry – wtrącił się komendant Silveira.

Odwróciła głowę zaskoczona, że go widzi. Nie zauważyła jego przyjazdu.

– Skąd pan o tym wie?

– Ponieważ dziś poświęciłem dużo czasu, by sprawdzić jego alibi. Jest nie do obalenia. Spędził cały dzień na sympozjum poza miastem i jest mnóstwo świadków, którzy go tam widzieli.

– A zatem, dlaczego jego żona potrąciła Marka Devlina?

– Powiedziała, że nie podobały jej się insynuacje Marka.

– Nie wjeżdżałaby w nikogo samochodem, gdyby nie miała podstaw do poważnych obaw – rzekła Lauren. – Może jednak Erica nie obawiała się, że Devlin powiąże z morderstwem jej męża, ale że powiąże z morderstwem ją samą – snuła dalej przypuszczenia.

– Jeśli Abby pojechała do domu Tima, mogła powiedzieć o romansie żonie. Może żona w taki właśnie sposób próbowała ją powstrzymać?

– A co z Ericą? Czy ona też ma alibi? – zapytała.

– Pani Sorensen była w domu z małym dzieckiem. To jest przedmiotem śledztwa – powiedział Joe. – Śledztwo obejmuje wczorajszy wypadek, śmierć pani siostry, a teraz także pożar w pani domu. Dam znać, do czego doszliśmy. Tymczasem jednak, czy ma pani gdzie się zatrzymać?

– Zostanie ze mną – powiedział Shane, obejmując ją mocniej.

– Dobrze. Przy panu będzie bezpieczna.

Kiedy szef policji wsiadł do samochodu i odjechał, Lauren zorientowała się, że tak pochłonęły ją wszelkie myśli, że nie powiedziała mu o pamiętniku Abby.

Może to i dobrze. Powinna go jeszcze raz przeczytać, zanim zaniesie na policję.

– Jeżeli nie Tim Sorensen zabił Abby, zrobiła to jego żona – powiedziała Shane'owi. – Mogła pomyśleć, że Devlin za bardzo się do nich zbliża. Mimo to ciężko jest w to uwierzyć. Bo dlaczego zabiłaby Abby za to, iż jej wyjawiła, że mąż ma romans z inną uczennicą? Dlaczego nie zwróciła się przeciwko Lisie?

– Może się zbytnio pośpieszyła – podsunął Shane. – Może widziała Abby jako większe zagrożenie, ponieważ to ona chciała ujawnić romans.

– Ale to Lisa miała romans – powtórzyła Lauren, myślami krążąc teraz przy sprawach, które nie składały się w całość. – Lisa przyszła tu parę dni temu. Omal nie zemdlała, kiedy zobaczyła, że pokój Abby jest dokładnie taki sam jak przed trzynastu laty. Myślała, że rodzice posprzątali go już dawno temu. Zapytała mnie, czy znalazłam pamiętnik, zatem wiedziała, że nadal gdzieś jest schowany. Martwiła się, że może zostać odkryty.

Z każdym wypowiedzianym słowem w głowie Lauren zaczęła wzrastać pewność.

– Gdzie masz motocykl?

– Tutaj – powiedział Shane. – Lauren, trzeba pojechać na policję.

– Nie, to sprawa osobista. Lisa wychowywała się w naszym domu. Była praktycznie siostrą Abby. Chcę zobaczyć jej twarz. Chcę jej popatrzeć w oczy. Chcę, żeby powiedziała mi całą prawdę. Jeśli mnie tam nie zawieziesz, pojadę sama.

– Zawiozę cię – powiedział Shane. – Ja też mam kilka pytań do Lisy.

Rozdział 22

Dom Lisy znajdował się w odległości pięciu minut jazdy. Kiedy przejeżdżali znajomymi uliczkami, Lauren przypominała sobie, ile razy Abby szła albo jechała na rowerze, by zobaczyć się z Lisą. W dzieciństwie bardzo dużo się razem bawiły, a ich przyjaźń była głęboka i pełna miłości.

Shane zaparkował przed domem Lisy. Na górze paliło się światło i jej auto stało na podjeździe. Lauren zadzwoniła do drzwi i czekała z niecierpliwością, by otrzymać odpowiedzi, których pragnęła od bardzo dawna. Naciskała przycisk dzwonka, stukała do drzwi i wołała Lisę po imieniu. Usłyszała, że Shane dzwoni z komórki na policję. Nie dbała o to, czy przyjadą, czy nie, chciała przede wszystkim porozmawiać z Lisą.

– Śmierdzi benzyną – powiedziała, marszcząc nos. Pochyliła głowę. To klamka zalatywała benzyną.
– Musimy tam wejść.

– Jeśli ona podpaliła ci dom, powinniśmy zaczekać na gliny.

– A jeśli to nie ona, możliwe, że ten kto to zrobił, dobierze się i do niej. Tim Sorensen nadal chodzi na wolności.

Shane westchnął głęboko.

– Słuszna uwaga. Zrób mi miejsce. – Cofnął się o parę kroków, po czym zaatakował drzwi sposobem wspomagającego obrońcy, którym kiedyś był w drużynie futbolowej. Przy pierwszym uderzeniu drzwi zaskrzypiały, a przy drugim ustąpiły. Wskoczyli do środka.

Lisa wybiegła z kuchni z potarganymi ciemnorudymi włosami, dzikim wzrokiem, bladą twarzą i rękami zawiniętymi w ociekające wodą ręczniki. Zobaczyła Lauren i zastygła na miejscu.

– Co ci się stało w rękę? – zapytała Lauren, ale znała już prawdę. Próbowała przekonać siebie, że jedyną złą rzeczą, którą uczyniła Lisa, było przespanie się z trenerem siatkówki, ale niestety, prawda była inna.

– Poparzyłaś je, prawda? – ciągnęła. – Poparzyłaś je, kiedy podpalałaś mój dom.

Podeszła do Lisy, która natychmiast zaczęła się cofać, ale nie miała dokąd uciec.

– Boże! – krzyknęła Lauren. – Mogłaś mnie zabić! Mogłaś zabić ojca! Jak mogłaś zrobić nam coś takiego? Byliśmy twoją rodziną. Abby była dla ciebie jak siostra.

– Abby zwróciła się przeciwko mnie – wyznała z goryczą Lisa. – Zdradziła mnie. Chciała wszystko zepsuć.

– Masz na myśli to, że zamierzała powiedzieć wszystkim, że uprawiałaś seks z trenerem Sorensenem.

– On mnie kochał. Kochał mnie tak, jak nikt inny! – zawołała Lisa. – Nie wiesz, jak to było dorastać w tym domu. Nie musiałaś patrzeć, jak twoja matka sprowadzała i wyrzucała mężczyzn. Nie musiałaś zamykać sypialni na klucz na wypadek, gdyby któremuś przyszło do głowy w środku nocy zrobić skok w bok. Ty i Abby miałyście idealną rodzinę.

– Abby cię kochała – powiedziała Lauren, nadal wstrząśnięta, chociaż prawda stała właśnie przed nią. – Kochała cię, Liso.

Lisa pokręciła głową.

– Mylisz się. Znienawidziła mnie, kiedy odkryła, co robiłam. A wiesz dlaczego? Bo Abby chciała go mieć dla siebie. Nie podobało się jej, że to na mnie zwrócił uwagę. Przywykła, że to ona jest gwiazdą.

– Nieprawda – zaprotestowała Lauren. – Nie zwalisz tego na Abby.

– Nie wiesz, jak było naprawdę.

– Wiem, że nie spała z trenerem.

– Tylko dlatego, że on kochał się we mnie. To Tim był tym człowiekiem, którego Abby nie mogła mieć. To o nim napisała w pamiętniku. – Lisa przerwała nagle i źrenice jej się zwęziły. – Znalazłaś go, prawda? To dlatego tutaj przyszłaś. Wiedziałam, że pamiętnik został w domu. Chciałam go poszukać po śmierci Abby, ale nie wpuściliście mnie. Ty i twoi rodzice, którzy podobno tak się o mnie troszczyli, po śmierci Abby nie mieli ze mnie już żadnego pożytku. Już nie byłam członkiem rodziny. – Splunęła przy zakończeniu zdania.

– Zatem postanowiłaś, że spalisz mi dom, tak na wszelki wypadek, bo może jest w nim pamiętnik?

– Na pewno wszyscy by pomyśleli, że to zrobił twój ojciec.

– Nie spodziewałaś się jednak, że poparzysz sobie ręce. – Lauren zauważyła, że wzrok Lisy przesunął się w stronę sypialni. Przez otwarte drzwi widać było walizkę na łóżku. – Masz zamiar uciec.

– A kto mówi, że nie wyjadę? – zapytała zaczepnie Lisa.

– Ja – powiedział Shane i stanął tuż przed nią.

– Jak zawsze, wielki bohater – powiedziała z przekąsem Lisa. – Czemu miałbyś jej pomagać? Ona nie stanęła za tobą wtedy, kiedy wszyscy obwiniali cię o zamordowanie Abby.

– O ile dobrze pamiętam, to byłaś z siebie bardzo zadowolona, kiedy udało ci się wcisnąć policji, że pokłóciłem się z Abby, chociaż było to kłamstwo. To ty chciałaś, żebym poszedł do więzienia za zabójstwo.

– Lepiej, żebyś to był ty... – Lisa przerwała.

Prawda nagle uderzyła Lauren mocno między oczy. Tim Sorensen miał alibi. Erica Sorensen przypuszczalnie była w domu z małym dzieckiem. Ale Lisa...

– To ty? Ty to zrobiłaś? Zabiłaś Abby? – Podskoczyła i złapała Lisę za ramiona, nie zwracając uwagi na okrzyk bólu, kiedy uraziła poparzone dłonie. – Mów! Przyznaj się, niech cię szlag! – Łzy wściekłości sprawiały, że nic nie widziała. – Jak mogłaś zabić najlepszą przyjaciółkę?

– Musiałam! Zamierzała wszystko zniszczyć! Próbowałam z nią rozmawiać. Błagałam ją, żeby zostawiła sprawę w spokoju. Nikomu nie robiliśmy krzywdy, a ona wtrącała się w nie swoje sprawy. A Tim... on mógł stracić kompletnie wszystko. Bardzo się bał.

– Wiedział, że to zrobiłaś?

– Powiedział mi, żebym znalazła sposób na powstrzymanie Abby. Wiedział, że nas przyłapała, bo nie rozstawała się z tym swoim cholernym aparatem. Uwielbiała podkradać się do ludzi i znienacka pstrykać im zdjęcia. W taki właśnie sposób dowiedziała się o nas. – Wzięła głęboki oddech. – Nie nadążasz, Lauren? Kochałam go, a on kochał mnie. Był jedynym człowiekiem na świecie, który mnie kochał. – Zaniosła się szlochem.

Ogarnięta furią Lauren miała ochotę opleść ręce wokół szyi Lisy i ją udusić tak samo, jak ona udusiła Abby. Jak przerażona i zdenerwowana musiała być jej siostra, kiedy Lisa ją zaatakowała. Jakże musiała się czuć zdradzona.

Złapała Lisę za gardło i ujrzała, jak jej oczy otwierają się szeroko ze strachu.

– Jakie to uczucie? – zapytała i zacisnęła jej palce na szyi. Lisa próbowała walczyć, ale miała zbyt poparzone dłonie.

– Powstrzymaj ją – Lisa zaczęła prosić Shane'a. Shane zbliżył się do nich.

– Lauren, puść ją – powiedział stanowczo.

– Naprawdę obchodzi cię, co się z nią stanie? Przecież chciała cię wsadzić do więzienia – rzekła Lauren.

– Nie obchodzi mnie ona, obchodzisz mnie ty. Już tu jedzie policja. Zaraz ją aresztują.

Lauren nie chciała jej puszczać. Chciała, żeby Lisa cierpiała tak samo jak Abby.

– Lauren, ojciec cię potrzebuje. Nie może stracić drugiej córki – rzekł Shane.

Jego słowa wreszcie do niej dotarły. Puściła Lisę, która opadła na podłogę, krzycząc histerycznie, że to nie była jej wina.

Wtedy do środka weszli Joe Silveira i dwaj umundurowani policjanci.

– Lisa zabiła Abby – powiedziała Lauren. – Zrobiła to, żeby ocalić siebie i swojego kochanka, Tima Sorensena. Abby zamierzała ujawnić ich romans. – Popatrzyła do tyłu na Lisę, której policjant pomagał wstać. – Wiesz, co Abby napisała w pamiętniku, Liso? Napisała, że się o ciebie martwi i nie chce, żebyś sobie zrujnowała życie. Nie chciała ci robić krzywdy, tylko chciała cię ratować. A ty ją zabiłaś.

– Przykro mi – szlochała Lisa. – Naprawdę żałuję. – Policjanci ją odprowadzili.

– Znalazła pani pamiętnik? – zapytał Joe z posępnym wyrazem twarzy.

– Dzisiaj w nocy. Zapomniałam powiedzieć wcześniej. Lisa domyślała się, że był w domu. Dlatego właśnie podłożyła ogień. Zamierzała zaraz wyjechać, ale się poparzyła i to opóźniło ucieczkę. – Rozejrzała się. – Gdzie moja torebka?

– Tutaj – powiedział Shane i podniósł ją z podłogi, gdzie ją wcześniej upuściła.

Wyjęła pamiętnik i wręczyła Silveirze.

– Chciałabym go odzyskać, kiedy będzie po wszystkim. To jedyna rzecz Abby, która nam została.

– Nie będzie problemu. Dobrze się pani czuje?

Odetchnęła głęboko.

– Nie, ale poczuję się lepiej, kiedy Lisa zapłaci za to, co uczyniła.

– Zapłaci – obiecał Joe.

– Chodźmy, Lauren – powiedział łagodnie Shane. – Zrobiłaś już wszystko, co mogłaś. Reszta należy do policji.

* * *

Zanim dotarli do łodzi, Lauren poszła do szpitala sprawdzić, co się dzieje z ojcem. Został przyjęty na obserwację i drzemał w pokoju. Rurki z tlenem miał wetknięte do nosa, ale zdawało się, że oddychał normalnie. Pielęgniarka powiedziała, że jeśli nie wystąpią żadne nieprzewidziane objawy, rano zostanie wypisany.

Lauren przez kilka minut przyglądała mu się w milczeniu i miała już wyjść, kiedy otworzył oczy. Kilka razy zamrugał, po czym zatrzymał wzrok na jej twarzy.

– Lauren – powiedział z ulgą w głosie. – Nie mogłem sobie przypomnieć, co się z tobą działo. Bardzo się bałem. Nikt nie wiedział, gdzie się podziewasz.

– Jestem tutaj – uśmiechnęła się. – Czy dobrze się czujesz?

– Śniły mi się dawne czasy w naszym domu, kiedy byliśmy wszyscy razem – ty, ja, mama, David i Abby. Mieliśmy swoje dobre lata.

– Mieliśmy – zgodziła się, ścierając się z nagłą falą uczuć. Nie wiedziała, ile jeszcze dzisiaj udźwignie.

– Twoja matka uwielbiała ten dom. Pamiętam, kiedy się do niego wprowadziliśmy, sami pomalowaliśmy wszystkie pokoje. Więcej farby zostało na jej twarzy i na ubraniu niż na ścianach, ale się tym nie przejmowała. Była wtedy bardzo szczęśliwa.

– Tato, nie mówmy teraz o tym.

– Chcę powiedzieć ci wszystko – rzekł.

Powtórzył słowa Shane'a z tego samego wieczoru.

– Możemy porozmawiać potem. Teraz musisz odpocząć.

– Nie wiem, ile jeszcze mi czasu zostało.

– Nie mów tak. Więcej masz dobrych dni niż złych.

– W każdej chwili może się to zmienić. Wiem, że nie chcesz rozmawiać o przeszłości...

– Chcę – rzekła. – Chcę wysłuchać wszystkich twoich wspomnień. Chcę je spisać i przekazać swoim dzieciom i dzieciom Davida. – Zobaczyła, że w jego oczach zbierają się łzy szczęścia. Wszystko, co mogła dla niego zrobić, to go wysłuchać. – Wiem, że to dla ciebie jest ważne i jest to też bardzo ważne dla mnie. Nawet, jeśli ty o nas zapomnisz, my nie zapomnimy o tobie. – Pochyliła się i pocałowała go w policzek. – Odpocznij, tato. Porozmawiamy rano.

* * *

Shane czekał na nią w korytarzu. Kiedy w ciszy wyszli ze szpitala, przystanęła na dziedzińcu i wciągnęła głęboko do płuc świeże powietrze. Miliony gwiazd otaczały cudownie pełny księżyc, który miał już zanurzyć się za horyzontem. Zbliżał się świt.

– Pozwól, że zawiozę cię na łódź lub gdziekolwiek, dokąd chcesz – powiedział Shane.

– Chcę tylko usiąść na chwilę – odparła i podeszła do najbliższej ławki.

Shane zdjął kurtkę i zarzucił jej na ramiona.

– Zmarzniesz – odezwał się z uśmiechem.

– Nie powiedziałeś mi jeszcze, dlaczego wróciłeś dziś w nocy do mojego domu – przypomniała.

– Nie masz dość rozmów na dziś? Już chyba z lekka brakuje ci sił?

– Skromnie powiedziane. Sądzę jednak, że nie zasnę, nawet jeśli będę się starać.

– Powiedziałaś ojcu o Lisie?

Potrząsnęła głową.

– Jeszcze nie. Nadal nie mogę uwierzyć, że to ona zabiła Abby. Nigdy w życiu nie pomyślałabym, że to ona.

– Była dzieckiem, któremu pomieszało się w głowie, rozpaczliwie łaknącym miłości – rzekł Shane.
– To ironia losu, że człowiek, który ponosi za to wszystko odpowiedzialność, ucierpi najmniej.

Zmarszczyła brwi.

– Co masz na myśli?

– Tim Sorensen uprawiał seks z piętnastoletnią uczennicą. Ale to Lisa zabiła Abby, bo chciała bronić jego i ich związku. To jego żona przejechała Marka Devlina, bo też chciała go obronić. Erica wiedziała, że jej mąż miał romans. Myliła się tylko, sądząc, że z Abby, a tymczasem miał romans z Lisą.

– Zatem Lisa zostanie osądzona za zabójstwo, a Erica za próbę zabójstwa. A co stanie się z Timem?

– Z pewnością straci pracę.

Lauren pokręciła głową z niezadowoleniem.

– To nie w porządku. On też powinien iść do więzienia. Uprawiał seks z nieletnią.

– Trzynaście lat temu. Ciekawe, po jakim czasie przedawnia się według prawa gwałt.

– Lisa na pewno by twierdziła, że odbyło się to za jej zgodą, żeby go uwolnić z zarzutów. Nie wierzę, że Abby jej żałowała. Ja miałam ochotę ją zabić. Nigdy wcześniej nie czułam takiej wściekłości. Przestraszyłeś się już pewnie, że staniesz się świadkiem zabójstwa?

– Ani trochę – powiedział i uśmiechnął się lekko. – Dobrze cię znam, Lauren.

– Ciągle to powtarzasz.

– Może powinnaś w to wreszcie uwierzyć.

Przez chwilę zapadła między nimi pogodna cisza. Lauren nie pamiętała już, kiedy ostatnio czuła taki spokój i kiedy tyle pytań doczekało się odpowiedzi. Wszystkie – prócz jednego.

Odwróciła się do niego i spojrzała mu prosto w oczy.

– Shane, nadal nie powiedziałeś mi, po co przyjechałeś do mnie w nocy.

– Chciałem ci wyznać, że cię kocham – odparł po prostu.

Serce przestało jej bić.

– Chyba nawdychałam się za dużo dymu. Mógłbyś powtórzyć?

Uśmiechnął się szerzej.

– Kocham cię, Lauren. Powiem to tyle razy, ile będziesz chciała. I będę to powtarzał do końca naszych dni, jeśli na to pozwolisz. – Jego wzrok spoważniał. – Wiedziałem, że jesteś tą jedyną, od pierwszego razu, kiedy wsiadłaś ze mną na motor i objęłaś mnie w pasie. Przywarłaś do mnie, jakbyś miała mnie nigdy nie puścić. Po raz pierwszy w życiu zapragnąłem, żeby ktoś tak się mnie trzymał. Byłem wystraszony jak wszyscy diabli. Jedyną osobą, z którą kiedykolwiek chciałem się związać, byłaś ty, a ja nie mogłem cię mieć. Po wyjeździe próbowałem o tobie zapomnieć, ale mi się nie udało. Nikt nigdy nie był mi bliższy. – Westchnął głęboko.

Ujrzała w jego oczach zatroskanie, że to oświadczenie może nie wystarczyć i że jest spóźnione. Głuptas.

– Ja też cię kocham, Shane. Zawsze cię kochałam.

– Dzięki Bogu!

Ta szczera ulga wywołała uśmiech na jej twarzy.

– To co w takim razie z tym dalej zrobimy?

– Cokolwiek zapragniesz, Lauren. Dla ciebie mogę się przeprowadzić do San Francisco. Mogę się przeprowadzić wszędzie, bylebyś ty tam była.

– To pozytywna strona zakochania się w mężczyźnie, który ma łódź – powiedziała lekko. – Myślę jednak, że chcę jeszcze jakiś czas tutaj zostać. Chcę znów poznać ojca, póki czuje się jeszcze na tyle dobrze, że mnie poznaje. Tyle tylko, że teraz nie mamy gdzie mieszkać.

– Kupimy coś.

Uniosła brwi.

– Masz na myśli dom na stałym lądzie?

– Mogę mieszkać na lądzie.

– Bez fal kołyszących cię do snu?

– Przypuszczam, że zamiast fal ty będziesz musiała kołysać mnie do snu – zażartował. – Kocham cię, Lauren. Boże, jak dobrze jest móc to powiedzieć głośno. Nie wiem, dlaczego te słowa brzmiały tak przerażająco, gdy mówiłem je w myślach.

– Ponieważ ktoś, kogo kochałeś, uczynił ci krzywdę. To się jednak zmieni – obiecała. – Mamy swoją drugą szansę, zupełnie jak Leonora i Tommy. – Pocałowała go delikatnie. – Chodźmy do domu.

– Do naszego domu – poprawił.

Uśmiechnęła się.

– Jak to ładnie brzmi.

Epilog

Dwa dni później Lauren poszła do centrum opieki Nad Zatoką z Shane'em, Karą i jej córeczką, której Kara nadała imię Faith.

Kara zatrzymała się na korytarzu przed pokojem Colina.

– Te dni, które spędziłam w szpitalu, to moja najdłuższa rozłąka z Colinem. Wiem, że muszę to zrobić, ale się trochę boję. – Jej oczy wypełniły się łzami. – Muszę powiedzieć Colinowi, że chociaż go kocham, teraz będę się zajmowała naszym dzieckiem. Pora się z nim pożegnać.

Lauren zamrugała, żeby powstrzymać łzy. Miłość między Karą i Colinem była tak potężna, tak głęboka, że nie umiała sobie wyobrazić, iż można w ogóle przeżyć coś takiego, co musiała przeżywać Kara.

Zanim Kara otworzyła drzwi pokoju Colina, z windy wyszli Charlotte, Joe i Jason. Podeszli do nich.

– Pomyśleliśmy, że może potrzebne ci będzie wsparcie – powiedziała Karze Charlotte. – Jeśli jest nas za dużo, zaczekamy na korytarzu.

Kara uśmiechnęła się.

– Dzięki. Możecie wejść. Jesteście wszyscy przyjaciółmi Colina. Jesteście moimi przyjaciółmi. – Pchnęła drzwi i podeszła do łóżka.

Reszta gości stanęła za nią. Colin wyglądał dokładnie tak samo, jak wtedy, kiedy Lauren widziała go ostatnio. Popatrzyła na Shane'a, który spochmurniał. Był przeciwny tym odwiedzinom. Chciał zabrać Karę ze szpitala prosto do domu, ale nalegała, żeby przyszli tutaj.

– Colinie – odezwała się. – Przywiozłam naszą córeczkę, żeby cię poznała. Ma na imię Faith, bo ty zawsze wierzyłeś, że urodzi się zdrowa i śliczna, i taka jest. Mamy naszą małą dziewczynkę. Postaram się, żeby wszystko o tobie wiedziała. – Kara wzięła głęboki oddech. – Nie będę jednak w stanie przychodzić tutaj codziennie. Będę musiała siedzieć przy niej. Wiem, że to zrozumiesz. – Umilkła, po czym położyła dziecko Colinowi na piersi. Podniosła jego rękę i położyła ją na pleckach dziecka.

Mijały długie sekundy.

Lauren ścisnęło coś w gardle. Ta scena była taka smutna i przejmująca. Shane wziął ją za rękę. Wiedziała, że chciałby zrobić wszystko, żeby pomóc Karze, ale nie było takiej rzeczy, którą dałoby się uczynić.

– Dlatego przyszłam się pożegnać – ciągnęła Kara. – Wiedziałam, że to będzie ciężkie, ale jest jeszcze gorsze – rzekła, a jej głos się załamał.

Shane wyrwał się do przodu, ale Lauren przytrzymała go w miejscu. Wiedziała, że Kara musiała skończyć.

Kara odetchnęła głęboko, by zebrać odwagę.

– Którejś nocy poczułam w pokoju twojego ducha. Przyszedłeś do mnie, bo bardzo się bałam. Powiedziałeś, że nasza córeczka jest śliczna. Wiem, że nas widzisz, gdziekolwiek jesteś. A my zawsze będziemy z tobą.

Kiedy Kara pochyliła się, żeby podnieść dziecko, powieki Colina poruszyły się. Początkowo Lauren myślała, że jej się przywidziało, ale po chwili usłyszała jęk zdumienia, który wyrwał się z ust Kary.

Wszyscy ruszyli do przodu, kiedy Colin otworzył oczy – swoje jasnozielone oczy.

Przez długą chwilę w powietrzu iskrzyło napięcie oczekiwania i nadziei.

Colin popatrzył na swoją pierś i dotknął noska córeczki.

– To nasze dziecko?

Kara wydała z siebie okrzyk radości i niedowierzania.

– Colinie, obudziłeś się!

Popatrzył na nią ze zdumieniem.

– A spałem?

Kara zaczęła się śmiać i płakać.

Colin rozejrzał się po pokoju.

– Co się stało? – spytał zdezorientowany.

– Stał się cud – powiedział Shane i popatrzył na Lauren. – Kara nareszcie dostąpiła cudu.

– Wszyscy go dostąpiliśmy – rzekła z uśmiechem Lauren. – Wszyscy.

**Wcześniejsze losy niektórych
bohaterów można poznać
w pierwszej książce z cyklu:**

LATO W ZATOCE ANIOŁÓW

Już wkrótce kolejna część:

TRZY TWARZE EWY

Zapraszamy do naszej księgarni internetowej,
w której znajdą Państwo ciekawą ofertę literatury
kobiecej, poradników oraz książek dla dzieci.

www.wydawnictwobis.com.pl

Można także złożyć zamówienie telefonicznie:

tel. 22 877-27-05, 22 877-40-33

Na życzenie wysyłamy bezpłatny katalog.